C0-AWX-560

《菊与刀》：决定美国对日决战方式

《武士道》：5000日钞印着本书作者的肖像

《日本论》：提前十年预警东方必有战事
被中日学界誉为通论近代日本文明三大著作之一

《日本人》：抗战伊始即言日本必败
狂销10万，被誉"纸弹"

日本四書

Four Books on Japan

洞察日本民族特性四个文本

【菊与刀】（美）本尼迪克特著 彭凡译

【武士道】（日）新渡户稻造著 曾立新译

【日本论】戴季陶著

【日本人】蒋百里著

线装书局

图书在版编目（CIP）数据

日本四书/—北京：线装书局，2005.8
本书包括“菊与刀/（美）本尼迪克特著；彭凡等译·武士道/（日）新渡户稻造著；曹立新译·日本论/戴季陶著·日本人/蒋百里著”
ISBN 7-80106-438-0
Ⅰ.日... Ⅱ.Ⅲ.民族性—研究—日本
Ⅳ.C955.313

中国版本图书馆 CIP 数据核字（2005）第 045933 号

日本四书

作　　者：（美）本尼迪克特　（日）新渡户稻造　戴季陶　蒋百里
策划编辑：宋　铮
责任编辑：林君雄　孙嘉镇
校　　对：孙广远
出版发行：线装书局
（北京西城区鼓楼西大街 41 号　100009）
电话：010—64045283　64041012
经　　销：新华书店
印　　刷：北京小红门印刷厂
规　　格：24 开（889×1194）
印　　张：18
字　　数：390 千字
版　　次：2006 年 1 月第 1 版
印　　次：2006 年 1 月第 1 次印刷
书　　号：ISBN 7-80106-438-0
定　　价：29.80 元

出版说明

日本是一个单一民族的国家，在漫长的历史发展过程中，汇冲形成自己独异的民族性格。上一世纪、上上世纪，中日、美日国家间的风云际会，催生了《菊与刀》、《武士道》、《日本论》、《日本人》，恰是美国人、日本人、中国人洞察日本民族特性的四大文本。

《菊与刀》，美国著名人类学家本尼迪克特 1944 年为战时政府决策撰写的内参，颇具政治与学术张力；《武士道》，日本第一代留学生新渡户稻造 1899 年为日本民族之魂——武士道所作的出色辩护，堪称日本的“恶之花”；《日本论》，民国元老戴季陶 1928 年纵论近代中日恩怨时对日本的洞察，是政治家的手笔；《日本人》，八年抗战伊始，一位中国军人、日本人的女婿写下的媒体文字，一时纸贵，被誉“纸弹”，可以视同抗日战略预言书。

今将以上四种名著蒐为一册，重新翻译编辑，配以图片，重命名为《日本四书》，奉献给新世纪的读者，作为了解日本的文本参考，当不致毫无裨益。

《日本四书》虽是经过岁月淘洗之后的文字，但也留下了岁月的痕迹，其中正误，今天的读者当会明辨。编者在一些文字后面加了注语，以方括号标示。

一并说明，《菊与刀》是根据 Boston, Mass.: Houghton Mifflin, 1989 年重印版，由红纽扣文字工作室彭凡女士等译出。《武士道》是根据 Kodansha International(JPN), 2002 年版译出，译者是西南师范大学新闻系的曹立新先生。《日本论》是以民智书局 1928 年版为底本点校刊出。《日本人》是根据新中国杂志社版点校刊出的。

目录

《菊与刀》

《武士道》

《日本论》

《日本人》

本尼迪克特

美国著名女人类学家

1887年生，1914年婚，1948年卒

哥伦比亚大学人类学系主任

1944年为战时美国政府拟定对日政策报告

战争结束

国家决策与她建议一致

事实发展同她预料一致

这份报告

即是

《菊与刀》

日本人称

读了此书

才真正认清自己

而本尼迪克特

并未踏上

日本本土

Four Books on Japan

本尼迪克特

第一章

研究对象——日本

在美国所有全力以赴的战争中，迄今为止，日本是最难以琢磨的敌人。他们的思维方式和生活习惯与我们截然不同，而以往的战争，我们从来不用花时间去考虑这些。我们碰到了在这之前 1905 年沙俄遇到的同样的情况，与我们交战的，是一个武装到牙齿、训练有素的、可怕的民族。他们向西方传统文化叫板，无视西方国家强调的以人性作为基础的战争规则。因此，太平洋战争的核心不仅仅是一系列的岛屿海滩登陆行动，也不仅仅是棘手的后勤供应问题，而是如何吃透“敌性”的问题。只有了解他们的行动，才能与之对抗，并赢得最终胜利。

△ 颓之美

了解的过程存在很大的困难。自从日本的锁国大门打开后，在这 75 年间，人们用来形容日本人的，总是“但是，又……”这种让人觉得迷惑的词，而这种形容，还从来没有用到世界上其他任何一个民族身上。

一位态度严谨的观察家，在描写日本人以外的其他民族时，如果说他们斯文有礼，就不会说：“但是，他们又蛮横无礼，目

▲ 恶之花

空一切”；如果说他们做事一板一眼，就不会说：“但是，他们善于适应激烈的变革潮流”；如果说他们性情温顺，就不会又解释：“但是，他们不太容易任上级摆布”；如果赞美他们忠贞不二，宽容大度，就不会又去诋毁：“但是，他们不讲信用，心怀鬼胎”；如果说他们英勇神武，就不会又细数他们如何懦弱；如果说他们从不顾及他人言论，就不会又说他们具有强烈的责任心；如果说他们的军队拥有铜墙铁壁一般的纪律，就不会又说士兵们如一盘散沙，不服管教，甚至犯上作乱；如果说他们热衷西学，就不会又说他们是冥顽不化的保守分子；如果他会撰写一本书描写这个民族如何崇尚美，如何尊重演员和艺术家，如何醉心于菊花艺术，就不会笔锋一转，撰写另一本书补充说该民族崇尚刀剑，崇尚武士的最高荣誉。

这些看似矛盾的说法，却是所有研究日本的书籍的主要内容。当然，这并不是凭空而说。例如菊花与刀，就是日本现实生活中显而易见的一组矛盾。日本人既争强好斗又温文尔雅；既穷兵黩武又天性爱美；傲慢不逊又彬彬有礼，刻板教条又随机善变，温柔顺从又勇于反抗，忠心耿耿又无情无义，勇敢如虎又胆小如鼠，因循守旧又敢于尝试。他们在意别人对自己的看法，但当别人对自己的劣迹一无所知时，他们的罪恶本性就会暴露无遗。他们的士兵表面上循规蹈矩，骨子里却蠢蠢欲动。

既然认识日本，是当前最紧要的任务，那么以上所讲的这些乱哄哄令人烦躁的矛盾作为日本客观存在的现象，我们就不能视若无睹。现在，有一系列严峻的问题摆在我们面前：

下一步日本人将采取什么行动？不攻打日本本土，日本人会不会投降？要不要干脆直接把皇宫炸掉？从日本战俘身上我们能得到什么？对日军和日本老百姓实行什么样的舆论宣传，我们才能将美国士兵的牺牲减至最低，同时削弱日本人要战争到最后一个人的决心？如果战争结束，和平来临，要维持日本这个民族的秩序就必须实行军事管制吗？对于那些在日本山林的要塞中负隅顽抗的强硬分子，我们一定要与他们决一死战吗？在世界和平来临之前，是不是应该在日本先发起一场法国或俄国式的革命？如果发生，这次革命由谁来领导呢？或者，干脆就此把日本消灭掉？这些问题就算请一流的"日本通"来回答，恐怕也难以有确切可行的答案。

1944 年 6 月，我奉命研究日本。命令要求我运用文化人类学家所知道的种种技巧，弄清日本民族是一个什么样的民族。那年初夏，美国刚刚对日本发起了一场大规模的强势反攻。当时，美国大多数人都认为美日战争可能会持续三五年，或十年，甚至更长。日本人却普遍认为这场战争将会持续百年。他们说，美军的胜利只是暂时的、局部性的，新几内亚、所罗门群岛距离日本本土还有几千英里，远着呢！而日本官方的公报，对日本海军的失败更是只字不提，日本国民笃信胜利属于他们。

▲ 强行登陆

但是到了 6 月，战争形势开始发生翻天覆地的转变。在欧洲，盟军开辟了第二战场，赢得对德战争已指日可待，最高司令部不用再像过去两年半优先考虑欧洲战场地位了。而在太平洋战场，我军在塞班岛胜利登陆，也预示着这场战役日军必败。在这之后，我军与日军短兵相接的次数日益增多。从新几内亚，从瓜达尔卡纳尔、缅甸、阿图、塔拉瓦、比亚克以往这些战役中，我们已经很清楚地知道，与我们作战的是一个极度可怕的对手。

所以，现在，我们最紧要的任务就是尽快搞清敌军特点，解开有关日本人的种种谜团。我们不仅要关心日本人的军事、外交和最高决策方针，还要注意敌后方平民老百姓的日常生活中的舆论；能不能在敌后方散发传单，都需要我们提供切实可行的建议。在这场全方位的战斗中，我们必须搞清有多少国民支持日本政府，而不仅是东京当局的动机和目的、日本的悠久历史，以及经济和军事上的统计数据。我们要勾勒出日本人的思维和感情的习惯所形成的模式，搞清这些行动、观念背后是由何种力量支持的。我们还不能根据我们的行动习惯想当然地认为，在某种状况下，我们采取什么样的行动，日本人也会采取什么样的行动。

我的任务是艰难的。美国与日本目前正在交战。在战争中，咒骂敌人相当容易，但要通过敌人的角度去看待人生就有一定难度了。虽然如此，但我还是必须完成这个任务。我们要搞清日本人将如何行动，而不是处在他们的位置时我们将如何行动。

我努力让自己明白，日本人在战争中的行为不但对我没有害处，反而能助我一臂之力。我也必须把他们进行战争的方式，理解为文化问题而不是看作军事问题。不论是身处战争时期还是和平年代，日本人都有自己的行动特征。那么，他们通过战争表现出了哪些独特的生活和思维方式？日本领导人在做些什么呢？他们依靠什么力量发动战争，鼓舞士气，指挥士兵以及安定国民呢？要解答这些问题，我必须将战争中的每个细节都详细记载，以便让大家愈来愈清晰地认识日本人。

可是，两军对垒的现状给我的研究带来很大障碍。这让我不得不放弃田野调查——这个文化人类学家最重要的研究方法。我不能亲自到日本去，不能与日本人一起生活，不能亲眼观察他们的生活起居，并分辨出什么是必须要了解的，什么可以忽略不计。我不能看到他们如何对一件事情作决定，也不知道他们用什么方法培养孩子。我们在1944年遇到的有关日本的许多问题在人类学家约翰·恩布里的著作《须惠村》一点都没有提到，虽然这项研究成果对于日本村落田野研究具有重要意义。

尽管障碍重重，但作为一个文化人类学家，我自信还有其他的一些研究方法和技巧可以运用。起码我与研究对象可以面对面交流——这是一个被文化人类学家最为重视的方法。在美国，有许多在日本长大的日本人愿意与我沟通。作为一个文化人类学家，我认为，他们的许多知识有助于我们去理解他们的文化。这些知识包括他们的亲身经历，他们判断的方法，而且他们的讲述可以给我们的知识很好的补充。还有一些社会学家也在研究分析日本的图书文献、历史事件和统计资料，以及日本的文字或口头宣传的变化。他们所寻求的答案有很多跟日本文化的规则和价值紧密相关，因此，同生活在这种文化中的人一起研究，我们得到的答案会更加完美。

当然除此之外，我还大量阅读曾在日本生活过的西方人士的著作。比起到亚马逊河发源地或新几内亚高原等地对没有文字的部落进行研究的人类学家们，我算是幸运的了。由于没有书面文字，没有人知道他们的过去，他们的历史。那些种族无法在纸上表达他们的思想，西方人对他们的描述也非常稀少，就算有，也只是只字片语。因此，科学家们在实地调查研究他们的经济生活方式、社会阶层状况以及宗教神灵时，不得不在没有任何前辈学者的帮助下完成。而这些论述日本的文献，以及在日本居住过的许多西方优秀的观察家给我提供了非常有利的条件。这使我在研究日本时可以充分利用先驱学者们的研究成果。

古文献中存在大量关于日本人生活细节的描述；欧美人士也仔细记录了他们的有趣经历；就连日本人也留下了许多不同寻常的内心独白的书。跟其他东方人不同，日本人有强烈自我叙述的冲动，他们的叙述既包括赤裸裸的世界扩张计划，也包括自己日常生活中的些微琐事，并且非常坦率。当然和其他民族一样，他们也有所保留，没有全盘暴露。在描述日本时他们会省略许多真正重要的事情，因为这些他们太熟悉，像呼吸一样自然，因此没有必要再描写。美国人描绘美国时也会这样。但不管怎么说，日本民族非常喜欢暴露自己。

我在研究这些文献时，采用达尔文在创立物种起源理论时的读书方法，着重研究那些无法了解的事情。例如研究国会演说时，我应该了解些什么？他们为什么攻击一些无足轻重的行为而对许多暴行却充耳不闻，其奥妙何在？我边阅读边自问，“这幅画有什么毛病？”“我需要知道些什么才能更好地理解它？”

我还看宣传片、历史片或描写东京及农村当代生活的电影，它们都是在日本编写和拍摄的。然后和在日本看过这些影片的日本人士一起探讨。他们在日本生活过，看待角色的眼光与我有天壤之别，例如对于电影中的男女英雄人物和恶棍。当我对某个情节感到迷惑时，他们却非常明白。他们能从电影的整体背景结构来理解剧情和动机，而我有时感到不可理解。就像阅读小说，我的理解和在日本长大的他们也很不一样。在这些日本人中，有的为日本的风俗习惯进行辩护，有的却对日本的每一件事无情鞭挞。我也不知道哪种人的看法让我更有收获。但是在我与他们的直接接触中，他们所描绘的日本人的生活画面都是相似的，不管他们对这种生活方式是褒奖还是痛斥。

如果只是直接到老百姓中间搜集资料，那这个人类学家做的也就是那些在日本生活过的任何一个西方观察家所做的工作。这个人的贡献也就仅此而已，并没有比驻日外国观察家高明多少。但是，正因为人类学家受过专门的训练，具备了一些特殊才能，使他能够在这个学者和观察家云集的领域脱颖而出。

人类学家对于亚洲和太平洋的文化有着一定的了解。比如：日本很多社会风俗和生活习惯与太平洋岛屿上的原始部落有惊人的相似之处，有的与马来西亚相似，有的与新几内亚相似，有的与波里尼西亚相似。如果根据这些相似点来推断古时是否存在人口迁移或往来，是颇有趣味的。但我认为判断这些文化的相似性是否有价值，主要在于能否通过它们，找到了解日本生活方式的突破口，而不在于这中间发生过什么样的历史联系。

我对亚洲大陆的暹罗、缅甸和中国比较了解，所以常把日本与它们进行比较，因为它们同属于亚洲伟大文化传统的范畴。这种文化比较已经被人类学家在对原始民族的研究中反复地证明其价值连城。一个部落与相邻部落的正式习俗当中也许 90% 相同，但只要有一小部分与相邻部落有所不同，就能体现出他们生活方式和价值观的差异，而正是这一小部分决定了这个民族未来独特的发展方向。人类学家最感兴趣的，就是这种建立在整体上具有共同特征，各民族之间的差异的研究了。

由于本土文化与其他文化之间存在差异，人类学家不但必须习惯于这种不同,他的研究技能也必须因此不断改善。不同文化中的人,所遇到的情况与景象是不同的,不同部落和民族之间也有很大不同,人类学家通过自己的经历就可以了解到这点。

在北极或热带沙漠地区,不论你有多么出色的想象力,恐怕也想象不出他们遇到了什么样的部落习俗,这种习俗是以血缘关系和经济交换为基础的。遇到这种情况,人类学家不但要了解其中的详情,而且要弄清在部落行为中,这种习俗产生的后果是什么,部落的后代是如何像祖先那样,从小受习俗制约,然后把这种习俗一代一代往下传的。

在日本研究中,人类学者对上面所述的差异、制约和后果的关注也可充分运用。如许多人所知,日本文化与美国文化差异巨大,以至于我们可以说:我们做什么,他们就一定反其道而行之。作为研究者,如果觉得这些差异太大,并且认为因此无法认识日本民族,这种想法是非常危险的。

人类学家的研究已经证明,没有任何一种差异是不能理解的。这种差异,对于人类学家来说,不但不是障碍,反而是一种资本。在人类学家眼里,制度和民族是非常奇异的现象。人类学家不会视任何东西为天经地义,特别是对于所研究的部落生活方式。因此,他研究一切事物,而不是精心挑选出一些特例。在研究西方各民族时,有的人对整个行为领域习而不察,认为很多事物都是当然如此,不认真研究日常生活中的事物,哪怕是很微小的习惯,这些都是缺乏比较文化研究训练的表现。其实民族的特性正是由这些细小的习惯或公众意识组成的,它们对一个民族未来的影响,甚至远远超过外交官签订的各种条约。

人类学家必须对人们习以为常的各种生活习惯仔细研究,因为,在这个国家看起来稀松平常的事,到了另一个国家,可能就非比寻常。如果想了解这个国家最恶毒的一面,或者那个国家最怯懦的一面,或是在某种情况下他们是如何反应和感受时,就会发现这都与这些民族中最常见的一些生活报告和细节有关。人类学家不但要掌握这些翔实的资料,而且还要对其进行进一步的挖掘和研究。

这种方法非常适合研究日本。要完全理解人类学家进行这项研究的意义,只有多多观察一个民族的日常生活:因为不管是在哪一个原始部落还是哪一个先进发达的国家，人类的行为都是从日常生活中的一些琐碎小事体现出来的。不管他们的行为和观点是多么怪异，他们的感觉和思维方式都是来自于他们的习惯。越是对日本人的某种行为感到迷惑，我越是肯定在日本人的日常生活中，一定有某种导致这种怪异行为的因素。人都是从日常生活中学习成长的。假如通过这项研究，我能够一步一步体验到人们日常交往的微小细节，感觉一定很有意思。

作为一个文化人类学家，我相信，无论那些孤立的行为多么渺小，它们彼此之间也存在着千丝万缕的联系。数百个单一的行为通过怎样的组合才能构成一个综合性的模式，这是我非常重视的问题。人类社会在发展过程中，总是会自发地设计自身的生活模式，它会对某些事情的处理方式给予认同。这些事情的处理结果就是整个社会存在的基础。不管遇到多大困难，生活在那个社会中的人会尽可能地将这些融为一体。如果他们接受了某种赖以生存的价值体系，就不可能将自己与这个世界隔离，按照完全不同的思维和行动与这个世界对着干，否则，将使自己极为不便，陷入混乱。为了让个人与环境达到和谐统一，他们总是力求自己的行动与周围环境的行为步调一致。和谐一致在一定程度上是必要的，不然整个体系就会变得支离破碎。

所以，经济行为、家庭生活、宗教仪式和政治目标就像齿轮一样，相互紧密结合。假如一个部门的变化比其他部门来得更猛烈、更急切时，其他的部门马上就会感受到一股巨大的压力。这种压力正是达成和谐一致的需要。在人类还没有发明文字时，企图统治其他部落，攫取权力的欲望不但体现在宗教活动中，还体现在与其他部落的经济交往中。后来，随着文字的出现，教会在政治、经济领域渐渐失宠。人们不断要求享有越来越多的政治和经济权力，在日益高涨的呼声中，教会不得不将与自身无关的权力拱手相让。虽然保留了这些神圣经典，但是它们的内容已经改变。宗教信条、经济活动和政治不再是一潭死水，被堤防圈在有限的池子里，而是漫过各自假定的堤防，互相融会，混为一体。

根据这个永恒的真理，学者们的研究领域越是扩展到更大的经济活动、性生活、宗教和婴儿抚育等领域中，就越能了解更多的他所研究的社会中正在发生的事情。这样，他就能在生活的各个领域大胆地提出假设，并且收集资料进行论证；这样，任何一个民族提出的不管是政治的、经济的还是道德方面的要求，他都能够正确理解，认为这是各个民族不同的思维方式和行为习惯的不同表现。所以，如果你认为这是一本专门论述日本宗教、经济、政治或家庭的书，那么你就错了。这是一本探索和研讨日本人有关生活方式和观念的书。它将尝试通过描述日本人的行为来揭露他们的观念和动机。也就是说，这是一本讨论日本为什么能成为日本民族的书。

身处20世纪，我们仍然有一些非常糊涂和有失公允的看法，这是我们所面临的障碍之一。我们不但不了解日本为什么会成为日本民族，而且对美国为什么能成为美利坚民族，法国为什么能成为法兰西民族，俄国为什么能成为俄罗斯民族，我们也知之甚少。因为缺乏沟通和了解，各国之间经常互相指责，哪怕只是非常微小的纠纷，也有可能会变为巨大而无法协调的矛盾。而当一个民族在他们独有的经验和价值体系的基础上，形成了一套与我们完全不同的行动理念时，我们却还在奢望与他们共商大业。对于他们的习俗和价值体系的具体内容，我们从来没有主动地去了解过。如果去了解，我们就很可能发现，有些行为并不一定是坏的，事实上，它跟我们想象中的并不一样。

每个民族都不太可能自己讲得清他们的思想和行动习惯。每个民族的作家都力图想把自己生动地描绘出来，但这可不是一件容易的事。每个人都不会觉得自己在戴着有色眼镜看人看事，但事实上，任何一个民族观察生活时的角度跟别的民族都不一样。每个民族都认为自己的观察没有搞错，焦距和视点都是上帝早就安排好了的。就像戴眼镜的人通常自己都搞不清镜片的度数一样，我们也不能指望各民族自己分析他们的世界观。想知道镜片的度数时，我们就会训练一位眼科大夫，让他用专业的技术来检查眼镜的度数。同样，在将来的某一天，我们也会领悟到，为当代世界各个民族做类似眼科大夫的工作就是社会科学家的使命。

要想完成这个使命，必须具有某种坚强的精神和宽容的心态。有时，某些善良的人会对这种精神进行指责。这些人倡导世界大同，希望世界各地人们都相信：所谓的东方和西方，黑人和白人，基督徒和穆斯林，这些差

▲ 柴墙已经点燃。1613年至1626年,3000日本基督徒因拒绝放弃信仰而被处死。

异都是表面的,事实上,每一个人,想法都是相似的。中国人把这个观点叫做"四海之内皆兄弟"。但是,令人不解的是,为什么我们相信四海一家,却不能同意日本人和美国人可以各有各的生活方式?这些亲善大使们好像觉得,全世界各个角落的人都应该像一个模子铸出来一样,才能建立国际亲善主义。如果我们认为尊重其他民族,就必须建立这种同一性,这就像一个神经质的人强求自己的妻子儿女同自己长得一模一样。

心态强硬的人则认为这种差异天经地义,理当存在。他们的理想是建立一个存在差异却很安全的世界。只要不威胁世界和平,美国可以是百分之百的美国;法国、日本也同样如此。任何一个学者,如果他并不认为差异是悬在人类头上的可怕的达摩克利斯之剑,那么,在他眼里,以外部压力来阻止人们形成某种人生观都是极其荒谬的。当然,他们也没必要担心站在这一立场,世界就会停滞不前。鼓励文化上的差异,并不是说使这个世界静止不动。在英国,伊丽莎白时代之后有安妮女王时代及维多利亚时代,虽然时代变化,但英国的本色并未改变,英国人还是英国人。正因为存在着统一的英国民族特性,才能显示出不同的时代不同的价值观和不同的国民气质。

对民族差异要作系统地研究,除了要有坚强的意志外,还要有一种大度的气量。只有对自己的信仰坚守不移,才会有不同寻常的气量,来促进宗教比较研究的蓬勃发展。他们或许是耶稣教徒,或许是阿拉伯学者,甚至是不信教的人,当然,决不能是宗教狂。文化的比较研究也是如此,当人们认为自己的生活方式是世界上唯一的生存之道,并过分地保护时,文化的比较研究就不可能有巨大的发展。这种人无法明白,当他们获得其他生活方式的知识时,他们对自身文化会更加热爱。他们固步自封,闭门造车,感受不到愉快和丰富。他们如此保守,以至别无选择,只能强求别的民族接受与他们一样的生活方式。如果这种人是美国人,他们就会强求所有的民族像美国人一样的生活。但是,这种强加于人的生活方式是难以令其他民族接受的,就像我们学不会像某些东非土著人用一条腿站着休息,也无法学会用十二进位制来代替十进位制进行计算一样。

所以,这是一本全面阐述日本民族习惯的书,它将告诉人们,哪些习惯是日本人会接受的,哪些是日本人拒绝的;在哪种情况下,日本人希望得到称赞,哪种情况下又不会;在什么时候,日本人会觉得惭愧、尴尬,以及在这种情况下他们会怎样要求自己。本书的理想描述对象就是那些在街头巷尾随时都会出现的人们,也就是日本的平头百姓。当然,并不是这些人都会亲临本书中的每一个特殊的场合,而是当哪种情况发生时,这些人都会承认,在日本事实确实如此。作者的研究目的很简单,就是要将日本日积月累沉淀的思维和行为方式一一展现出来。也许最终无法达到这个目的,但这仍是这本书的理想目标。

在研究进一步进行时,研究者很快发现,无论增加多少调查数据,也不会对确定一些事实多一些的帮助。比如,谁在什么时候对谁鞠躬行礼,就不必调查全体日本民众。日本人都有这个习惯。谁都可以向你证明,只要抽样调查就可以了。不必费神费力地去调查 100 万个日本人确定这个信息是否准确。

比统计任务难上百倍千倍的研究任务是，搞明白日本的生活方式是建立在什么样的基础上。人们迫切地需要了解，这些人们习以为常的生活习惯和看法是怎样渗透到日本人的生活当中去，并形成日本人观察现实的透视镜。研究者必须弄清，这些理念是如何左右日本人观察人生的焦距和方法的。而且，他还必须努力让那些用完全不同的焦距来认识人生的美国人也能理解这一点。在研究过程中，最有权威的裁判并不一定就是"田中先生"那样的普通日本老百姓。因为连"田中先生"也不能对这些做出合情合理的解释。更何况，在他看来，这些写给美国人看的解释，本身就是画蛇添足，多此一举。

一般情况下，美国人对社会的研究，都不大理会一个国家的文化是在怎样的前提下建立起来的。大多数研究都觉得这些前提不言而喻。心理学家和社会学家一般都是用统计法去研究舆论和行为的"分布"状况。他们希望通过调查大量数据，进行问卷访问和访谈以及心理测试等方式，能够找到一些独立的因素或相互依存关系。在美国，舆论调查是最科学最有效的调查方式，也就是通过人口的统计抽样进行全国性的民意调查。用这种方法，可以了解到某一候选人或某一项政策有多少拥有者和反对者。拥护者和反对者可以按农村或城市、低收入者或高收入者、共和党或民主党进行分类统计。在实行普选，并由普选代表全面起草颁布法律的国家里，这种调查结果是相当具有权威性的。

美国人一般通过投票来进行民意调查，并掌握调查结果。他们之所以可以这样做，有个世人皆知的前提，但从来没有人提及过，这就是：美国人对美国的生活方式一清二楚，并且认为这种方式是自然而然的。民意调查的结果往往能让我们对已知的一些事情了解得更多。我们认为，如果要认识一个国家，必须先了解这个国家老百姓的习惯和观点。只有对这些进行有条理的定性研究后，我们的民意调查才能获得成效。周密的统计抽样，可以帮助我们了解政府的拥护者和反对者各有多少人。不过，如果一开始对他们的国家观、人生观一无所知，我们又能从抽样调查结果里得到些什么呢？所以，要想知道这个国家的老百姓的茶余饭后谈的是什么，国会中各党各派又在讨论些什么，就必须清楚他们的国家观。公众对政府所抱有的态度和观点，比标志各政党势力的支持率更重要，更具有普遍性。

在美国，不管是共和党还是民主党，都认为政府是一种必不可少的恶，因为它与个人自由相悖。除战争时期，美国政府职员的地位并不会比私人企业的员工的社会地位要高。这种对国家的态度，与日本人有天壤之别，甚至与欧洲国家也不可相提并论。当务之急，是尽快了解日本人的国家观。他们的观点和对成功者的看法会透过他们的风俗习惯表露出来，还有日本大和民族的历史故事、童话以及节日庆典中的辞令，都可以间接地帮助我们进行系统的研究。

在研究选举中，我们通常都会很清楚地知道支持者和反对者各有多少。因此，某一民族对生活的基本态度和他们解决问题时所采用的方法，我们都应该认真详尽地研究。日本就是这样一个很值得我们去研究的一个民族。西方人的观点和日本人截然不同，如果把这些不同点找出来，并理解了他们所使用的范畴和符号，那么日本人一些难以琢磨的矛盾行为就不难理解了。通过研究，我慢慢明白，为什么对一些前后截然不同的行为改变，日本却觉得理所当然，认为是完美和谐行动体系的一部分。当我认识到这一点，以前在我眼中怪得离谱的日本同事所说的一些言辞和概念，摇身一变就意义非凡了，而且充满着历史积淀的情感。他们拥有与西方人完全不同的道德观和罪恶观。他们特立独行，有着独特的社会体系，既不皈依佛教，也不附属儒教，他们是日本式的——这既是他们的优势，也是他们的弱点。

第二章

战争中的日本人

每一种文化，对于战争，都有一些独到的见解，但也有许多共通点。比如，如何动员大家打仗；如何在局部战争失败时鼓舞士气；战死者与伤亡者达到什么样的比例时才能投降；如何对待俘虏等等。这些在西方的战争中，彼此都可以预测。因为西方国家的文化传统，包括战争，都是来自同一源头。

在对战争的看法上，日本人与西方人之间真正的不同，在于他们的使命感、责任感以及人生观。在系统地研究日本的文化和行为时，那些与我们的传统观念相抵触的观点对于军事是不是很重要，我们可以不必考虑。他们的每一种行为都可能很重要，都是帮助我们研究日本的宝贵资料，都有利于解答关于日本是个什么样的民族这个问题。

什么样的战争是正义性的？日本人评判的标准与美国人恰好相反。并且他们对整个国际形势的判断跟我们也有很大差异。我们认为：战争的罪魁祸首是轴心国，是意大利、德意志、日本的侵略行为引起天下大乱，破坏国际和平。他们走欺弱凌小的无耻路线，侵占中国、波兰和埃塞俄比亚。他们践踏了“让自己活，也让别人活”的国家信条，侵犯了“门户开放”的国际准则，罪恶多端。但是，日本人却不这么想。他们认为：只要各国拥有绝对的主权，世界就会处在一片无政府的混乱状态中。因此，必须在全世界建立一种等级秩序。而全世界只有日本才是真正的唯一的彻底的自上而下的等级制国家，也只有日本最懂得“各安其所，各守本分”的重要性，日本已经实现了全国统一，恢复了和平，消灭了盗匪，新建了公路、电力和钢铁产业。据官方数字统计表明，日本有99.5%的青少年都受到了义务教育。因此，根据日本人的等级观念，日本有责任帮助落后的中国兄弟崛起，并在全世界建立一个以日本为主的等级制度，不论是采取哪种方式。而且，因为“大东亚共荣圈”的各个国家都是黄种人，应该首先将美国赶回太平洋另一边去，然后将英国人和俄国人驱逐出境，这样，大家各居各位，互不干涉。只有各国在国际等级秩序中找到各自的位置，各守其位，才能创造一个和谐统一的大同世界。[这是极为荒谬的侵略论调。]在下一章中，将重点叙述这种备受推崇的等级制，以及它在日本文化中所具有的内涵与价值。这种想法在大和民族看来，天经地义，理所当然。可惜，被日本占领的国家并没这样想。但奇怪的是，就算失败了，日本人还是固守“大东亚共荣圈”这一理想。就连最不关心战争的日本俘虏，对日本昭然若揭的狼子野心也很少谴责。由此可见，在以后很长一段时期，日本还是会冥顽不化地保持这种理想，并继续信仰和热爱他们的等级制度。这一点与热爱平等的美国人大相径庭，对于美国人来讲，这些想法简直是痴人说梦。但是，迷惑归迷惑，我们还是必须了解等级制，了解它对日本有什么特别的意义，在形成日本特性方面又发挥了哪些积极作用。

如何取得胜利，日本人的想法也与美国不同。它叫嚣日本必胜，日本精神一定会打败美国物质。他们说：美国确实疆土辽阔，军事实力雄厚，但这算得了什么呢？我们早就清楚这一点，也从未将这点放在眼里。

当日本凯旋而归时，日本的政治家和军人们会反复强调：这并不是军备之间的战争，而是一场日本精神与美国物质的较量。而当美国打胜仗的时候，他们还是坚持自己的信念：战争到最后，物质力量必将溃败。当日本在塞班岛和硫黄岛战败时，他们会托词说，这是因为过分强调物质差距而没有完全发挥精神战斗力。当然，这并不是专门为失败而找的藉口。在日本高唱凯歌一路前进的几个月里，它一直充当着一面深入人心的精神旗帜，以鼓舞士气。在偷袭珍珠港之前，这个宣传口号已经众人皆知。20世纪30年代，有一本叫《告日本国民书》的小册子，是由前陆军大臣、狂热的军国主义分子所著，其中写道：日本的“真正使命”是：“弘扬皇道达于四海，力量悬殊并不足忧，吾等何惧于物质?!"

尽管如此，和其他参战国一样，日本其实也很担心军事力量不够强大。在整个20世纪30年代，日本国民总收入中，用于军备的比例占相当大的一部分，而且上升得有如天文数字。在偷袭珍珠港那年，用在陆海军建设上的国民总收入，差不多占一半之多。而那些跟军事无关的财政支出只占政府总支出额的17%。可见，日本并不是不关心其物质军备，只是在他们看来，军舰和大炮，只是万古长存的"大和精神"的象征，就像刀不过是武士的道德、勇气的象征一样。

▲"神风"旗帜上书："所有都是为了天皇，我们很高兴为他而死。"

一直以来，美国注重实力，而日本则崇尚精神至上。日本也开展增产运动，但与美国不同，他们的增产运动是以自己的独特前提做基础的。日本人鼓吹，精神永恒，精神就是一切；而物质却是次要的，短暂易逝的。他们常常宣扬："物质资源是有限的，没有万年不变的物质。这是一个永恒的真理。"他们崇尚精神的力量，并贯穿于战争中的每一次行动。在日本的军人教育手册中，有这样一句口号："用我们的精锐力量对抗敌人的优势数量，用我们的血肉之躯对抗敌人的坚船利炮。"这个口号并不是为这次战争特意量身订做，而是他们一贯的指导思想。翻开日本的军队手册第一页，就可以赫然看到"阅读必胜"这四个粗大的字眼。精神能够战胜物质，这其中最典型的事例就是，日军的飞行员竟然驾着战斗机，以"自杀"的方式袭击我们的军舰。这支"赶死队"被日本人赞为"神风特攻队"。取名为"神风"，来自日本一段不同寻常的经历：公元13世纪，成吉思汗东征日本时，突然海面刮起一阵神奇的大风，掀翻了船只，船队全军覆没，使得日本逃过此劫。

精神必将战胜物质，日本不但在军队，而且在民间也极力宣扬这一信条。比如：当工人没日没夜干了12小时，被折腾得精疲力竭时，他们就说：

▲ 被击中的神风飞机向美舰撞去

"肉体受苦越多,精神、意志就越顽强","身体越疲倦,锻炼越有效";当人们在冰冷的防空洞里挨冻受饿时,体育会就会号召大家做广播体操,说不但能御寒,取代被子和供暖设施,还可以为老百姓提供一些体力所需但又极其缺乏的食物。他们说:"当然,也会有人反抗说,饥肠辘辘还有什么力气做操?这是不对的。越是饿,越是冷,就越要采取其他方法来使我们保持体力。"换言之,就是要用消耗体力的方法来增强体力。美国人认为,体力的标准,第一是看昨天睡眠是否达到5-8小时;第二是看饮食是否合理;第三是看是否寒冷。由这些来计算一天需要消耗多少体力。在日本人却觉得这是物质主义的荒唐做法,他们根本就不会考虑体力积蓄的问题。

在战争中,日本的广播宣传更是令人咋舌,甚至鼓吹精神可以战胜肉体死亡。有家广播电台就曾播放过一则飞行员战胜死亡的神奇事件:

空战结束后,我国的飞机每三四架组成一支小分队,陆续返回基地。大尉首先着陆,脸色虽然苍白但神态镇定。只见他跳下飞机,并未立即离去,而是用望远镜观察着天空。他一架一架地数着返回的飞机,直到最后一架飞机安全着陆。待到一切无误,他马上写完报告赶去司令部作汇报。刚汇报完毕,他就倒在了地上。在场的军官们急忙跑上前去,这才发现他早已气绝身亡。检查惊人地发现,在他的胸口有一处致命的弹伤。一个人如果刚刚断气,身体不可能冷却得这么快。但大尉的身体却凉得像冰山上的雪。大尉的身体早已死亡,是他的灵魂坚持站完了最后一班岗,完成了任务,是大尉身上那种强烈的责任心为大家创造了奇迹。

在美国人看来,这种新闻简直叫人喷饭。可一直接受这种教育的日本人听了并不觉得可笑，他们相信，这不是什么无稽之谈。广播是事实的传播者，这位英雄的事迹本身就是一个“奇迹”。既然灵魂是存在的，是可以修炼的，为什么不相信奇迹是可以发生的呢？既然“精神是永恒的，是万年不变的”，那么，日本人深信，通过修炼，精神就可以达到至高无上的境界。所以，视“天职”高于生命的大尉显然是一位修炼功夫极其了得的大师级人物，他已经达到了这一最高境界并创造了奇迹。

对于这种幼稚的行为，美国人会嗤笑为这是不开化民族的谬论，不值得研究。但是如果真是这种想法，那么不管是战争年代，还是和平时期，日本人还是会令美国人头疼。所以，不能将这些信条简单地理解为“怪癖”，这是通过长时间的鼓吹和独特的训练才在日本人心中根深蒂固的。只有认识到这些，我们才会明白，为什么日本在战败时会承认“光凭精神是不够的”，为什么他们会说“用‘竹枪’来守住阵地完全是幻想”。战败后，就连他们自己也不得不承认，他们在战争中“陷入了主观性”。或者只有和日本人经过在战场和工作的两次精神较量，美国人才有可能真正明白这些话的真正含义。

战争中的日本人对待事情的看法，不管是等级制还是精神高于一切的问题，都对比较文化研究者有一定的启发。他们不停地宣扬，安全与士气都是精神动员的问题，是为了在问题发生前就给人们敲警钟。无论发生什么样的灾难，不管是城市的空袭，还是塞班岛的战败，菲律宾的失守，政府对老百姓总是一套说词：这是我们预料中的事情，不用担心，不用恐惧。他们竭尽全力让老百姓相信，所有的事情跟预测的一模一样，所以尽管放心好了。日本的收音机每天都在播放虚假的言论：

“和我们预测的一样，美军占领了基斯卡岛，日本本土正处于美军轰炸的半径之内，但是我们一切就绪，准备随时迎击。”

“在我们的作战计划中，我们早就对美军的陆海空三军联合战术有所防备。”

虽然希望这场看不到尽头的战争早日结束，但是就连日本战俘也认为，光凭轰炸就想摧毁日本本土的士气，简直是天方夜谭，“因为他们早就作好了充分的思想准备”。

当美国空军空袭日本城市时，飞机制造业协会副会长就会在广播中发表讲话："敌机终于飞到我们头顶上来了。但大家不用担心，这一切都在我们飞机制造业者的预料之中。我们已作好了相应的准备措施，保卫大家的安全。"

"一切都在预料之中"、"一切都已准备妥当"，只有这样假想，日本人才会坚信：一切主动权都掌握在我们手里，我们决不会被别人牵着鼻子走。"我们不能把自己看作是被动者，挨打者，我们应该积极地认为，是我们引敌人上钩，把敌人主动吸引过来的。"他们会说："敌人，你要来就来吧。"他们决不说："要发生的事终于发生了！"相反，他们说："我们梦寐以求的事情终于来临了。让我们欢迎它的到来吧！"

海军大臣会在国会演讲中，将19世纪70年代的伟大武士西乡隆盛的遗训再次告诉大家："有两种机遇，一种是偶然碰上的，一种是自己创造的。苦难来临的时候，就必须靠自己创造机遇。"

当美军侵入马尼拉市中心时，收音机里报道说："只见山下将军微微一笑，说，敌人自投罗网，正合我意"；"敌人在仁牙因湾登陆后，不久马尼拉市迅速沦陷，这与将军的部署完全一致。眼下，山下将军正运筹帷幄，数个军事计划正在筹划当中"。换句话说，越失败就越离胜利不远。

美国则完全相反。美国人投入战争，完全是被动的，是因为日本人向美国人蓄意挑衅，美国遭到了敌人袭击，所以不得不回击。每当谈到珍珠港和巴丹半岛的失败时，每一个发言人，必须考虑怎样表达才能安抚美国大众的情绪，他们决不会说："这一切都在我们的预料之中。"而是说："敌人开始向我们叫板，我们必须给对方一点颜色瞧瞧。"美国人认为生活中处处充满竞争和挑战，所以他们随时准备应战。而日本人却是，提前把生活方式安排好，才会感觉踏实。他们认为，巨大的灾难往往来自不能掌控，无法预料的事情。

日本人在战争中经常挂在嘴边的另一个主题，也能说明日本的生活方式。他们常常不厌其烦地说："全世界的人们都在注视着我们"，所以必须时刻保持大和精神。美军在瓜达尔卡纳尔岛登陆时，日军将领对部下下达命令，现在全世界都在关注我们，必须充分发扬日本精神。日本海军也被告诫，一旦遭到鱼雷袭击，不得不弃舰时，必须以最体面的姿态转移到救生艇上，否则“将遭世人耻笑，美国人会把你们的丑态拍成电影，拿到纽约去放映”。日本人非常重视自己的国际形象。这来自他们根深蒂固的日本文化。

在日本文化中，最引人关注的问题，是日本人对他们的国家元首天皇陛下的态度。天皇究竟拥有多大的实权呢？美国的一些“日本通”指出，在日本整整700年的封建统治中，天皇只不过是个有名无实的傀儡。真正有实权的是“大名”，以及大名之上的元帅、将军，每个人都必须对他们效忠。至于天皇，没有人对他效忠，也没有人会关心他的存在。天皇实际上是被软禁在与世隔绝的皇宫里，只能在将军规定的规章制度和范畴内活动。地位显要的封建诸侯不能对天皇表示敬意，否则会被视为大逆不道。而对平常的老百姓而言，天皇就像空气一样透明。

我们有些学者认为，要想真正了解日本人，必须从历史中追根溯源。因为在老百姓心中，天皇只是很模糊的一个影子。那究竟为什么这个模糊的影子会被日本这个保守民族当作神一样的崇拜，甚至成为他们的精神支柱呢？他们还认为，那些天皇对日本臣民有永久统治权的说法太夸张了，越强调这一点，越说明这种说法多么的脆弱。因而，战争结束后，美国没必要削弱天皇，而是要对日本近年来杜撰出来邪恶的的元首观念，进行猛烈抨击。天皇是日本至高无上的神圣象征，是日本民族神道的核心，一旦挑战天皇，毁灭天皇的神圣权威，日本的整个价值体系就会分崩离析。

而另外的一些美国人却不这么看，他们熟谙日本的一切，也读过来自前线的报道和日本方面的报道及文献。他们认为，只要在日本生活过，就应该知道，没有什么比侮辱天皇或者攻击天皇，更会激起日本人的敌意了。他们很清楚，日本人决不会以为这是攻击军国主义，而不是攻击天皇。一战结束时，民主观念深入人心，军国主义成为众矢之的，军人去东京的街头都必须谨慎地换上便服，但日本民众仍然狂热地崇拜着天皇。他们认为，不能将日本人对天皇的崇敬，与对希特勒的崇拜相提并论，后者是纳粹党盛衰的晴雨表，与罪恶的法西斯是紧密相联的。

一些日本俘虏所提供的供词也证实了这些看法。与西方战俘不同，日军战俘被审讯时，不知道哪些该说，哪些不该说，他们的答案个个都不一样。显然，这是因为他们没有受到过这方面的训练，以应付这种被俘后的

▲ 裕仁天皇登基图。正是他批准偷袭珍珠港。

审讯。这可能源自日本一贯坚持的不投降主义。直到战争结束前几个月,这种现象才发生改变,但也只在部分军团和一些地方部队。俘虏的供词代表了日本军队意见的一个方面,所以显得比较重要。俘虏们并不是因为士气低落被俘的,大多数都是因为受伤或失去知觉后无法抵抗只好束手就擒。仅这点来看,他们的供词就很有研究的价值。

一些顽抗到底的日军俘虏认为是天皇创造了极端军国主义,自己是"奉命行事",是为了"解天皇之忧","为天皇尽忠","天皇发动了这场战争,服从是臣民的职责。"而那些反对这次战争及日本整个侵略计划的和平主义者,却也不约而同认为是天皇带来了和平。对所有日本人来说,天皇就是一切。讨厌战争的人称天皇为"热爱和平的陛下",他们坚信天皇"一直以来都是一位自由主义者,反对战争";天皇"只是被东条英机欺骗了";在满洲事变时,"陛下是反对军部的";战争爆发时,天皇是"毫不知情的,这并未得到他的许可";天皇"倡导和平,厌恶战争,禁止他的臣民参战";天皇"并不知道他的士兵受到什么样的虐待"。把这些供词跟德国战俘的相比,就会发现差别很大。德国战俘尽管会对他们的将军和最高司令部背叛希特勒非常不满,但他们仍然会把挑起战乱的一切责任归到最高统治者希特勒的头上。日本战俘则坚决地表示,对皇室的忠诚和对军国主义及其侵略的战争政策是两码事,必须区别对待。

▲ 天皇生日,国民庆祝。

在日本人眼里，天皇与日本唇齿相依，密不可分。“没有天皇就没有日本”，“天皇代表全体日本国民，是国民宗教生活的中心，是超宗教的信仰对象。”即使日本打了败仗，责任也在内阁和日军将领，天皇并不会因此受到国民谴责，也无需承担任何责任。“纵然日本战败了，10 个日本人中仍然会有 10 个人一如既往地热爱天皇。”

在美国人看来，只要是人，就难免会有错，就免不了被别人怀疑，被别人批判。而日本人却认为天皇是无罪的，不能受到任何批判，这种极端崇拜让人百思不得其解。但事实上，一直到日本战败，日本人还是坚持这样的观点。就算是最有经验的审讯官，也都认为在每份审讯记录上写下“拒绝谴责天皇”的字句是多此一举，因为没有战俘愿意谴责天皇，就连那些和盟军合作，帮助我们向日军广播的人也不愿意这样做。在所有的战俘供词中，只有三份反对天皇的供词，且言语温和。其中，最尖锐的一份也只是说：“天皇的存在是错误的”；还有一份则是小心翼翼地说天皇“是个傀儡，意志软弱”；第三份则是作了一下预测，说天皇如果传位给皇太子，就可能废除君主制，解放日本妇女，让她们获得美国妇女那样令人羡慕的自由。

日本好战分子大力利用举国上下全体民众对天皇的忠心。他们将“天皇恩赐”的香烟赏给部下；每当天皇生日时，就率领全体士兵对着东方三拜并高呼“万岁万岁万万岁”；当部队受到敌方日夜空袭时，全军上下就从早到晚不停诵读天皇特颁的“军人敕谕”中的语录，“诵读声响遍森林”；他们号召部下要“谨记圣意”，“祛除圣虑”，“以崇敬之心报陛下之仁”，“为天皇而成仁”！天皇的旨意就像一把双刃剑。许多战俘说，“只要天皇有令，就算只有一杆竹枪，我们也会投入战斗。同样，只要天皇下令，我们就会立刻停止战争”；“只要天皇宣布停战，明天日本就会放弃抵抗，即使最强硬最好战的满洲关东军也不例外”；“只有天皇的圣旨才能让日本国民接受战败，重建家园”。

比起对天皇的虔诚膜拜，日本国民与对其他人及集团的无情批判，可谓是泾渭分明。其中，在报刊杂志中，在战俘的供词中，出现很多对政府和军部领导人的批判。对于那些在前线不能与部下同生死的指挥官，战俘们深恶痛绝；而扔下浴血奋战的士兵，自己却坐飞机逃之夭夭的指挥官，更是倍受国民谴责。哪些军官值得褒奖,哪些军官该受到谴责,公众了然于胸,这说明他们并不缺乏辨别善恶的能力。日本媒体也会批评"政府",指责政府没有想人们所想,急人们所急,没有实现强有力的领导,没有更好地配合战争。如果政府打压舆论自由,更会遭到严厉抨击。1944 年 7 月,东京一家报纸刊登了一份座谈记录,座谈会是由新闻记者、前国会议员、日本极权主义领导人和皇家顾问一起召开的。其中有位发言者说:"我认为舆论自由是振奋国民的重要方式。这些年,日本老百姓都不敢坦率地表达心声,他们害怕受到追究,因此做起事来谨小慎微,如履薄冰。老百姓的嘴被堵住了,手脚被缚住了,怎么能发挥自己真正的实力呢?"另一位发言者补充说:"每天晚上,我都和选民谈到深夜,征求他们对各种事情的建议,但他们却不敢开口。如果舆论自由完全被压制了,根本没有办法来振奋国民意志。在现在这种刑法和治安维持法管制下,国民只会像封建时代的老百姓一样唯唯诺诺,根本就不可能发挥战斗的潜力。"

可以说,日本人在战时也敢于批判他们的直接上司,批判政府,批判帝国大本营。在他们的潜意识里,并不是盲目地接受等级制的所有规则。但对天皇却不一样,天皇决不会受批判。不过,天皇的神圣地位在近代才得以确立,为什么批评不得?是什么样的民族情结,使天皇获得这样的神圣地位呢?只要天皇一声令下,日本人就会赴汤蹈火浴血沙场;同样,只要一声令下,日本人也会心甘情愿俯首称臣。这些话是为了欺骗我们虚晃的招术?还是确实是真实的心声?

不管是精神至上的理论,还是对国家元首天皇的态度,所有这些日本人在战争中的行为,都不但影响了战争前线,而且影响了日本本土。其中,日本军队的战争风格就深受有些理论的影响。比如,只要赢得胜利,牺牲多少人也值得。当美国把海军勋章授予台湾海峡机动部队的指挥官乔治·艾斯·麦汉将军时,日本人莫名惊诧,媒体报道与美国人截然相反:

美军向乔治·艾斯·麦汉授予海军勋章,其官方理由竟然不是他打败了日军。对此我们深感疑惑,因为他击退了日军这个事实已经由尼米兹的公报确认无疑。向麦汉授勋的理由是,他成功地挽救了两艘损坏的美国军舰,并安全地把它们护送回基地。之所以将这个报道告诉国民,是因为它确实是真人真事，而并非虚构。麦汉将军确实挽救了两艘军舰，这点我们毫不怀疑。让我们困惑不解的是，在美国，难道救了两艘坏军舰也能得到勋章?!

美国人富有人道主义精神，每一次救助行动，每一次对落难者的无私相助，美国人都极为感动。尤其这种救落难者于水深火热中的勇敢行为，更是被视为"英雄"。日本人对这种英雄则嗤之以鼻。他们把美国在 B－29 型轰炸机和战斗机上配备救生设备的行为，称为"胆小鬼"。在日本的报纸、广播中不断向人们宣扬：勇于献身，视死如归才是真正的英雄，贪生怕死，过分谨慎则是懦夫的表现。从他们对待伤病员或疟疾患者等病患的行为中，可略见一斑。这些士兵被他们视为"废物"。不但不配备完善的医疗服务，医疗用品也极其匮乏，后方补给非常困难，甚至正常的战斗力都无法维持，治疗这些伤员，则无异于浪费资源。当然，这并不是问题的本质。导致问题产生的根本原因是日本人对物质主义的轻视。

在军队里，士兵常常被灌输这样的思想："成仁"本身就是精神的胜利，是真正的英雄。美国尽心尽意的医疗救助，还有轰炸机上的救生设备，反而成为英雄主义的反面教材。即使平民老百姓，一般也不像美国人那样经常往医院跑。美国人对伤病患者的救助，比其他任何福利设施都要优越。这一点就连在和平时期到美国来观光的欧洲人也不得不承认。这些行为，和日本人确实格格不入。总而言之，在战争中，日本没有一支专业的、能及时救助病患的医疗队，没有完善的医疗设施，如前线救护所、后方野战医院，以及远离前线的疗养院等。对于后方的医疗供给，更是漠不关心。一旦遭遇紧急情况，为了轻松上路，干脆把那些累赘干掉。尤其在菲律宾和新几内亚，往往是敌人已经近在咫尺，伤病员却还没有预先转移，他们就不得不从有医院的阵地上撤退。而他们所谓的"撤退计划"，是在撤退时，将所有伤病员统统干掉，或者让伤病员举枪自杀。

对日本人来说，伤病员是累赘，是废品。对待美军战俘，他们也是同样的态度。以我们的标准，日本人对美国战俘，对自己的同胞都犯下了虐待罪。前菲律宾上校军医哈路德·W·格拉特里在讲述他的三年战俘经历时说，在台湾俘虏营里，美军战俘得到的医疗护理比日本士兵要多，因为营中至少还有盟军军医，而日本士兵却没有一个军医、护士。有很长的一段时间，日本士兵的医护人员只是一个下士，后来换了一个中士。这位上校一年当中也就见过日本医护人员一两次。

这种可怕的牺牲理论最极端的表现，就是日本人的不投降主义。西方的任何一支军队，如果竭尽全力，都还没有找到出路时，就会向敌人缴械投降。他们不会认为这样做有辱使命，按照国际惯例，他们活着的消息还将通知本国，让其家人放心。不管是军人，还是平民，抑或是他们的家人，都不会觉得这是一种耻辱。但日本人的做法却完全相反。“不成功当成仁”，当他们非常绝望，看不到任何希望时，他会用最后一颗子弹结束自己的性命，或者干脆赤手空拳与敌人作困兽斗，宁愿同归于尽，也决不低头。万一他们因为受伤或者丧失知觉无法抵抗而被俘虏，他们就会觉得无颜再见“江东父老”。因为回国后国民会蔑视他，打击他，他会失去家人的爱戴，朋友的尊重，名誉扫地，过着生不如死的日子。

日本军队明文规定：严禁投降，所以，在战争前线他们不再对此做特别的训练。日本人忠实地履行着这条军规，以至在中缅会战中，被俘者与阵亡者的比例为 142:17166，也就是 1:120。而这 142 名被俘者，还多数是因为已经身负重伤或昏迷不醒无法抵抗。独自一人来投降的少之又少，三五成群“集体投降”的盛况更是罕见。在西方的任何一支军队里，如果牺牲人数已经达到全军兵力的 1/4 或 1/3 时，该部队很少会誓死抵抗。投降者和阵亡者的比率一般都是 4:1。虽然日军在霍兰迪亚第的第一次大规模投降中，比率仅为 1:5，但比起缅甸会战中的 1:120，已经是大大前进一步了。

所以，在日本人看来，那些美国战俘光是投降就已经很丢脸了。如果还受了伤，或者患了疟疾或赤痢，便会当作“垃圾”从“健全人”的名单中剔出去。很多曾经在日本俘虏营呆过的美国人都提到，在那里，美国人只是随便笑一笑就会招来杀身之祸，因为这会惹恼哨兵。在他们看来，最大的耻辱莫过于成为战俘了，而美国人居然还恬不知耻，还能笑得出来，真是让人气愤。在俘虏营中，美国战俘不得不遵从的一些条条框框，其中有很多看守们也必须严格遵守。紧急行军，或者乘坐拥挤不堪的船突然转移，对于哨兵来讲，是家常便饭。哨兵还会严厉警告战俘，千万不要暴露自己的违章行为，因为明目张胆的违抗就是最大的罪行。比如，按规定，战俘白天外出修路，或者上工厂做工，都不得从外边带食物。事实上，这个规定只不过是一纸空文。因为只要把水果或蔬菜偷偷地藏起来，不被哨兵发现就行了。但是如果一旦被发现，就意味着犯下了不可饶恕的大罪，公开向哨兵的权威挑战。任何一种藐视权威的行为，哪怕只是“顶嘴”，也会受到严厉的惩戒。日本人不光在自己的日常生活中严禁顶嘴，在军队里对顶嘴行为也是严惩不贷。在战俘营中也经常发生一些暴行和虐待。现在，我们只是研究在不同的文化习惯下会产生什么样的行为，并不是为这种暴力行为辩护。

▲ 日本军官处死被俘的澳洲飞行员。照片刊出后，引起盟国对日本暴行的愤怒。

战争初期，日本之所以以投降为耻，一个很重要的原因就是，他们相信，一旦投降，就会被敌人残酷虐待，甚至被杀死。当时，关于美军残暴的谣言满天飞，甚至说在瓜达尔卡纳尔岛上，所有的被俘日军都被美军坦克碾死了。事实上，确实有一些日本官兵主动投降，但美军因担心其“诈降”，为安全起见，就把他们杀了。这种担心并不是多余的。当一个日本军人视死如归时，就会以与敌人同归于尽而自豪，就算被俘也不会放弃。有一个日本战俘曾说过这样的一句话：“既然已经决定把自己当作战利品祭献给神坛，如果没有做出什么壮举就白白死去是可耻的。”这种思想使得美军不得不提高警惕，因而也导致了日本投降人数越来越少。

投降是可耻的，这种想法在日本人心里可说是扎了根。有意思的是，他们的行为在我们看来，像来自另一个世界；而我们的行为在他们看来，也同样像怪物。当美军战俘强烈要求把自己的姓名告知美国政府，好让家人知道自己还活着的消息时，日本人大吃一惊，并投以蔑视。尤其出乎他们意料的是，美军居然会在巴丹半岛向他们投降。他们一直以为会跟美军来一场殊死搏斗然后大胜而归。他们无法理解，为什么美军不像日军那样顽抗到生命的最后一刻？为什么美国人宁愿被俘也不愿为国捐躯？

日本军人与西方军人之间最滑稽的不同是，一些日本军人被俘后竟然会与敌人合作。他们没有受过这方面的训练，根本就不知道投降后该怎么办。因为投降，他们已经名誉扫地，回到日本，也会遭人唾弃。直到战争快结束的时候，才会有少数人想，不管怎么样，应该回国看一看。也有一些人要求处死自己，并表示："如果你们规定不能这么做的话，就让我做一个模范战俘吧。"事实上，他们做得比模范战俘要好上百倍。一些老兵和一些极端的民族主义者给我们指出日军弹药库的位置，详细地讲解日军兵力的分布，还为美军作宣传，与美军飞行员一起迎战，协助飞行员分辨军事目标。他们好像脱胎换骨，开始掀开了新的人生篇章，虽然与过去的篇章完全不同，却表现出了同样的忠诚。

当然，不是所有的日本战俘都会这样。也有少数人冥顽不化，宁死不屈。必须先给一些好处，这些人才会半信半疑，幡然醒悟。有些美军指挥官警觉性很高，从不接受日本人主动提出来的帮助，这种警惕是可以理解的。有些战俘营根本就不会对日军抱有任何指望。而一旦接受了日军战俘提供的帮助，最初的怀疑会慢慢冰释，取而代之的是对日军战俘的信任。

这种 180 度的大转弯，是美国人始料未及的。日本人的行为准则再一次告诉我们，他们与我们是如此不同：既然选定了一条道路，就要全力以赴地前进；如果行不通，就立马回头，换另一条可行的路线。这是合情合理的。那么，日本人的这种行为方式，战争结束后我们可以利用吗？我们可以从中得到什么启发呢？或者这只是个别现象，不能代表日本全体民众？就像日本人在战争中其他难以理解的行为一样，它与日本人民赖以生存的生活环境有关吗？它与他们的制度，以及他们的思维方式和行为习惯有什么样的关联？这些问题确实值得我们好好思考。

第三章

各就其位

要想了解日本人,必须先清楚"各守本分"的涵义。日本人信赖等级、秩序,我们看重自由、平等,两者有如南北两极对立。在美国,等级几乎不可能成为登堂入室的东西,更不可能成为社会结构的一个细胞。那么,为什么日本人如此不同呢?这与日本人的观念有很大关系。日本人认为,等级制度是打造人与人之间、个人与国家之间关系的基础。所以,要"搞懂"日本人,先要搞清楚等级制度。而要了解日本人生活中的诸多观念,必须先搞清楚他们的一系列特性,这包括他们的生活习惯、他们的家庭、国家、经济生活和信仰等等。

不管是国内的,还是国际方面的全部问题,日本总是从等级制的角度来看待。在过去的10年中,日本人一直自以为占据了国际等级制金字塔的顶点,不可一世。尽管这一地位目前已被西方列强取代,但他们仍能接受这一现实,还是因为等级制的影响。在日本的外交文件中,曾有多处表达了他们对等级制的重视。日本在1940年的日德意三国同盟条约的前言中这样写道:

大日本帝国政府、德国政府和意大利政府确信,世界和平的前提条件是,世界各国各安其所,各守本分

此条约签订时,天皇还颁布诏书,再次重申:

宣扬大义于天下,促进世界之大同,此乃皇祖皇宗之遗志,亦为朕日夜所忧思。今世局动乱,生灵涂炭,不知何时休止!令朕寝食难安。为早日

▲ 海上鸟居门。日本神道教认为，鸟居门隔开了尘世和圣界。靖国神社前也有此物。

▲ 从东京新宿远眺富士山。

平定祸乱，光复和平，兹三国政府订立条约，朕深感欣慰。使万国各守本分，兆民乐安其业，此乃旷古大业，任重而道远

▲ 日本偷袭美国珍珠港

就在日本偷袭珍珠港当天，日本特派员向美国国务卿赫尔递交了一份声明，意思更为明确：

使万邦各安其所、安守本分乃帝国矢志坚守之国策。今现状与上述之帝国基本国策完全背道而驰，帝国政府断不能容忍。

这份声明是针对不久前的赫尔的备忘录的答复。

赫尔的备忘录强调，美国绝对坚守本国的最基本原则，就像日本重视等级制一样。他提出了四项基本原则，即：各国主权和领土完整不可侵犯；互不干涉内政；坚持国际合作及和解；各国平等原则。这些原则充分体现了美国人的平等精神和不可侵犯权利的信仰。我们主张，不但应该在国际关系中，而且在日常生活中也应该遵循这些原则。

平等，对美国人来说，是追求未来更美好的世界的基础，是获得高尚道德的基石；平等，不但意味着拥有不被强权侵压，不受干涉，不被严加管制的自由；而且意味着在法律面前人人平等，人人都有追求幸福的权利。它是当今世界公认的基本人权的奠基石。即使有时我们自己也会有破坏这一原则的时候，但我们始终坚持平等与正义，对等级制深恶痛绝，并随时准备开战。

这是自建国以来，美国一直秉持的理念。杰斐逊的独立宣言、《权利法案》都是以它为基础写成的。一个新生的国家，能够将这些原则正式地记载入公开的文件，主要是因为它们反映了这个国家民众的生活方式，是与欧洲人的生活不同的一个重要证明。

▲ 长崎原子弹爆炸

1830年初期，一个叫阿列克斯·托克维尔的法国青年第一次访美后，撰写了一些关于平等问题的书，这些书现在已被当作一份重要的国际报道文献保存。托克维尔出身于法国上流阶层。当时社交频繁且颇具影响力的法国贵族们都受过法国大革命的巨大冲击，也感受过随后的《拿破仑法典》带来的强大震撼。当年轻的托克维尔第一次踏上美国的土地，就用智慧而敏锐的眼光欣喜地发现，这是一个崭新的世界，与他的祖国截然不同。当然，他是从法国贵族的角度来观察的。他给旧世界带去了一些新的知讯，告诉人们一些新事物即将出现。在书中，他高度评价了美国的新生活、新秩序，并持宽容态度。他坚信，美国是人类发展的趋势，在美国发生的事情迟早会在欧洲发生，虽然多多少少会存在差异。

他向人们详细地描述了这个崭新而陌生的国度。他认为，只有在这里，人们才真正做到平等相处，平等交谈，平等交往，这里的人们建立了一种新颖而和谐的社会秩序。在这里，没有等级，没有礼节，在这些细枝末节上，人们从不计较，既不要求别人，也不要求自己。他们无拘无束，不愿接受任何没有来由的施恩和馈赠。在这里，看不到传统贵族式或罗马式的家族。属于旧世界的社会等级制在这里找不到任何痕迹。在这里，人们只信奉平等，对生命抱有热忱，除此之外，再无其他信仰。甚至连自由，有时候他们都会无意间忽略。

这是一个世纪前，一个外国人眼中的美国。许多美国人读了之后深有感触。世事变迁，难免会有很多变化，但我国却始终保持着最基本的结构。掩卷沉思，其实，19世纪30年代的美国跟今天我们所认识的美国已经相差无几。不管是过去，还是现在，我们的国家，总是会有杰斐逊时代的亚历山大·汉密尔顿那样的人物,沉迷于贵族化的社会秩序。即便如此,汉密尔顿之流也不得不承认,在美国,贵族化的生活方式已如黄鹤东游,一去不返。

所以,我们在珍珠港事件突发前夜,向日本表明了我们一直坚守并信赖的原则,就是以美国太平洋政策为基石的原则。这些原则将指给我们每一步前进的方向,以促进这个还不完善的世界更加完美。而日本人表明他们“各安其所,各守本分”的态度时,也是根据自身的社会经验形成的生活准则。不平等,已经自然而然成为日本大和民族几个世纪以来有组织的生活准则。承认由等级制产生的特权,对他们而言天经地义,既容易理解,也容易接受,就像呼吸一样自然。当然,这并不是我们西方人眼中简单的霸权主义。不管是统治者的行为,还是被统治者的行为,都与我们一贯的传统大不相同。而如今日本人居然接受了美国在全球的领导地位,对于他们的特性,我们就更有必要去作一番深刻的研究。只有这样,我们才能对他们将要采取的行动做出准确的判断。

尽管这些年来日本有越来越欧化的趋势,但它依然是一个等级制森严的国度。每一次寒暄,每一次交流,人们都会明明白白地显示彼此之间的社会地位和差别。就连“请吃饭”、“请坐”,对不同的人也要根据双方的关系亲疏和辈分大小,使用不同的词语。比如“你”的说法,就有好几种,不同的场合必须使用不同的“你”;动词也有多种不同的说法和表达方式。换句话说,就是日本人和太平洋上的其他民族一样,也使用“敬语”,使用时还配合适当的鞠躬和跪拜,同时要知道向谁鞠躬,鞠多大躬;不同的人鞠不同的躬。一个对这个主人来讲非常合适的鞠躬,如果用在另一位身份地位不同的人的身上,则是无礼的表现。每一个动作都有特定的礼仪细节。鞠躬有很多种,有时是跪在地上跪拜行礼,有时是双手伏地行礼,有时是额触手背地跪拜,更多的时候只是简单地点头行礼。当一个日本人还是小孩子的时候,就必须学习在什么样的场合行什么样的礼。

当两个不同的等级的人交流时,必须要用适当的礼仪来表示,同时还要考虑性别、年龄、家庭关系以及过去的交情等各个方面。就算两人等级相同,在不同的情况下,尊敬程度也不一样。比如,一般来讲,一个平民对他的好友平常不用鞠躬行礼,但是如果对方换上了军装,身穿便服的一方就必须向他鞠躬。如何适当地表现出对等级制的尊重,已经成为日本的一门艺术,它要求人必须综合考虑每个因素,必须懂得,在哪些情况下,可以不用考虑等级的差异,而在哪种情况下,却又必须严格遵循这种等级上的不同。

当然,有时候也没有那么拘泥于礼节。在美国,家是人们最放松的地方,当人们回到家中,就会把一切礼仪、形式统统抛开。而在日本恰恰相反,家才是观察礼仪、学习礼仪的最佳场所。一位母亲在身背婴儿的时候,就开始用手按下婴儿的头教他鞠躬,以懂得礼节。一个小孩在摇摇晃晃学走路时,人生的第一堂礼仪课就是如何尊敬父亲和兄弟。等级制是家庭生活的核心,它建立在辈分、长幼尊卑和性别的基础之上。按长幼尊卑秩序,孩子给父亲鞠躬,弟弟给哥哥鞠躬,妻子给丈夫鞠躬;而女孩子要给哥哥和弟弟都鞠躬,无论年龄大小。鞠躬并不单单只是做表面功夫,它还有着更深刻的内涵。一方如行礼,就表示自己需要处理的一些事情,希望对方也能参加;而另一方如受礼,也表示会担负起应担的责任,以与其地位相适应。

毋庸置疑,不论在中国,还是在一衣带水的的日本,孝道是凌驾于其他道德标准之上的。

远在六、七世纪,中国的孝道就被佛教、儒教伦理学以及其世俗文化裹挟着远渡扶桑。但孝道并没有在日本被原汁原味地复制,日本与中国大相径庭的家庭结构使孝道发生了多种变化。现在的中国人,从骨子里来说,是分属于不同的大宗族的,所谓"几百年前是一家",而宗族成员仍然要忠于自己的祖宗。不过因为中国幅员辽阔,情况还不完全一样。但在绝大多数的农村,一个村庄的居民都有着同样的根。城里人也可能与乡下人是一脉相传的。尽管中国有4亿人口,但姓氏却只有400多个,同姓的人往往被认为是同一个祖宗的后代。广东是个中国的人口大省。在那里,同根同脉的人拥有神圣的宗族祠堂。拜祭祖先的时候,他们要给成千乃至上万的祖先牌位行礼。每支宗族都掌握着一定的财产、土地和寺院。发展前景看好的后代将优先得到赞助。尽管宗族成员天各一方,但他们都保持着固定的联系。得到祖宗恩泽的宗族成员的名字,将被载入族谱。每过十年,族谱都要被增订和刊印。每个宗族都有自己的规矩,在有些地方,如果宗族与地方政府发生冲突,甚至可以袒护自己家族的犯人。在帝制时代,所谓国家,不过是管理不同宗族的机构,而由国家派遣,有任期的官员,在宗族联合面前,都是外人。

中国宗族制度是基于姓氏发展起来的。而在日本,直到19世纪中期,只有贵族和武士才能够拥有姓氏。因此日本的情况与中国有很大不同。在中国,族谱就是命根子,在宗族中的作用几乎等同于姓氏,而在日本,族谱只被少数的上层阶级所拥有。日本的家谱讲究追溯,就是从现在活着的往前考证,这与中国从古到今论资排辈也有很大不同。另外,在封建制度下的日本,国民效忠的对象是封建领主,每个封建领主都是当地的君主,而不是宗族首领。因此,在日本,属于哪个藩才是最重要的事情。

在日本,不是只有姓氏和被列入族谱的人才有资格在神社或祠堂祭祀祖先。正因如此,日本民族的制度化也找到了一个出口。不过,聚集在一个神社里祭祖的日本人,未必拥有同样的祖先,因为祭祀远古的祖先并不是他们的传统。他们只不过因为居住地处在所祭之神的领土上。因为居住在一起,而不是因为有同样的血脉,不同祖先的人自然地结为亲戚。

与神社祭祀不同,敬祖是各家的事情。日本很多家庭里会设有几个新近亡故的亲人牌位的神龛。不管处于哪个等级,人们每天都会向这些牌位行礼,为死去的亲人上供。三代以内的亲人的灵牌都会仿刻成墓碑的样子,但三代以前的就不再设牌位。从家族观念角度来看,日本人的这种淡薄与西方人很相似。

因而,日本人的"孝"仅仅与有着亲密联系的家人有关。充其量只与三代以内的亲人有关。这直接导致的是,每个家族成员都应当按照辈分、年龄等守好自己的"本分"。成员庞大的有名望的家族,则会产生不同的分支。除长子外,其他男性成员必须独立出来。在这个联系紧密的社会的小单元里,如何守本分有着非常细致的规定。在长辈没有隐退的时候,任何人不得违抗其指令。在今天,即使是一个年纪很大、儿子都成家立业的男人,如果他的爷爷在世,那么,他无论做什么也还要听从爷爷的安排。哪怕已经三四十岁了,父母仍要包办他们的婚事。作为一家之主的父亲,吃饭他先动筷，沐浴也享有优先权。家中其他人等，都要对他恭恭敬敬地行礼，而他只要点下头即可。在日本，子女若想和父母唱反调，就像让和尚头上长出头发一样地困难，几乎是不可能的事情。

恰当的个人地位不仅区分了辈分，也区分了年龄。在形容极其没有秩序时，日本人爱说“非兄非弟”，就像我们说“非驴非马”一样。在日本人的观念里，作为继承人的长子，应该守好其作为长子的本分，这就像鸟应该飞在天空中一样。日本的长子，从小就被按照一个模式来培养，使其成为气

▲ 结婚意味建立一个个权力与责任的链条

质非凡的人。父亲还会把一部分权力分给长子。在以前，次子必须服从长子。但如今，照老规矩，哥哥是要呆在家里的，老二和老三要走出去，去赚钱以及接受更好的教育。在农村，这种现象尤为普遍。不过，根深蒂固的等级制度仍旧发挥着其强大的作用。

即使在政治范围，比如大东亚政策所产生的争议中，长子特权也得到充分体现，当时日本军队的相关发言人表示，被占领地区的老百姓必须意识到：日本是他们的哥哥，而哥哥不能对弟弟太好，否则弟弟会被宠坏。而且，这会直接威胁到日本帝国的统治。这位发言人的言外之意就是，要不要对弟弟好，怎么个好法，得由大哥决定。

性别角色在等级制度中起着至关重要的作用，这与年龄没有关系。在

日本,女人的社会地位比男人要低。就是在走路的时候,他们也要跟在丈夫后面。就算与丈夫并肩同行,进门时也是男士优先,这是穿着西装的情况下。如果穿的是和服,那还是要退后一步。在家里,男孩子得到更多关爱,他们的教育经费也比女孩子要多。分礼物的时候,一般也是只有男孩子的份儿。就算在高等女子学校里,学生们要学的,也不过是如何做一个温顺的淑女。曾有一所女校校长要求出身名门的女生学习西方语言,理由竟然是方便日后整理他们丈夫的书籍。

不过与亚洲其他国家的女性相比,日本女人还是相对自由一些的。她们不像中国女人那样要裹脚;也不必"大门不出,二门不迈",这一点尤其让印度女人羡慕。日本的妻子还执掌着家里的财务大权。另外,日本女人可以使唤佣人,还控制着子女的婚姻大事。儿子成婚后,她们的身份一下子提高了,取代她们原来地位的,是新进门的儿媳妇。

辈分和性别给日本人带来的差异是巨大的。不过,掌握特权的人也不是一身轻松的。父亲或长子要对所有家庭成员负责。他们的权力不是任意的。他们要维护整个家庭的荣誉。所有后辈和弟妹都要在他们的带领下,继承家族的精神财富和物质遗产,并且做到不辜负之。社会地位越高,对家族的责任就越大,这种责任,是凌驾于个人责任之上的。

遇到大事,一家之主要召集家人开会,其他人即使在很远的地方也要赶回来,经过讨论做出决定。比如订婚这种事情。决定的过程是比较民主的,妻子和弟弟的建议也可以被采纳。一意孤行的家长会遭遇难堪。家庭会议的决定也许是被决定人无法接受的。但作为过来人的长辈会强迫他们那样服从。在这个时候,长辈就起到了强制执行的角色,这与普鲁士法律上和习惯上赋予父亲对妻儿的决断权有很大不同。但我们不能因此认为日本家庭的长辈不够强硬。不管决定多么棘手,每个成员都必须服从家族会议的决定。家族意志是以某种共同忠诚的约束力来要求服从的。

家庭是日本人学习等级制的最早的地方。走到社会上后,他们会把学到的应用到其他领域。在一个集体里,他们懂得要尊敬该尊敬的人,而这个人的支配力大小并不重要。一个在家里被妻子或弟弟支配的男人,到了外面,其妻子和弟弟还是要做出很尊重他的样子。而这种表面化的权力关系很长时间内不会发生变化，甚至是坚不可摧的。这在某种程度上给一些没有地位却善于幕后操作的人带来了便利。因为这比较有掩护性。在日本人家里，当一个决定被全家人所拥护时，那才是最有力量的决定。而这种决定绝对不是一家之主随便制定的。日本的家长，很大程度上是物质或精神的财产管理者，这些财产与整个家庭生死攸关，因此成员必须服从家长。日本人反对动武，但家族命令的威严却不会降低，有地位的人也同样会得到尊敬。就算家里的长者不会强权独断，家庭的等级规矩也不会被破坏。

由于美国人对人与人之间关系有着不同的看法，仅凭以上对日本家族等级制度的简单叙述，要理解日本家庭里普遍存在的浓烈的感情关系是比较困难的，而本书探讨的话题之一，就是日本家族如何获得这种感情纽带。要搞明白在日本政治、经济各领域中广泛渗透的等级制度，首先必须认识日本人在家族生活中是如何习得这一风俗的。

在其他领域，日本人像在家里一样严格遵守等级制度。自古以来，日本就是一个等级森严的社会。对于沿袭等级制几百年的民族来说，这既有好处，也有弊端。自有文字以来，日本的等级制度一直存在。大概在公元7世纪以前，日本已经吸取了来自中国的无等级的生活方式，并用它来改变自身的等级文化。后来，访华的日本使者高度赞扬中国发达的文明，日本天皇和宫廷便决心将中国文明渗透进日本文化中，并表现出前所未有的热情。而那时还没有文字的日本，也采用中国文字造出了日本文字。之前日本有一种宗教，供奉着4万个镇守山川和村庄的神，由这些神赐福给百姓。经过无数演变，这种非官方的宗教成立现在的神道教。7世纪，日本全面从中国引进佛教，并将其作为护国之教。之前从无传世建筑的日本，也开始模仿中国的京城建造了新的奈良城。从此，日本开始在各地建起各种各样中国式的寺院。使者们带来的官位品级制度和法律也被天皇所采纳。至今为止，历史上还找不到第二个像日本这样学习国外文明的国家。

不过，日本在一开始就没有全盘抄袭中国没有等级的社会结构。被日本所吸取的官位制度，在中国本来是给予通过科举及第之人，但在日本，这一制度却给了世袭贵族和封建领主。这成为日本等级制度构成的基本要素。日本不断被分成许多没有完全独立的藩，各个藩的首领彼此嫉妒，因而很多社会习俗的产生与首领及其家臣的特权不无关联。尽管日本大规模地将中国文明输入本国，最终却没有建立起能攻破等级制度的另外的制度，比如中国的行政官僚制度，比如中国把各种地位不同、职业不同的人融合在一个庞大宗族之中的宗族制。在日语里，皇室中的人被称为“居于云上者”，只有具有皇家血缘关系的人，才可以继承皇位，这跟中国是不同的。在中国经常改朝换代，在日本却一次也没有发生过。天皇是神，不可侵犯。而天皇也永远不能理解中国皇帝的所为。

可以说，正是来自中国的各种文化，为几百年内日本世袭藩主与家臣之间的争权夺利制造了条件。8 世纪末，贵族藤原掌权后，天皇被驱逐到后台。之后，藤原统治又面临藩主的威胁，日本开始陷入内战。之后源赖朝将军凭借武力掌握大权，“将军”也从此成为实际意义上的统治者。按日本的习俗，将军的称号将由源赖朝将军的后代沿袭，但前提是他们能够统治其他藩的首领。而天皇的权力则被蛀空了。失去行政权力的天皇仅仅成了为将军举行象征性礼仪的傀儡。拥有实权的不再是宫廷，而是幕府。幕府用武力来统治各地领主。被称为“大名”的封建领主，都配备着家臣和武士。当内乱来临，武士将负责保护领主，他们时刻准备向其他领主挑战，甚至是向将军挑战。

16 世纪的日本仍然被内乱困扰。经过几十年的内战，1603 年，德川家康成为其家族的第一个将军。之后的 260 年里，将军职位一直被其子孙所继承。直到 1868 年，天皇与将军的统治都被废除，德川政权才告结束。日本的近代史也拉开了帷幕。在日本历史上，德川时代的影响非常深远。它凭借武力维持了日本的和平，巩固了服务于其家族的中央集权制度。

但在内战中，很多藩的首领一直反对德川家康，这是让他一直头疼的问题，直到最后，这位将军也没有找到解决的办法。反对派是旁系藩主。他们被允许享有领地和家臣，并在其领地上 享有最高权力，但他们却不能分享德川家臣的声望，幕府中也永远不会对他们虚位以待。关键的职位全留给了在内战中支持德川将军的人，也就是嫡系藩主。为了应付这种政治局面，德川将军只能限制大名的势力，以免受到其威胁。因此，他不仅没有废止封建制度，反而将其发扬光大了。日本的和平和其自身的统治也因此得到了巩固。

多种阶层构成了日本的封建社会。所有人都继承了祖上留下的身份。德川时代，这种制度得到了深化。除此之外，每个阶层的成员都有一套自己的行为法则。家族主人要在家门口贴上标明其地位和身份的标志。他们的衣食住行都要按所处的社会地位来定标准。不同的阶层构成了日本的封建社会。所有社会成员都继承其祖先留下的身份。德川时代，这种制度得到了加强，所有社会成员的生活行为也得到了细致的规定。家族首领必须在家门口张贴有关其社会地位的标志。他们的衣食住行甚至住宅，都要符合各自的身份。日本的等级可以作如下划分：最高是皇室和宫廷贵族，其次是武士、农、工、商，最下层的是贱民。贱民是日本社会人数最多的等级。他们从事的，也是其他阶层所不耻的职业，比如打扫垃圾、掩埋死囚的尸体、为死兽剥皮以及制造皮革等。他们几乎不能被看作是人。就连从他们居住地经过的道路也不被计入里程。这些人只被允许从事社会所规定他们从事的职业，在其他的社会单元，他们一概遭到排斥。

商人的地位仅仅比贱民高一点，这一点大概是最让美国人吃惊的。商人是封建社会的掘墓人。一旦这部分人群的势力庞大起来，封建制度就会遭到灭顶之灾。17世纪，在德川统治时代，严厉的锁国令几乎铲除了商人阶层的根基。日本商人曾在中国和朝鲜的沿海地带从事兴隆的商贸活动，他们的实力也愈加壮大。但德川将军一纸令下，所有制造和驾驶超标船只的人都要被处死。他这样做是为了遏止商人阶层的壮大。就是没有超标的小船，也不能驶入大陆和运送商品。在日本国内，商人的活动也受到严格的控制，藩与藩之间关卡重重，商品往来极不自由。还有法规特别强调商人低贱的社会地位，他们的衣服、雨具甚至婚丧花费都有限制。商人的住宅要远离武士居住地。拥有特权的武士如果想杀死一个商人，可以不受法律的限制。这种把商人低贱化处理的政策，在货币经济中是不能长久的，但德川统治下，仍是这样做了。

作为维持封建社会秩序的武士和农民阶层，却受到了德川幕府的极力打造。内战结束后，德川幕府的“缴刀令”把两个阶层给分离开来。农民的武器和武士的佩刀权都被没收了。武士也不能转行成为农民或是商人。

身份最低的武士就像寄生虫一样，他们不能干体力活。每年就靠农民的赋税生活。藩主把征收的粮食按量分配给武士家臣。武士则完全靠大名生活，不用为生计发愁。在早期的日本社会，封建藩主与武士的紧密联系，是建立在藩与藩之间的不断战争中的。在德川统治时代，他们的关系变得更加具有经济内涵。与中世纪欧洲的骑士相比，日本的武士不再拥有领地和农奴，也不再是个小首领和发财的侠客。他们成了依靠微薄俸禄过活的人。据估计，武士阶层的平均俸禄几乎跟农民的收入不相上下，只能勉强维持生计。让武士家族为难的是，要有几个继承人来分享不多的俸禄。所以，如何限制家族人数成了武士必须考虑的事情。让他们最尴尬的是，他们的名誉是被财富和外表所决定的，因此他们就把俭朴作为美德之最。

在武士与农民、工人和商人之间，存在着巨大的隔阂。农、工、商是平民，武士则不然。作为标志，佩刀表明了武士的权力和在社会中所处的地位。他们可以用刀来对付农、工、商。在德川统治之前就是这样的。德川幕府制定法律，只要是不尊重武士的平民，格杀勿论。德川时代的法律，只不过是沿袭上代的习俗而已。德川幕府禁止武士与农工商阶层建立相互依赖的关系，其政策就是基于严格的等级制度而建立的。庶民和武士都直接归藩主首领所有并受其治理。两个阶层之间的人存在不能跨越的沟壑。每个阶层又有一套自上而下的规矩和义务。在有些时候，他们之间不得不建立起沟通，但这并不是其本性所导致的。

在德川幕府时代，武士不仅佩剑善武，还负责管理大名的财产。同时，他们还是雅趣倍至的艺术家。他们在音乐和茶道方面有很深的造诣。他们辅佐大名谋略，起草各种文书。在漫长的德川统治时期，因为长期的和平，武士少有机会舞弄佩剑，但他们在时刻准备为大名奔命的同时，也确实发展了很多艺术特长。

在日本的法律中，没有一个条文是保护农民不被武士欺压的，另外，沉重的年贡和其他限制也让农民不得喘息，但他们还是有所保障的。在日本，土地也是地位的象征，农民农田的所有权是受到保护的。德川幕府禁止土地转让，但这并不是为了保障大名的利益，相反，是为了保护农民的权利。这与欧洲的封建制度是完全不同的。农民的农田所有权是终身和永久的,他们的子孙后代都可以继续拥有这种权力。但在农民之上,有一个人数达 200 万的寄生阶层,他们是将军的幕府、藩主的各种机构以及武士。农民要将一定的谷米交给藩主。在水稻农业国暹罗,其传统赋税是十分之一,但在德川时代,这个数字是十分之四。农民实际要交纳的,还远不止于此。有些大名要征收 80% 的赋税,另外,不间断的强制劳动和徭役也几乎榨干了农民的血汗。像武士一样,农民也要控制自己的家庭人员数量。在德川统治下,全日本的人口几乎保持了相当的稳定。在亚洲,一个长期和平的国家,几乎静止的人口数字也能很大程度表现出该国的统治情况。德川幕府对武士和下层庶民都进行了军事化控制,但上下阶层之间多少也存在依赖性。每个人都明白自己的权力义务和身份。如果遭到侵犯,最下贱的人也有申辩的权力。

▲ 德川家康的武士拼命护主

处于贫困线上的农民会进行反抗。这不仅是针对大名,也是针对将军幕府。在德川统治的 200 多年里,农民起义有 1000 多次。起义的原因并不是因为"四公六民"赋税传统,而是不断增加的赋税。只有到了不能再忍耐的情况下，农民才会到大名的门前闹事。但他们请愿也是很讲规矩的。农民把请求公正的请愿书呈交给大名的管家。如果大名对此不予理睬或是请愿书被扣留，农民就会派出代表把请愿书直接送到幕府将军手里。在一些有名的农民起义中，农民会在大街上拦下幕府官员的车子呈递诉状。尽管那要冒不小的风险，但幕府在受到诉状后会展开调查，之后的判决结果大多是有利于农民的。

然而幕府的判决并不合乎日本人对秩序和法律的要求。农民呈递诉状是合理的，当局尊重其主张也无可非议。但农民领导的所为已经冲撞了等级色彩鲜明的法律。即使判决结果对农民是积极的，但因为农民已经破坏了忠贞的法律要求，他们也成了不可饶恕的人。所以，当判决结果出来后，这些农民仍然逃脱不了死刑，不管他们的主张是怎样正确。就连农民自己，也意识到他们的这种命运是不可避免的。被处以极刑的人被视为英雄，农民首领被放入油锅、被砍头或钉在木架上，人们也会蜂拥至刑场观看。但行刑时农民群体并不会反抗。在他们心目中，这是法律秩序。对于刑法，农民认为是可以接受的，这是他们赖以依存的等级社会的精髓，是不可违抗的。但这并不妨碍他们为受刑死去的农民领导者建立祠堂并奉其为烈士。

简言之，德川历代的将军都把主要精力用来加强各个藩的等级统治，让大名下面的所有阶层都对其有所依靠。在所有的藩，大名是等级金字塔的塔尖，其属下都要听从其安排。在行政上，将军则是来统治藩主的。将军要不遗余力防止大名之间的联合。在不同藩的领地界限，有着重重关卡来查验过往行人。妇女不得出境，而铁炮不能入境。这就是控制大名的极好体现。没有将军的允许，大名之间不得联姻，这也是用来防止大名结盟的策略。大名之间的商贸往来也受限制，藩之间不能建桥梁。被将军派遣的密探会深入各藩了解大名的财政状况。富足的大名往往要承担耗费巨大的公共工程，这样将军就可以使其财产保持在合适的水平。每年大名必须在江户居住六个月，当他返回领地时，还要把妻子抵押在江户的将军府上。可见将军幕府是如何殚精竭虑地确保自己的统治。

不过，将军还不是等级制度的塔尖，他的上面，还悬有天皇的命令。没有实权的天皇和世袭贵族隐居在京都。天皇的收入甚至还比不上小的藩主,就连宫廷的礼仪,也被幕府作了严格的规定。但就算在统治有力的德川时代,由天皇和将军维持的双重统治社会也没有得到废除。因为这种制度在日本是根深蒂固的。将军自 12 世纪以来就统治着日本。在一个时期,职权分化现象非常严重,权力的委托和再委托现象层出不穷。在德川统治即将结束的时候,佩里将军也没想到,将军的后面还有天皇。当美国第一任驻日使节就美日通商条约与日本谈判时,他也才发现,原来还有天皇存在。

实际上,在日本人的概念里,天皇是可以参政也可以不参政的神圣的首领,就像太平洋列岛上一些神圣首领一样。在太平洋的某些岛屿上,首领亲自行使权力,在其他的岛屿上,首领的权力又被转交给别人,但这并不能否定他神圣的身份。在新西兰,部落首领的神圣程度可谓登峰造极。他甚至不能自己吃饭,要有专门的人在喂他食物,喂饭的调羹都不能接触到其神圣的牙齿。外出时有专门的人来抬他,因为他那神圣的双脚踩踏过的土地将自动地变成圣地,归神圣首领所有。他的头颅更是不容触摸的。他所说的每个字都能传到部落神灵的耳中。在太平洋的萨摩亚岛和汤加,神圣的首领是从来不介入世俗生活的。一切世俗政务都由世俗的领导人来负责。18 世纪末曾拜访汤加的一位作家认为,汤加与日本很是相似。在汤加,神圣首领只负责宗教仪式,他要接受丰收时采下的第一批果实并主持祭祀,之后人们才能吃。当他去世时,人们要用"天堂空虚了"这句话来声言其死亡。神圣首领将在庄严的仪式中被埋葬在王墓里,但这与世俗政治毫无关系。

尽管在政治上没有任何地位,在日本人的概念里,等级制度下的天皇仍然有其不可忽视的作用。在日本,是否在世俗政治中有所作为并不是用来衡量天皇分量的东西。在征夷大将军领导下的几百年里,天皇都被认为是有保存价值的东西,当然,是在京都的宫廷里。但用欧洲人的观点来衡量的话,天皇几乎就成了微不足道的东西。不过已经安守等级制度的日本人却不这么认为。

在封建制度下的日本,从天皇到贱民都各自遵守着各自在等级制度下的本分，日本的近代史也因此被烙上鲜明的时代烙印。日本从法律定义上结束其封建制度只有75年的时间，但影响深渊的民族传统却不会随之迅速消亡。在接下来的篇幅里，我们会发现，尽管日本国的发展方向从根本上发生了改变，但近代日本的从政者仍然在费尽心机地企图保留封建制度。与另外的自由的民族不同，日本人更愿意生活在这样的社会里：每个人的行为准则和其社会身份都是被规范好了的。在两个多世纪里，这样的社会是靠武力来维持的。令人眼花缭乱的等级制度给了日本人安全感。只要按自己的身份行事，不要做出格的事情，他们就可以对整个世界充满信赖。这样，偷盗者会收敛自己的行为，藩主之间的争战也会停止。如果老百姓被侵犯了他们应有的权利，他们就可以像不堪重负的农民那样，向当局呈递诉状。这种做法或许对个体来说是存在危险的，但却没有人不认可它。在封建时代，有些将军甚至设立了投诉箱，能够打开箱子的，只有将军。所有感觉遭遇不平的人都可以把意见投进箱子。在日本人眼里，没有人能阻止他们这么做。因为他们认为，任何破坏既定规范的行为都是不可饶恕的，只有生活在规范里，人们才能获得安全。因此，衡量一个人是否勇敢和完美，就是看它是否严格遵循了这些规范。在一个规范的世界里，世界是可知的，也是可以让人踏实的。而规范本身并不是无形无色的，他们是具体化了的东西。细致到什么场合该做什么事，什么人该怎么做，以及家庭各成员应该如何守住规矩等等。

在这样的规范统治之下，日本人却没有像遭受重压的民族那样，变得温顺起来。这是因为，日本的每个社会成员都有属于其自身的保障。哪怕是最底层的贱民，其自治集团也是被政府认可的，很多特种职业都被他们所独占。每个阶层的限制条件也给了他们以规范和安全。

与墨守成规的印度相比，日本的等级制度比较灵活与变通。在日本人的传统习惯里，有很多讨巧的东西来维护公共的行为制度。一个想改变其等级地位的日本人可以有很多途径实现想法。在货币经济社会中，放贷者和商人会先富起来。有钱之后，他们可以用很多方法成为上层社会的一员。比如，通过典押和地租，他们可以摇身一变成为地主。农民的土地不能转让。对土地的所有权既能带来利润，也能提高地位。不过在日本，地租是相当高的，所以，让农民老老实实守住土地对地主阶层非常有利。放高利贷的人则收地租。他们的子女与武士结婚后，他们自己也就跻身到绅士阶层了。

收养或是过继也是改变地位的方法。这种方法为购买武士身份提供了捷径。尽管受到德川家族的诸多控制，商人还是变得有钱了。他们绞尽脑汁把儿子过继给武士。日本人中收养子的不多，更多地是招婿。招来的女婿也就成了岳丈的继承者。这要付出不小的代价。从招婿那天起，他生父家的户头上就再也没了他的姓名，而他的姓名将被置入妻子家的户口，他要随妻子姓，跟岳父岳母生活在一起。有付出也有收获。有钱人得到了地位，有地位但穷得一塌糊涂的人得到了金钱。等级制度为富人成为武士提供了变通途径，但它自身却没有受到任何侵害。

在日本的等级制度下，通婚可以在不同的阶层进行，这也是被习俗所认可的。这导致了有钱的商人阶层逐渐转变为武士。这种转变加深了日本与欧洲的差别。在欧洲，逐渐强大的中产阶级导致了封建制度的崩溃，中产阶级控制了近代工业时期。

▲ 日本矿工

在日本，却没有这样的阶级产生。商人只是以社会默许的方式获得了上层的身份，并与下层武士阶级结成了联盟。在封建制度行将就木的时刻，日本比欧洲更能宽容不同阶级的流动，这简直是不可思议的。在日本的上层与下层之间，几乎没有任何暴力冲突就很能说明这一点。

如果说，日本的上层与下层的共同目标都对各自有益，这是没有问题的。但在欧洲的某些国家，也可能是这样的。但在那些国家，阶级成了更加顽固的东西。在法国，贵族的财产经常因为阶级冲突被剥夺；在日本却正好相反。正是商人武士等结盟后，幕府的黑暗统治才走到了尽头。到了近代，日本仍保留着贵族制。但如果不是对阶级变通的宽容存在，贵族制度是没有安身之处的。

日本人死心塌地地遵守着他们那套复杂的等级制度，是有他们的道理的。这种制度给了他们安全感，并给他们机会对不合理的侵犯进行申诉，从而调节并维护自己的利益。19 世纪后期，德川统治快要结束时，没有哪个社会团体主张废除等级制度。"法国大革命"和"二月革命"的影子都没有在日本国掠过。不过大趋势已定。从贱民到将军，所有阶级都成了商人和高利贷者的债务人。寄生阶层日渐庞大，巨大的财政亏空无法填补。面对困境，藩主也没办法付给家臣俸禄。维系封建制度的东西被打破了。统治者希望通过继续加大对农民的盘剥来还债，无疑是行不通的。民不聊生而幕府也趋于崩溃。当 19 世纪中期佩里将军率领舰队到来的时候，日本国内的危机已经到了无以复加的地步。当佩里将军强行进入日本签定了日美通商条约后，日本已经无力回天。

然而日本国发出了"一新"的呐喊：也就是王政复古，回复往昔。这当然不是革命，甚至是退步的东西。与"尊王"一样，"攘夷"也得到了大片的拥护。日本国民希望回到闭关锁国的时代。但毫无疑问，这条路已经是条死胡同了。但真正明白这一点的人却遭到了暗杀。当时没有一点迹象能证明这个一点革命精神都不具备的国家，会改变主张向西方学习，并在 50 年后与西方国家一决高低。但事实是，日本的确实现了任何人都没有料想到的目标。19 世纪 60 年代的西方人，恐怕怎么也不会想到 20 年后日本列岛将发生怎样的暴风骤雨，因为当时的日本天空连巴掌大的乌云都似乎不曾有过。但令人惊讶的事情还是发生了。在封建等级制度下生存了许久的日本人，居然以惊人的速度开辟了一条崭新的道路走了下去。

第四章

明治维新

“尊王攘夷”口号的提出，宣告了日本近代社会的到来。这个口号是倒幕派提出的，目的在于打倒幕府，恢复天皇权威，保护日本主权不受外国侵犯。其中，京都天皇朝廷的政治倾向最反动，最极端，他们声称，一旦掌握权势，就要赶走外国人，重新恢复日本传统的生活方式，并剥夺改革派的政治发言权。在这场轰轰烈烈的倒幕运动中，强大的大名一马当先，他们寄望通过“王政复古”，取代将军德川家族的统治，获得日本的统治权；武士们既想继续享受俸禄，又想厮杀战场，获取功名；而那些给予王政复古派军队财政支持的商人们，则一门心思希望推行重商主义，对封建制度却没有什么不满和指责；至于农民们，他们讨厌变革，只是盼望口袋里的粮食再多一点。

▲ 明治天皇颁诏维新

1868 年，倒幕派掌握了政治大权，将军与天皇的“双重统治”退出了政治舞台。当时，很多西方人认为，胜利者将推行一种极为保守的孤立主义政策。出乎意料的是，在成立不到一年的时间里，新生的明治政府就开始开展大刀阔斧的维新运动：首先，废除了大名在各藩征税的权力；然后诱使各藩藩主自动将“版籍”奉还政府，先前按“四公六民”分成中交给大名的固定“四成”也收归政府。当然，作为补偿，每个大名可以领取国家的俸禄，相当于其正常收入一半左右，同时不用缴纳武士供养费及公共建设费。武士也和大名一样，从政府领取俸禄。随后五年，又颁布法律，废除了等级间的不平等，同时不再使用作为等级、地位的服饰等外观标志，甚至下令“散发”；并解放贱民，废除禁止土地转让的法令，撤除各藩之间的关卡，取消佛教的国教地位。到 1876 年，又把大名及武士在德川时代所领取的固定俸禄，折合成贷款一次性发放，偿还期为 5 至 15 年。这样一来，他们就有资金创办新式的非封建性企业了。这进一步促进了封建土地贵族向商业金融巨子的转变。

起初，新政府的这些重大改革，并没有赢得老百姓的普遍拥护。与这些措施相比，当时的日本人更关心“征韩”之战。但是明治政府并没有动摇改革的决心，而是否决了“征韩”计划。“明治维新”的改革与倒幕功臣们的初衷完全相违背，功臣们对政府的行为深为不满，矛盾日深。到 1877 年，这种矛盾竟演变成了西乡隆盛起兵反抗，引发了一场大规模的反政府叛乱。他们要求，恢复封建制度，因为在倒幕成功后的第一年，明治政府就背叛了“王政复古”的愿望。同年 9 月，叛乱被由一般平民组成的义勇军镇压。叛乱虽然平息，但由此可证明，日本人对当时政府所实行的改革政策是何等的不满。

同时，农民的不满也相当强烈。从 1868 年到 1878 年，即明治统治最初十年间，至少爆发了 190 起农民起义。直到 1877 年，新政府才开始逐步减轻压在农民身上的重税。所以，农民们觉得新政府根本没有将他们的生死存亡放在心上。此外，农民们还有诸多不满，比如建立学校、征兵制、丈量土地、散发令、解放贱民、极端限制佛教和改用阳历等，凡是一切改变他们根深蒂固的生活方式，他们统统反对。

那么，在这种反对激烈、不得人心的情况下，是什么原因和力量使政府坚持下来呢？是下级武士和商人的“特殊联盟”。这种联盟在封建时代就有了萌芽。作为大名的心腹，武士曾经经营和管理着各藩的垄断企业，如矿山、纺织、造纸等，在这过程中磨练了政治经验和经营手段；而商人则购买了武士身份，并在武士阶层中普及了生产技术知识。这种经济和政治的相结合，把那些富于信心的优秀人才推上前台，为明治政府出谋划策并组织实施。当然，"英雄不问出处"，但他们如此精明能干并且敢于实践的动力来自何方？19世纪后半叶才脱离中世纪的日本，经济和科技力量与泰国差不多，相当薄弱，却能产生一大批审时度势、运筹帷幄的领导人，成功地开创一个前无古人、后无来者的大事业，这是其他任何民族都没有尝试过的。而这些领导人的优缺点都植根于日本民族的传统特性。本书主题就是探讨这种民族特性以及它的历史发展。这里，我们先暂时了解一下，明治政治家是如何完成这一伟大的改革事业的。

当时的明治政府想法很纯粹，只是希望创立一项事业，并没有把这次改革与意识形态挂钩。他们追逐的目标就是富国强民，让日本成为世界上举足轻重的强国。他们也不是走极端主义的革命者，他们限制封建阶级，但也尊重和保护其利益，并没有剥夺他们的财产，而是用收买的方式使其顺从，从而最终支持政府。经过不懈的努力，后来农民的境遇也终于改善了，虽然是在改革十年后才解决，但确实也是因为明治初期国库十分匮乏。

不过，明治政府中那些精明强干的实权人物，却是日本等级制最忠实的拥护者。他们一方面废除等级制，一方面却将天皇推向统治顶峰。他们废除了藩，消除了是忠于藩主还是忠于国家的矛盾。但这些变化只是赋予他们一个新的位置，并不曾从根本上否定等级制。为了更好地推行自己的政治纲领，新领导人还加强了中央集权。他们交替使用胡萝卜加大棒的手腕，恩威并施，使改革措施能够正常有序地进行。但是，他们却从未向公众舆论妥协，即使民众强烈反对改用阳历、建立更多的公共学校、废除对贱民的歧视和不平等待遇等等。

在1889年天皇颁布的《大日本帝国宪法》中，有很多恩惠条件，其中有一条明确规定了人民在国家中所处的地位，并建立了议会。这部宪法是"阁下"们在对西方各国宪法进行了认真研究之后，精心拟定的。同时，宪法的起草者也制订了一些预防措施，以防止公众舆论干涉和影响政府工作，负责起草宪法的机构隶属于皇家内务部，因而神圣不可侵犯。

制定什么样的目标，采取什么样的行动，明治政治家们思路非常清晰。19 世纪 80 年代，宪法的草拟者伊藤博文公爵就日本目前遇到的问题，向英国学者斯宾塞求教。经过深入了解，在写给伊藤的意见中，斯宾塞写道，以大和民族的心理为核心的日本等级制，是其他任何国家都无法比拟的经济腾飞的基础。民众对“长辈”的尊重和服从，对天皇的绝对忠诚，这种无法撼动的等级关系是一笔可贵的资源，是日本政府应该加以引导和利用的，它可以为日本的复兴提供一个契机。可以预想，日本将在明治政府的领导下稳步前进，并所向披靡。对斯宾塞的评价，明治政府非常满意。他们希望的就是一个论资排辈的社会，保持一种所有社会成员按其素质“各安其分”的秩序。

▲ 第一届日本帝国议会众议员像

不论是在经济领域，还是政治、宗教领域，对国家和人民间的义务，明治政府都作了明确的划分，要求人们“各安其分”。这种划分和安排对美国人和英国人来说根本不可能，因而在观察日本时，我们也很容易忽视这点。日本的政府高层也明确指示，不必完全在意公众舆论。政府中掌控实权的人物大多出身贵族。到 1940 年，政府最高层的组成人员大多是天皇的亲信、随从，以及由天皇特别任命的官员。由选举产生的议员人微言轻，很少受到重用，对内阁成员的组成、任命等事情没有任何发言权。由普选产生的众议院代表，代表国民的意见，虽然有权对政府高官提出质询或批评，但在任命、决策或预算等事务上，也没有丝毫真正的发言权，更不能提出议案。众议院还受贵族院制约，贵族院议员中贵族占半数，不经选举产生，其中有1/4由天皇特别任命。贵族院拥有与众议院相等的法律批准权，这表示，在所谓的议会政治中，存在着另一种等级性的控制。

这样一来，日本政府中的实权就牢牢地掌握在具有高贵血统的"阁下"们手中。但是，这决不意味着在"各安其分"的体制下日本没有自治。在所有亚洲国家中，尽管不同国家的政治体制不同，但基本上是一个自上而下的模式，延伸到中层时，肯定会与强大的地方自治权相撞。这些国家的唯一不同之处在于，各个地方政府能拥有多少民主自治权限？政府有多大的控制力？地方的领导是不是要为整个地方的选民选择，或只是为少数地方财团服务？甚至以牺牲公众的利益为代价，形成地方垄断？

德川时代的日本就像中国一样，最小的行政单位约5至10户，后来被称作"邻组"，这是居民中最小的责任单位。"邻组"的组长，全权负责组内事务，监督组员遵纪守法，报告可疑情况，并协助治安。明治初期，政治家们废除了这一套，但后来又恢复了，还在市镇中积极培植"邻组"。但在现代的日本农村，"邻组"几乎已经不起什么作用。取而代之是更为重要的单位——"部落"。部落既没有被废除，也没有被作为一个行政单位编入政府体系。它们存在于一些山高皇帝远的偏僻地区，国家的行政权力还没有深入进去。部落一般由15户左右的人家组成，如今仍在发挥着组织的机能。部落长由村民公开选举，负责"管理部落的财产；监督部落对遇丧或遭灾的村民给予援助；组织安排耕作、盖房、修路等公共作业；负责火灾警告；在休息日敲钟击梆，以示通告"。与其他亚洲国家不一样，日本的部落尚未编入政府体系，所以部落长不负责征收国家赋税。他们的职责只在民主责任的范围内起作用。

到了近代，日本的地方行政机构主要分为市、町、村。负责人一般由本地公认的"德高望重的长者"推选，他代表本地区与代表中央的政府或府县公署交涉办事。在农村，这个负责人通常是一位土著居民，拥有自己的土地，是农民家族中的成员。当了村长后，虽然在经济上可能要蒙受一些损失,但是会拥有不少权势。村长的责任是:在长者们的协助下,管理村里的财政、公共卫生、学校,以及建立完善的财产登记和个人档案。村公所是个事物繁忙的部门,负责管理国家教育拨款和本村自筹教育经费,管理村落的公共财产及其租贷,负责土壤改良和植树造林活动,以及村民个人财产登记,及一切财产的买卖情况;而财产买卖必须在村公所正式登记后才算合法。另外,村公所还负责登记本村合法居民的住址、婚姻、子女出生、过继和收养信息,个人有无犯罪前科以及其他资料。这些信息由村民所在村籍保管。如果某人申请就业,或受审,或因其他原因,需要身份证明时,不管在什么地方,都要通过调函的形式,或亲自回户口所在地,去办理一份本人材料的副本,再交给有关方面。这样,人们对这个档案记录都非常重视,不敢轻易留下一笔不良记录。

由此可见,在公共事务中,市、町、村发挥着巨大的作用。到了20世纪20年代的时候,与世界其他民主国家一样,日本开始出现了全国性政党,"执政党"与"在野党"将交替掌权,激烈斗争。但即使这样,市、町、村这些地方行政机构却丝毫不受影响,"长者"们依然有条不紊地把持局面。不过,它们不能任免法官,对学校、警察和法院,没有管理的权力,警官和教员也是由国家启用的公务人员。也就是说,这个权力属于国家。但是,由于日本的民事诉讼一般靠调停或仲裁,所以法院在地方行政中的作用显得可有可无。倒是警官更繁忙一些,每逢有临时集会,他们必须到场。但是,这种任务并不常有,他们的时间多半花费在记录有关居民身份和财产上。另外国家对学校的规定也十分严密。和法国一样,日本每个学校在同一时间内都用同样的教科书,上同样的课,每个学校每天晨练时,在同样的广播伴奏下,做着同样的早操,这一点必须按部就班地进行。

不难看出,日本与美国的政府机构迥然不同。在美国,大选获胜者行使最高的立法权和行政权,地方的管理工作则由地方警察和法院来执行。但是,日本的政府权力机构在形式上和西欧国家几乎差不多,如荷兰和比利时。荷兰和日本一样,由内阁负责起草法律,国会实际上从未拟定过;虽然镇长、市长这些职务总是由地方来提名,但也必须由女王任命才能生效;警察和法院也是直接对君主负责,所以从表面上看,女王的权力直达地方政府。这要超过1940年以前的日本。而像运河的开凿、围海造田,及地方的发展事业等这些规模宏大的事务,在荷兰都是属于整个地方政府的行政范围,而不是那些由选举产生的市长或官员们的任务。不过,在荷兰,任何宗派团体都可以自由地创办学校,而日本的学校制度却是以法国为样板。

日本和西欧各国政府之间的真正差异,并不在于形式,而在于各自的职能。从古至今,日本都是个严格的等级社会,顺从是他们古老的习惯,这种习惯已深入到他们的价值观和道德体系之中。政府可以确定的是,只要那些"阁下"们还高居其位,人们就会尊重他们的特权,是否拥护他们的政策并不重要。在等级森严的日本人看来,"越位"是错误的想法。"公众舆论"也不起任何监督的作用,政府只要得到"国民的实际支持"就行了。虽然国家政权对地方事物进行干涉,有越俎代庖之嫌,但出于惯性与信仰,地方还是会给予尊重和支持。对于功能广泛的国家机器,美国人认为是一种障碍,而在日本人眼里却认为国家几乎是十全十美的。

不但如此,政府提到"各得其所"的等级思想时也小心谨慎。当政府提出一项议案时,即使是为民众谋福利,也要考虑到舆论的影响,努力争取多数人的同意。比如,在改良旧式农耕法时,负责振兴农业的官员,跟美国爱达华州的同行们一样,很少使用强权硬性推广。在鼓励建立由国家担保的农民信用合作社、农民供销合作社时,政府官员总是要和地方名流多次交谈,并听从他们的决定。地方上的事必须由地方解决。这是日本政府一向遵循的原则。

与西方文化相比,日本人的"上级"对自己要求更为严格,而"下级"对上级也更加尊重,更加顺从,并且从上级那里得到较大的行动自由。日本人的信条是:"一切都各得其所,各安其分。"

在宗教领域中,明治政治家制定了更为离奇的制度。但这与他们的信条并无冲突。国家把一种宗教置于管辖之下,只是为了体现民族的统一性和优越性,其他信仰方面,则给予民众更多的自由。日本的主流信仰是国家神道。日本人将它视作民族象征而赋予特殊涵义,就像美国人对国旗的尊敬一样。因此,他们说国家神道是一种信仰,而不是宗教。所以,日本政府认为,要求全体国民信奉国家神道,并没有违反西方的宗教信仰自由原

▲ 神道教职人员率众官员鱼贯进入神社

则。就像美国政府要求人们对星条旗敬礼一样，都只是忠诚的象征。

因为“不是宗教”，日本无需在意西方的指责，在学校里教神道教的教义。因此，教义就成了自信奉神以来日本国的历史，成了维护天皇权威的工具。国家神道受国家支持，由国家管理，采用“祭政一致”。而对其他宗教信仰，佛教、基督教，甚至其他教派的神道或祭礼神道，日本政府都尊重公民的个人意愿，这点几乎和美国一样。但政府对国家神道与其他宗教的管理，在行政上和财政上有所区别：国家神道由内务部神职司管辖，神职人员、祭祀活动及神社等一切费用开支均由政府承担；世俗神道教、佛教及基督教各派系均由教育部宗教司管理，费用开支均由教徒自愿捐赠。

鉴于日本政府在这个问题上官方立场明确，因此人们不能说神道教是个庞大的“国教”，只能说它是个庞大的机关。在日本，它有11万多座神社，有专门祭祀伊势主神的神社，也有祭祀太阳神的寺庙，就连一些地方也专为特别祭典准备了小神社，可说是应有尽有。无独有偶，与行政系统一样，供奉的神官也同样存在全国性等级制。从最低层的神官到各镇、市和府、县的神官，直到最高层被尊为“阁下”的神官府邸。供奉这些神官，与其说是为了让人们保持一种信仰,还不如说是为了让人们进行祭祀。国家神道和一般的教堂做礼拜不一样。法律禁止国家神道的神官对民众宣讲教义,自然就不会出现西方教堂那种常见的礼拜仪式。

但是,在频繁的祭祀日子里,各个镇、村的正式代表都会来参拜神社。他们站在神官面前,神官则举起一根扎着麻绳和纸条的竿子,在他们头上来回舞动,以示驱邪。之后,神官打开神庙弄堂的内门,大声召唤众神前来享用供品。接着神官不停地祷告,参拜者们则按身份辈分排列,恭恭敬敬地一一献上被视为神圣物的小树枝,树枝上还挂着几根细细长长的纸条。然后,神官再次尖声大叫,送走众神,关上神庙弄堂的大门。祭祀就此结束。在神道的特别大祭日里,天皇会亲自为国民致祭,政府各部门也休假一天。和地方神社与佛教的祭祀日不同,前者是国家的祭祀假日,是政府必须牢牢控制的范畴;后两者是老百姓的祭祀的节日,属于国家可以"放任自由"的领域。

▲ 地藏菩萨通常保护早产胎儿的灵魂

在其他宗教上,人们可以自由选择自己心仪的教派和祭祀活动。佛教是其中最活跃的一支,至今仍是绝大多数国民信仰的宗教。当然,每一种宗教都有不同的创始人和教义。即便是神道,除了国家神道之外,还存在许多其他的神道流派。有的教派崇尚国家主义,早在20世纪30年代,在政府还未推行国家主义之前,一些神道教派就率先掀起了宣传国家主义的热潮。有的教派把自己比做"基督教科学",以修身养性为主。有的教派信奉儒家教义,还有的教派专门从事神灵显圣和参拜圣山神社的活动。

老百姓的祭祀节日大多不在国家神道的节日范围之内。一到祭祀的节日,老百姓就涌至神社,每个人先漱口驱邪,然后拉绳,打铃,击掌,召唤神灵降临。接着,再依次毕恭毕敬地行礼,礼毕,再次打铃,击掌,以恭送神灵。祭祀结束后,老百姓便开始这一天的游乐活动,或是在神社院子里小摊贩上买些工艺品和玩物,或是看相扑和驱魔术,或是看小丑插科打浑逗笑的神乐舞。有位久居日本的英国人,笑言每逢此景,他便会不由自主地想起威廉·布莱克的一节诗:

假如教堂赐给我们几杯啤酒,
用温暖点燃我们灵魂的欢乐之火,
我们将终日唱诗祈祷,
永远不会离经叛教。
……

对大多数日本人来说,宗教是一种轻松愉快的享受,当然,除了极少数献身于宗教的专职神职人员。日本人特别喜欢到很远的山岳去朝山拜庙,这样既可以进行宗教活动,又可以进行一次愉快的旅游。

对政治和宗教在国家统治中的权力和职能范围,明治政府做了细致的划分。而在其他领域,人民则享有充分的自由。当然,如果威胁到政府的统治,政府就会及时加以干预和处理。比如在创建陆海空军队时就曾出现类似情况。

像其他领域一样,他们在军队里也进行了改革,他们废除了旧式的尊称,废除了军队中的旧式等级制度。虽然实际上还保留着一些旧习,但在当时,家庭出身不再对将士的晋升起决定性的作用,而是个人的真才实学。这种改革在其他领域很少见,甚至比在老百姓中废除得更为彻底。因此,新军队在日本国民中迅速赢得了民心,获得了一片喝彩。此外,每个排和每个连的士兵大多来自同一地区,是乡里邻居。而且在和平时期,士兵服役的地方大都离家不远。因此,军队与地方之间保持了很好的联系。在新军队,不再有武士与农民、富人与穷人之间的关系,取而代之的,是军官与士兵,老兵和新兵之间的关系。军队在许多方面促进了民主的发展,在一定程度上,是广大民众的子弟兵。在大多数国家,军队都是维护政府统治的巨大力量,但在日本,新军队却站在农民这一边,并对大金融资本家及企业主一再表示不满。

在军队刚刚建立时，日本的政治家似乎没有预料到会有这种局面出现。虽然一开始并没有将军队放在最高位置，但也赋予了一些特权。这些特权虽然未写入宪法，但军部首脑在政府中保持独立性，是公认的惯例。比如，陆海军大臣与政府其他官员不同，不但有权直接觐见天皇，还能以天皇的名义强制推行他们的主张，无须向内阁通报或协商。他们还可以阻止自己不信任的内阁的成立，只要拒绝委派陆海军将领入阁就可以了。没有高级现役军官担任陆海军大臣，任何内阁都无法组成，因为文官或退役军官是不能担任此职的。同样，对于内阁的任何行动，军部如果不满，只需召回他们的内阁代表，内阁就会被迫解体。

另外，宪法还专门制定了一条规定，即如果政府所提的财政预算草案被议会否决，政府将自动执行前一年度的预算，这样一来，维持军队和行动的资金就获得了保证。军部骄横最明显的一个例子是：尽管外务省一再保证不扩大冲突，军部首脑却趁内阁意见不一致、决策未定的时候，提前采取行动，支持关东军武力占领了满洲。和其他领域一样，对于军部的所作所为，人们虽然未必赞成，但“各安本分”的特性使他们倾向接受这些后果，而不是逾越界限来纠正。

在发展工业方面，日本走的是一条与西方国家截然不同的路线。明治政府的专家们不仅对工业的布局、发展步骤，以及实施准则作了全面安排，还给一些重要企业提供行政扶持，由政府官员组织并管理。他们聘请了外国技术专家，并派人出国学习。等到这些企业“组织完备，业务发达”时，政府以“低价”转卖给私人。当然，这些买家都是政府精心挑选的，比如三井、三菱这样与政府关系密切的财团。日本政治家认为，工业发展是关系日本民族存亡的大事，如果要在最短的时间以最小的代价建立日本工业化赖以生存的工业基础，就不能听任市场经济需求法则的指挥，只有采取以上措施才能迅速达到目的。

日本的工业发展，彻底违背了西方国家资本主义发展的正常顺序。它独辟蹊径，一开始就发展事关国计民生的大型重工业，而不是致力于消费品和轻工业的发展。于是兵工厂、造船厂、炼钢厂、铁路建设等都被列为重点，发展速度惊人。当然，这些企业并不是完全私有化，一些大型的军工企业仍然由政府掌握，由国家财政特别拨款，进行经营和扶植。

在政府给予优先权的产业领域内，并不包括小企业和非官僚经营企业。只有国家官僚和受国家信任而享有政治特权的大财阀，才能进入这个领域。不过在日本产业界，也存在自由竞争的领域，那就是一些投入少、技术含量低、劳动密集型的企业。这些轻工业没有现代技术也能生存。它们运转的地方，被美国人称作"家庭血汗工厂"。一个小本制造商买进原料后，先贷给一个家庭工厂或只有四、五个工人的小工厂加工，回收产品再贷出，再回收，如此几经反复，最后把产品卖给一般商人或出口商。在20世纪30年代，有53%以上的工人在这种员工不足五名的小工厂或家庭工厂里工作。这些工人中大多数以学徒的名义招入。在大城市的许多家庭中，还可以看到不少身背婴儿的母亲在干计件零活。

日本工业的双重性在日本生活方式的变化上也具有重大影响。如同在政治领域建立等级制度一样，日本政治家认为，在经济领域也必须建立起一种等级文化。因而国家把那些已经上轨道的战略性企业卖给那些与政治家关系密切的财团，让他们位居经济界的最高层，以便建立起一种等级联系，使双方能"各得其所"。当然，这与日本人传统的金钱观念相距甚远，难免会遭到攻击。政府所要做的就是：尽量通过公认的等级制观念来扶植这些财团。这种努力获得了一定程度的成功。虽然军队和农村仍然会攻击财团，但攻击对象已经后来渐渐发生了转移。日本舆论不再抨击那些具有特权的财团，而是"成金"大户。也就是"暴发户"。在美国，"暴发户"主要指"新来者"的意思。

"成金"大户遭人讥笑的原因是，他们不善交际，且缺乏修养。但是，比起他们从小牛仔到身价亿万的油田巨富的经历，这些缺点实在算不了什么。在日本，"成金"一词来自日本象棋，指一个小卒一飞冲天成了将帅后，像士一样横冲直撞，神气十足。但根据一般的棋牌规则，是不能这样出牌的。因此，人们对"成金"者颇有微词，白眼以待，认为他们主要是靠诈骗、投机而成功的。这与美国人对"白手起家"的赞扬形成了鲜明对比。在日本的等级体制中，备有巨富的"一席之地"，但如果这种财富属于不义之财，日本民众就会对它进行猛烈抨击。

简而言之，等级制度一直是日本社会生活的基石。在家庭以及人际关系中，个人的行为必须与其年龄、辈分、性别和阶级相符合。在政治、宗教、军队、产业等各个领域中，都有十分明确的等级划分。不管是上层，还是下层，最重要的事是守住自己的"本位"，一旦"越位"，将会受到严厉的惩罚。只要遵循"本位"，"各得其所，各安其分"，他们就会感到安全。这种安全感来自于他们的等级制度，就像美国人崇尚自由、平等、竞争的生活方式一样。

但是，当日本人想把这种"安全"模式向外输出时，受到了他们意想不到的阻挠。在日本本土，因为深受等级思想的影响，老百姓很容易接受等级制。但一旦脱离日本，在别的国家看来，那些主张实在是大言不惭，狂妄之极，以至万分愤慨。而日军官兵每占领一地，十分惊讶为什么当地居民们根本不欢迎他们？日本不是给了他们一个地位了吗？尽管很低，但总是整个等级制中的一个地位嘛；只要有等级制度存在，位置再低，不也是很理想吗？

日本军部接连拍摄过几部战争影片，来反映中国热爱日本，比如痛苦绝望、身陷囹圄的中国姑娘，因为和日本士兵或工程师相爱，找到了幸福。比起纳粹的征服论，这些描写完美多了，但最终还是同样没有取得成功。日本人错就错在，以要求自己的标准来要求别的国家。他们没有认识到，他们自己心甘情愿"各安其分"的人生观，在别的国家看来是无稽之谈。这种人生观属于"日本特产"。日本作家们认为这种伦理体系是理所当然的，因此没有对他的特点加以阐述。而事实上，要想了解日本人，就必须先从他们的文化入手。

第五章

时代和世界的负恩者

西方人经常认为，自己就是历史的接班人。但经过两次世界大战的洗礼，以及西方世界恐怖的经济危机，我们在这样说的时候，多少有些底气不足。对历史怀有一颗感恩的心是我们一贯的想法，但对恩惠的感激程度并不会因为我们的底气不足而加倍。

在这方面，东方人与西方人有很大的不同，东方人认为他们是辜负了历史的人。但在西方人眼里，东方人对祖先的敬仰带有很大的欺骗性，与其说是对先辈的怀念，毋宁说他们只是在完成一种仪式。只是来证明他们在确认：自己确实是欠了历史很大一笔恩情债。不仅承认欠历史的恩，在今天与别人的日常接触中，他们的愧疚感也是与日俱增的。

也就是说，无论对历史还是对当下，他们都是负恩之人。这种情感，成了他们所做任何事情的前提。

而对所享受到的一切社会待遇，西方人都感觉是天经地义，甚至会产生蔑视的感觉，就算他们所受的教育、享受的幸福生活都来自于社会，他们的这些想法也不会消失。因此，在日本人眼里，美国人还是有些居心叵测的。

但在日本，一个有着高尚情操的人是绝对不可能说他谁都不亏欠的，而且他们会相当地尊重历史，美国人在这方面就不太一样。“义”在日本人心目中，是社会网络中人与人之间相互施以恩惠、汇报恩情产生的东西，日本人报恩的对象，既包括先辈，也包括与自己同时生活在世界上的人。

表面上看，用言语来表达这种差异特别简单。但如果真要深入了解这种差异，究竟给日常生活带来什么样的后果，就有一定难度了。虽然如此，我们还是必须了解这种差异给日本带去了什么，否则，不但理解不了战争中的日本人那种我们极为熟悉的极端自我牺牲精神，更理解不了日本人为何这么容易被激怒，虽然我们觉得根本没有这个必要。从日本人身上，我们不难看出，负恩容易使人愤怒，因为负恩让日本人承担了巨大的责任。

英语中的"obligation"（义务），在日文和中文中有很多词语来表示。但这些词汇并不是同义词，有的根本没办法用英文来表达，用我们的方式去理解完全是陌生的。日文中的"恩"相当于"obligation"，意思是一个人所负的大小债务或恩情。

英文中，有一连串词可以与之对应，比如"obligation"（义务）、"loyalty"（忠诚）、"kindness"（关切）和"love"（爱），但它们跟原意有点偏差。假如"恩"的意思是指："爱"或者是"义务"，那"受孩子的恩"也好像说得过去。可是这跟日本实际情况又不符合。"恩"也不是指"忠诚"。日文中的"忠诚"另有词汇表达，但那些词跟"恩"一点关系也没有。

"恩"有很多种用法，但有一个共同的用法，就是都是表示对负担、债务、重负的承受。在日本人看来，如果"恩"不是长辈、上级或同辈那里授予，接受者就会有一种不快感和自卑感。在日本人的意识里，"我受某人之恩"，就是指"我对某人负有义务"，换言之，这位债主、施恩者就是"恩人"。

"知恩图报"，是一种真诚相待的珍贵品质。读日本小学二年级的学生，都会知道一个名叫"难忘恩情"的小故事，故事是这样的：

哈齐是一只小狗。很小的时候，就被主人领到了家里。哈齐十分可爱，主人像疼自己的孩子一样爱着它。它一天天开始长大，一天天强壮起来。每天主人上班的时候，它就依依不舍陪到车站；每到傍晚下班的时候，它又跑到车站去迎接主人。

后来，主人去世了。哈齐好像不知道，它依然每天下班的时候跑到那个车站，默默地等待自己的主人。

日子一天天过去，一年过去了，两年过去了，三年过去了，眨眼十年过去了，长大了，老了的哈齐，依然每天下班跑到车站等待它的主人。

这是一个很感人的小故事，它告诉我们：忠诚是爱的代名词。一个孝顺母亲的人,可以叫做不会忘记母亲的哺育之恩,也可以说他对母亲像哈齐对主人一样忠诚。

在这里,"恩"不仅是指他对母亲的爱,也是他对母亲亏欠的一切,包括母亲的哺育,母亲的照顾和培养,以及母亲对他所作的种种牺牲。一句话,包含了一个母亲对一个孩子的一切恩情。因为这种爱是需要"回报"的,所以也有"爱"的意思,但原来的意思还是指"负债"。这与西方人大不相同,美国人认为,爱是自由给予,不受任何义务的约束。

"皇恩",即天皇的恩情,是日本人受到的最大的最好的恩情,表示无限忠诚的意思。面对"皇恩",每个人都必须以无比感恩的心态来恭受。日本人认为,能够成为日本国民,是自己的幸运,国家富强,人们安居乐业,事事如意。都是天皇赐予的恩典,必须时时谨记在心。

在过去,日本人一生中最大的恩人,就是他所生活的圈子中的最高统治者。随着时代的变迁,最大的恩人不断地发生改变,过去是各地的地头、封建领主和将军,现在则是天皇。当然,最重要的,好像还不在于谁是最大的恩人,而是几百年来,这种"不忘恩情"的习性在日本人的品德中占据最高的地位。

进入近代以来,日本统治者千方百计让天皇成为所有日本人的最大恩人。通过日本人一切偏爱的生活方式,不断增加大家对"皇恩"的感激之情。比如,战争时期,以天皇的名义给前线士兵发放物资,每个士兵领一支香烟就是"承蒙皇恩";出征前,每个士兵领一口酒是"皇恩浩荡";神风特攻队的自杀式袭机是在报答皇恩;那些守卫太平洋岛屿的日本士兵,更是选择了宁为玉碎,不为瓦全的方式,以示对"皇恩"的回报。

"恩",不仅来自最高元首天皇,也来自比天皇地位低的人。比如,每个人都理所当然地接受父母"恩"。因为有了"恩",所以父母有权支配子女,这是东方著名的孝道的基础。因为父母对孩子有恩,子女必须偿还,所以必须服从父母。这与德国又有所不同。德国家长虽然也尽力使子女听话,但那是强加给子女的。虽然德国也是一个父母对子女拥有权力的国家。

对于这种东方式的孝道,日本人的解释非常现实:他们有句古话叫"养儿才知父母恩",意思是,只有子女们自己当了父母,才会知道父母的恩情有多深。父母之恩是实实在在的,因为父母每天都要为儿女的事操心,不论大事小事。日本人崇拜祖辈,但只限于父辈和一些还能记起的长辈。所以,对于从小就照料过自己的人,日本人打心底里感激。

▲ 父女情

当然,在任何一种文化中,每一个人都有一个长大成人的过程,都必须由父母供给衣、食、住,才能成长,这点是毋庸置疑的。可是,日本人却觉得美国人对这个太轻率。有个日本作者说:“在美国,牢记父母之恩就是要对父母好,仅此而已。”在美国,没有人会让子女背上“恩”,我们对子女悉心照料,像父母当年照顾自己那样照顾自己的孩子,甚至照顾得更好,只是为了回报自己孩提时代所受的部分父母之恩,同样,对子女的义务也只是“父母之恩”中的一部分而已。

日本人对老师、主人怀有深厚的感情,因为有了他们的帮助,自己才能茁壮成长。他们是自己的恩人,如果将来他们遭遇困难,自己就会挺身而出,不遗余力地帮助他们和他们的亲属。对日本人来讲,这是一种义务,必须执行。这种恩情不会随着时间流逝而消失,而是像银行的利息一样,时间越久,恩情越重。

所以,受一个人的恩,在日本来说,是一件大事,“受人滴水之恩,当涌泉相报”,日本人常说:“难以报恩于万一”,表示报恩本身就是一个沉重的负担。一般来说,受恩者的个人报恩意愿并没有“恩情”本身大。

因为每个人都把自己看作负恩者,所以他们能够自行无怨无悔地履行义务。这是为什么上述那些伦理原则能在现实生活中得以体现的原因。

前面我们已经告诉大家日本等级制度是何等的严密。报恩也是伴着等级制度而生,被日本人高度重视,并认真遵守。这点西方人根本无法理解。

如果只是把上级简单地看作好人,这也说得过去。但日语有个词非常有意思。他们把上级对下级的感情称之为"爱",以示上级对下级常常充满深情厚谊。日语中的"爱",相当于英文中的"Love"。在上个世纪,传教士在翻译基督教中"Love"时,认为日语中的"爱"是唯一能对应表达的词。于是翻译圣经时,也用"爱"来表达上帝和人类之间的爱。

但在日语中,"爱"是特指上级对下级的"爱"——西方人可能会觉得这种"爱"实际上是"庇护"(Paternalism)的意思,不仅表示"庇护",也表示一种相亲相爱。可能是受基督教的影响,也可能是官方努力打破语言等级界限的结果,现在"爱"也可以用来表达同辈之间的感情。

尽管缘于文化的特殊性,日本人很容易接受报恩思想,但在日本,受恩仍然不是一件普通的事。人们不愿意平白无故接受他人的恩惠,而让自己背上人情包袱。

日本人说到"承蒙厚爱"时,他们表达的意思大概就是欧美人所说的"把某物给某人"。但其中的"给"字是有强加之意的。但在日本看来,帮别人的忙或是给别人好处是"让人受恩"的意思。日本人最不喜欢平白无故地突然接受别人给他们的好处。因为多年以来根深蒂固的等级制度已经使他们感觉到,无论是"恩",还是因为"恩"所产生的一系列的东西,都是个累赘。

对于这些累赘,他们最希望做的就是躲避。我们经常看到日本人对街头巷尾的事情持漠然的态度,这并不是说他们对那些事情抱被动之心,而是他们认为,只有警察才有责任去管那些事情,去帮警察的忙,会让警察因为背上人情债而陷入报恩的麻烦之中。日本有一条法律在明治维新之前尽人皆知,该法律规定,不管遇到什么麻烦事,与事件无关的人不得插手。因此,如果有人怀着热心肠挺身而出,人们便会猜测他有什么别的企图。

在日本人心里,帮别人的同时也就是让别人欠了自己的情,所以还是谨慎为好。实际上,无故进入恩情的旋涡在日本人看来是最要不得的,就算是接受别人针头线脑之物,也要三思。实在遇到类似的事情,也要表示千恩万谢。而“谢”字里面又包含了太多的为难。

曾有一些日本人说，在那些情况下，直接把自己的为难之情告诉对方反而会舒服一些。因为自己从未为别人付出过什么就接受了人家的恩惠，实在是一件丢人的事情。所以，很多人就会在表示感谢的时候说“真过意不去”，欧美人一般就直接翻译成“谢谢”。但有时也会翻译成“很遗憾，很抱歉”，或是“真是不好意思，您这么看得起我。”

但无论是哪种翻译方法，似乎都不能贴切地把日本人表达谢意时那种微妙的含义表达出来。

日语中有很多类似英语中“谢谢”的词来表达受到别人施恩时的不安之心。其中被很多现代商业场所广泛应用的是“**ありがとぅ**”，其原意是“真是太难得了。”而说这样的话的日本人，想要表达的意思是：“您到我这里来买东西，真是让我受宠若惊。”这句话有太多的恭维之意。在其他很多场合或是接受别人的恩惠时，这句话也经常被用到。

另外，还有一些诸如“**気の毒**”（真过意不去）的词，它们在表达谢意，更多地是把那种为难的心情给表达了出来。比如有些小业主经常说的“**すみません**”，这句话的言外之意是“您让我受了恩，但现在我没办法回报您，让我太不好意思了。”而英语中经常把这句话翻译成“感激”、“十分抱歉”之意。这句话在类似下面的场合用最合适：一个人走在路上，不小心丢了一样东西，后面的人把东西拣起来还给那个人。那人就可以说“**すみません**”。意思就是，我要向拣到我东西的人道歉，因为我平白无故地被别人帮助，却没有办法回报人家。只有深表歉意才能让自己心里舒服一点。

说“**すみません**”（对不起，让您费心了）是日本人最常说的，这句话的意思是，“我受了您的恩，但在您还我东西的那一瞬间，我欠您的却不能回报，因为我们不过是茫茫人海中无意相遇的，可以说，回报之日不知在何时啊。正因如此，我心里真是愧疚至极啊。”

而“**たじけない**”（诚惶诚恐）在日语中表达的因受恩而产生的愧疚之情就更强烈了。它甚至有“受到羞辱”之意。对这个词，日本人的解释是，你得到了特别的关照，可你无论从哪方面讲，你都不配得到它，因此你应该觉得很羞耻。说“**たじけない**”就是把你那层感到丢人的意思表示出来。

对于羞耻，日本人是很介意的，以后本书会专门讲到。但保留传统的日本商店从业者仍然会说"**たじけない**"，就算没钱买东西的顾客要赊帐，他们也会这样说。这种说法在明治以前很盛行。

而很多小说中写到地位卑贱的女子被上层人选为小妾时，也会说"**たじけない**"，意思就是，"您选我当您的妾，让我感激不尽，因为我实在配不上您，您这么看中我，简直让我觉得很羞愧。"而在决斗中被宣判无罪的武士也要诚惶诚恐地说"**たじけない**"，意思是，"您把我放了，让我蒙受了太大的恩情，但想想我实在不配让您这么做，您这么做了，我以后简直都没脸见人了。"

各种各样的说法，都说明"恩"在日本人心里有何等的分量。得到别人好处的日本人会产生为难的情绪。这有两方面的因素：一方面，负恩的感情成了日本人日常生活的推动力，人们会想尽办法报答别人；另一方面，欠别人的总归让人不舒服，甚至让人讨厌。

对于这种厌恶之心，日本的著名作家夏目漱石在一本小说中曾有精彩的描写。在他的小说《哥儿》里，主人公哥儿是一个从小在东京长大的男子，后来他在一个小镇做老师时，与碌碌无为的同事不合，只有一个年轻同事跟他聊得来。有一次，他与那位被他说成为"豪猪"的同事一起外出，"豪猪"请他喝了杯白开水。

不久以后，有人告诉他，"豪猪"在背后说他的坏话。他本想找"豪猪"算账，但想到他是受人杯水之恩的，就作罢了。不管是多么不值钱的一杯白开水，也给哥儿带来了太大的麻烦。他认为，本来自己买杯水喝了就完了，但因为那"豪猪"请了他的客，他不得不背上一大笔还不清的人情债，搞得他现在因为一杯水而不能为自己的尊严找个说法。早知道这样，还不如自己花一百万把那杯水买下来呢。

次日，哥儿把当初"豪猪"为那杯白开水付的钱还给了豪猪。在清算完这笔"恩情"后，哥儿才开始问"豪猪"为什么在背后说自己的坏话。

在西方人眼里，日本人简直太小题大做了。在美国，也许只有一些学坏了的小孩子才会为那些不值一提的小事计较。但日本人把看重小事当成美德。尽管日本人当中也鲜有哥儿那么极端的例子，但从本质上说，哥儿就是日本人放大了的写照。日本评论界人士在谈论哥儿时，说他有着一颗纯真无暇的心，性格也是实在得让人钦佩，而且可以为了正义一战到底。就连夏目漱石也表示，他写哥儿实际就是写他自己。这一点也得到了认同。

那么，小说中的哥儿到底具有怎样高尚的情操呢？那就是，得到别人恩惠的人应当把那恩惠当成无价之宝，只有报恩完毕，他才能不继续作一个负恩之人。而具有美德的负恩之人，只能受那些同样具有美德的人施与的恩惠。

在夏目漱石的小说中，痛心的哥儿甚至把“白开水恩情”与关爱自己很久的奶妈的恩情作了一番对比。那位年长的奶妈经常给哥儿很多小孩子喜欢的小礼物，有一次还给了他好几块钱。哥儿对此非常愧疚，特别是那几块钱，成了他心头的一个包袱。尽管当年接到钱时他也感到丢人，但还是收了下来，就当是借了奶妈的钱。但是对于那笔钱，他却迟迟未想过还。因此，跟他急切地甚至小题大做地去还“豪猪”的钱相比，很多人表示奇怪。

小说中的哥儿认为，奶妈已经成了他身体的一部分。这句话对于理解日本人对恩情与报恩的看法非常关键。也就是说，不管这恩情的施予者与接受者之间有着怎样千丝万缕的联系，只要施恩者成了自己的部分，那么，从等级概念计算，那恩人也就在“我”之中，因此负恩之人也可以对恩情的接受心安理得了。

当然，那些施恩者可以是路边为自己拾起东西的人，或者是自己一直敬仰的人。如果施恩者不符合那些条件，那么负恩之人就要陷入大大的烦恼当中了。每个日本人都把过多的恩惠当成一个大累赘，并因此烦恼不堪。

日前，有本分析日本人精神的杂志就开了一个咨询类的专栏。该专栏与一些美国杂志开设的“失恋热线”栏目有些相似，但日本的咨询专栏是非常日式的，没有预想的专栏应带有的精神色彩。

曾有位老年男子向该杂志征求意见，他告诉该杂志，他的妻子在十多年前去世了，留下了他和四个儿女，为了孩子他一直没有再娶。孩子们也把他的牺牲当成高尚的美德。现在，孩子们都长大成人并分别有了自己的家庭。几年前，当他儿子娶亲的时候，他搬出家去住。

但后来，在很长的时间内，他一直与一位酒吧女厮混。出于对那女子的爱怜，他花钱使她从了良，并把她带回家中当佣人。从良后的女子相当勤劳，也很会过日子，但这老头从此在儿女心中的地位也一落千丈，成了被家庭成员所排斥的人。老人并没有一句怨言，他觉得这一切都是他自找的。但那从良女子的家人并不了解这一切，他们告诉这位老者，他们的女儿到了结婚的年纪了，应该回家准备一番。

▲ 祭司老汉

老男人与女子的父母见面后把情况都告之了。尽管女子的父母没有什么钱，也同意女儿留在老头身边，而那女子也并不反对。不过，由于二人年龄差距太大，简直就像是父女，老头也想把女子送回她父母身边。而老头的孩子们则认为，那女人不过是看上了他们父亲的钱。老头说他身体很不好，没几年活头了，不知道下一步该怎么走。因此希望得到杂志的帮助。

他还着重强调了两点，第一，那女子虽然从事过不良职业，但人品不坏；第二，她的家人也不怎么看重金钱。

杂志对老头的难题有很清晰的解答。杂志告诉他，是他把对儿女的恩看得太重要了。杂志认为他们家的事情是司空见惯的。专栏说，

大概您是想从我们这里找到一个解决的办法，可是我们并不高兴您这

么做。对您多年的单身生活,我们也非常同情。但您绝对不能因此就让子女对您时刻感激涕零,从而把您眼下跟女子的事情当成很好的、正当的事情。可以说,您是一个意志不够坚强的人,尽管你不是一个精明的人。如果你的生活中需要女人,你最好让你的孩子们知道这一点,而不是像你那样,让他们因为觉得欠你的而对你的所为不加过问。

如果你太向他们强调你所牺牲的东西,只会让他们更加讨厌你。总之,人都是有七情六欲的,包括你也不例外。但人应该跳出那些东西。你的子女希望身为父亲的你能够站在情感之外思考问题,但你的不理智无疑伤了他们的心。我们很理解他们的想法。可能你会认为,他们都分别成家了,分别满足了自己的欲望,却不希望父亲也像他们一样得到满足,是不是很自私。我承认确实有这样的因素在里面。可不能否认的是,你的孩子并不像你想的那样思考。你们从不同的角度出发想问题,发生矛盾是难免的。

你自己说女子与其家人都是好人,但这不过是你自己的看法。人的好与坏是由很多因素决定的。不能因为他们现在对你没什么企图而说他们是好人。你想想看,谁家的爹妈会希望自家年轻的女儿嫁给你个快要死的老头呢?如果他们那么做了,肯定是有别的想法的。你不这么想,肯定是错的。

你的孩子们怕他们是看上你的钱才答应女儿嫁给你,我觉得他们是对的。年轻的姑娘也许因为单纯不会有那些世俗的念头,但他的爹娘就未必了。

杂志专栏给老头开了两方"药":

第一个办法,努力去使自己成为一个没有任何私欲的完美的人(差不多就是圣人了),跟那姑娘彻底断绝关系。这也许很难做到,因为人是有感情的动物。第二个办法,不要企图继续维持原来在孩子们心中树立起的所谓的高大形象,认清自己的本来面目,把一切虚伪做作的因素都抛开。

而钱财方面,你应该在你死前尽快写下遗嘱,把孩子们和姑娘应该得到的都有个清楚的交代。

最后要提醒你的是,你已经不年轻了,从你的信中可以看到你已经有点不够理智了。你其实在感情用事。你说你想把女子带入一个幸福的世界，但你不过是想把她当成自己的妈妈来找点精神上的寄托。没有妈妈的孩子是活不下去的，你最好用第二个办法。

这封信可以说是对恩的解析。一个让别人感觉负了自己的恩的人，要扭转局面，必须要拿自己开刀。他应该知道，不管他为别人付出了多少，都不应该拿那些东西提条件，为自己的所为开脱。如果那样做的话，不仅是错误的，也不会得到他希望得到的结局，反而会让本来负他恩情的人与他反目成仇。

因为作为"恩人"的父亲没有一直地牺牲下去，子女就会有被愚弄的感觉。而当父亲的，不能因为在子女小的时候照顾了他们，就要求他们以后反过来照顾自己。这种想法是要不得的。子女的想法是不一样的，在被加上砝码的恩情面前，他们只会走上反对你的道路上去。

西方人在遇到这类事情时的想法就不一样了。失去妻子的男人一个人把孩子带大，这本身就是付出了太多东西。到他年老时再被子女尊重更是合情合理的。他不会认为遭到孩子的反对是正常的。

为了能够与日本人的想法找到共同点，我们可以从金钱的角度出发去考虑这种事情。因为在钱这东西上，美国人与日本人有很多相通的态度。如果当父亲的以严肃的态度把自己的钱借给子女，并要求他们到一定期限必须偿还，而且要连本带利地还。那别人自然就能认为当爹的遭到子女的反感是正常的。

我们也就很自然地能够明白，为什么受了别人小恩小惠的日本人不会大大方方地一谢了之，而是要千方百计地表示愧疚。我们也可以知道，为什么他们不爱谈起谁给过谁好处之类的事情。最起码我们可以明白，小说中的哥儿为什么把一杯白开水当成巨大的恩惠。

在这种事情上，美国人衡量的尺度不是金钱。比如，偶尔请别人喝一杯咖啡，丧妻的男人为了孩子而既当爹又当妈。但日本人不是这样的。很多人类的美好的情感原本是不应该附加上条件的，但日本人却给他们附加上了。任何被接受了的恩惠都是有附加条件的。也难怪日本有句俗话说："只有天才才有胆量受人之恩。"

第六章

报恩于万一

▲ 滴水之恩

恩是必须偿还的债务。但在日本人的头脑里,“恩”与“报恩”是根本不一样的东西。在美国人的价值观念里,恩惠与报恩几乎对等,很多有关这两样事物的词汇几乎就是同义词。对此,日本人觉得不可思议。就像我们发现某些部落在发生金钱往来时,竟不区别“借方”和“贷方”而感到奇怪一样。

一个日本人如果被赋予某种恩，那么他就要倾其一生来报。也就是说，恩是类似于债务的东西。但报恩则是一种正面而积极的东西，是值得赞美的高尚情操。当一个人积极投身于报恩行动时，他就同时变成了一个高尚的人。

要想迅速搞明白日本人对这种德行的另类看法，对于美国人来说，将其与金钱交易作比较，也许能够有所帮助。譬如，向银行贷款必须偿还，这是理所当然的事情，而且还要连本带利地还。

但是，这种交易关系与美国人的爱国主义和家庭观念是冲突的。因为在美国人看来，无条件的爱是一种心灵的感应，是一种付出，只有不渴求回报方能体现其高尚。爱国心把国家的利益看得高于一切，除非美国受到外敌入侵，否则，这样的爱国心也不应看作是对国家的必须的回报。况且，人性并不完美，爱国心与之很难相容。我们几乎永远也搞不明白，为什么日本人会认为人一生下来就欠社会的恩，人生来就是为了报恩的。自然，每个人都应该尊老爱幼，善待妻儿，但这都是发自内心、不求回报的，不能像借钱还钱一样锱铢必较，更不会像做买卖那样期望获利。

但一个日本人如果做了这些，在他们骨子里，那就像履行契约条款一样，成了必须执行的东西。也就是像借债还钱一样，是很自然的事情。在日本，报恩还债的思想不是在如对外宣战、父母病危那样的非常时刻才会涌现，自一出娘胎，他们就无时无刻不在提醒着自己要那样做。

在日本人的观念里，“恩”有多种表现，有的恩是不可计量的，而有的恩则是具体化了的，并要在一定时期内还清的。

对日本人来说，永远报答不完的大恩大德是一种义务。而义务主要包括忠和孝——对天皇尽忠，对父母尽孝。这两项义务都是必须要履行的，所有的日本人自出生就被告知了。这就好比日本的初级教育也被称作义务教育，因为义务教育是必须完成的一项任务。

人在一生中会经历很多事情，这些事情会使义务的范围发生改变，但这永远不会改变忠与孝的内涵，因为，那是不容改变的。

在日本人看来，恩是义务，是被动的，接受别人的恩惠都不是主动行为，报恩是一辈子的事情。诸多义务也因此产生了。总结起来，恩主要有四类：皇恩、亲恩、主恩和师恩。它们的施与方分别是天皇、父母、主人和师长。另外，还有其他一些在社会生活中不间断地接受的恩。

恩惠直接导致了报答行为的发生，也就是义务的履行。在偿还的量和时间概念上，义务是永远履行不完的。比如说，所有日本人都要忠于天皇，都要善待双亲，都要对工作负责。

可以量化并在一定时期内偿付完毕的恩，则是与义务不同的东西，被称为情义。情义被报答的一方，无外乎社会、主君、亲戚和其他在生活中对自己有过具体帮助的人。对于远房亲戚的义务，不是因为他们曾对自己有过恩惠，而是因为他们与自己有同样的祖先。

复仇也在日本人的义务范围内。一旦受到侮辱、遭到侵犯，每个日本人都会在内心发誓雪耻，洗刷污名。报复不是侵犯。不接受失败的现实，不承认自己愚昧，对日本人来说，是与生俱来的义务。

遵守礼节也是日本人的义务之一，遭遇不顺心的事情时，要克制，无论在何种场合，不能做违背自己身份的事情。

上文涉及的义务，都是不需要任何前提的。所以，在日本人的概念里，它们都成了具有强制色彩的道德标准。在中国人的精神里，则不是这样的。从7世纪开始，日本就源源不断地引进中国的道德体系。中国人并不认为忠孝是无条件的。欧美人在翻译中国“仁”这个词时，用的是慈善之义，它几乎包容了所有美好的人与人之间的关系。

在中国的道德范围里，上至皇帝，下至父母都要有一颗仁心，否则便会遭到百姓的反对和子女的不孝。希望巩固统治的皇帝也必须实施仁政。在中国的传统观念里，忠义的前提是“仁”，这也是衡量所有人际关系的砝码。

不过“仁”到了日本，就不再是道德的条件了。日本与中国在几百年前的这种不同，已经被很多学者作了论述。朝河贯一认为，关于仁的定义和法则与日本的天皇制度是水火不容的。仁，就算作为一种学术上的东西，也从来没有完全渗透进日本人的思想里。虽然在写法上，日文字仍然没有改变汉字“仁”，但在概念解释上，“仁”成了“德”下面的东西，也就是说，“仁”不再是日本人道德范围内的东西了。

因此，天皇要巩固自己的政权，他不必采取与仁有关的理论。对于上层阶级来说，他们也不必非要自己仁。“仁”成了被日本的法律所排斥的东西。比如说，有钱人可以从事慈善事业，但这也不是他们非做不可的事情。

进一步，日本人要仁义，就成了做不受法律保护的事情了。只有在江湖浪人和地痞流氓之间，仁义才是通行的规矩。在德川幕府时代，杀人抢盗的流氓与佩刀的武士是截然不同的。对于无赖恶棍来说，窝藏同伙是讲仁义的表现，但无疑那也是向法律挑战。在日本的现代词语里，“行仁义”几乎是个贬义词，通常用在一些负面的事物上。日本的媒体曾把下层人民的互相庇护称作“行仁义”，而那是要被当局重点打击的东西。

也就是说，在日本人的观念中，仁义成了非主流社会中的江湖义气之类的东西。在现代的日本社会，为了减少支出，一些小有规模的包工头在承包项目时与非熟练工签定合同，而在合同的履行过程中，他们会像本世纪初的一些码头黑工头一样，侵吞工人的血汗。这种已经背离道德的事情，在日本人看来，却是仁义的表现。中国人的仁义概念已经面目全非了。

不仅如此，日本人的义务还缺少德的制约，因为在“忠孝”的义务之上，没有能够取代“仁”的东西。如此，孝敬父母就成了日本人与生俱来的义务。就算父母做了十恶不赦的事情，子女也不能对其有任何抱怨。而“孝”只有与“忠”矛盾时，才可以不被严格执行。换句话说，日本的父母再怎么不称职，也必须得到子女的孝敬。

记得日本曾有这样一个故事，在一个发生荒灾的农村，有个女孩被父亲送到了妓院里，就在那时，女孩所在的农村的小学老师在村里筹钱为她赎身。但这笔钱却被这位老师的母亲偷走了，而他的母亲还是个富裕的女人。得知真相的教师却没有对母亲有丝毫的埋怨，而是选择了自己接受惩罚。教师的妻子知道后又把责任揽在自己身上，然后抱着襁褓中的孩子跳河自杀。人们知道这件事后，没有一个人质问教师的母亲。而这位教师，在赎罪后就离开了家乡，为的是接受更多的外面的磨难。这位教师成了日本人眼中的英雄，是个有着高尚品德的人。

在西方人眼中，是教师的母亲导致了整个悲剧。但日本人不会认可美国人的想法。在他们看来，与其他道德发生矛盾时，仍要以孝为先。那位教师，哪怕在心里对自己母亲的做法有一丝不满，也是不能被日本的道德规范所允许的。他能做的,只是尽可能地在不伤害母亲的前提下找回自己的自尊。

不管是在虚构的小说里,还是在现实生活中,所有日本人在成家之后,都要背负上让人不得喘息的义务。这已经是很普遍的现象了。多数日本人的婚姻都是父母包办的,只有少数前卫派除外。而做父母的兴致勃勃地为儿子讨老婆,主要并不是考虑儿子的利益,而是为整个家庭着想。这不光与钱有关,因为他们要靠儿媳为家族传宗接代。

在安排儿女相亲上,一般由媒人做主。在父母的陪伴下,男女双方装作很偶然地见面,彼此没有什么言语上的交流。有时做父母的可以借儿女的婚姻发笔财,不光女方父母,也包括男方父母。当然,除了金钱利益,婚姻也是通往上层社会的悬梯。

话说回来,女方的品德也是男方要考虑的事情。因为婚后儿子要跟父母生活在一起,要孝顺父母,延续自己报恩的义务。如果是家中长子,还要继承父业。大家都知道,婆媳关系是相当微妙的。就算儿子与妻子恩爱异常,要是婆婆不能接受儿媳的话,儿子与媳妇的婚姻也不会长久。

日本的很多文学作品中对这一现象都有描述。一方面儿媳要忍受婆婆的虐待,一方面,她的丈夫却有苦难言。但孝字当头,所有当儿子的也要听任父母的安排,选择是否继续自己的婚姻。

曾有一个相对摩登的日本女人,后来去了美国。在日本的时候,她曾收留过一个孕妇。那位孕妇当时已经得了重病,却仍被婆婆赶出家门,而她的丈夫却只能眼睁睁地看着这一切发生。尽管年轻的孕妇心怀巨大的痛苦,但却没有责怪丈夫一句。她只希望,未出世的孩子能给她带来好运。谁想到,孩子刚来到人间,便被婆婆抢走,送入了孤儿院,而孩子的爸爸,竟然成了帮凶。

日本人的这些所为,恐怕只能放在孝道里才能解释得通。也就是说,子女只能单方面地回报父母而不能对父母有所要求。而在美国人看来,这是对人权和幸福的极大侵害。日本人之所以不这么想,也都是"恩"的思想作祟。美国故事中,那些不管经历何种磨难也要把欠款还清的人,在日本人眼中,就是品德高尚的人。他们认为,还债人在经受坎坷之后为自己找回了自尊。

但人性使然，不管在道德范围里被描绘得如何高尚，很多仇恨的种子也难免被播下。在亚洲很多地方，人们在说到最让人仇恨的东西时有很多例子，比如有些国家把火灾、洪水、坏人、官吏和强盗归到那些东西里，而日本人的例子中，却会加上“家长”二字。

日本人孝的范围，不会延伸到几个世纪以前的先辈那里，也不会跟家族的旁系人等有什么牵连，这是跟中国人有区别的。日本人说到祖先时，最远就到爷爷那一代。日本人每年都会把祖先墓碑的文字重新刻一遍，被后代遗忘的遥远的先辈的名字，也就不再出现在墓碑上，当然也不会出现在家中供奉的祖先的牌位上。只有那些还能被子孙想起的祖先才能享受到后代的“孝”。

▲ 抱者与被抱者

中国人的孝包容的时期就久远得多了。很多学者认为，日本人不像中国人那样，对远古的东西有思念的兴趣，他们的思维能力要相对具体一些。如果给这种说法加上一个备注的话，那就是日本人的“孝”了。在日本人看来，“孝”更具有现实意义，他们要实现这种意义，就要把义务尽给活着的人，或是死去不久的人。

孝道，不仅仅是对长辈的孝顺和尊重，在中国和日本都不是。它还包括养育儿女等问题。在这个问题上，欧美人一般认为，父母有不可推卸的责任来照顾下一代，而在日本人和中国人看来，养育儿女不过是完成先辈的遗愿。特别是日本人，他们认为，把从父母那里学来的东西传递给下一代，乃是对父母最大的“孝”。

在日本人的概念里，“父辈对子女的责任”是包含在孝道里的。笼统地讲，一个尽孝的人应该养育好下一代，让他们接受教育，善于理财，并且为其他需要帮助的亲人提供服务，等等。

在日本人的家中，过于严谨的制度让尽孝的人的数量受到了限制。按孝道规定，如果白发人送黑发人，那么，白发长辈就要担负起养育孙儿的义务。如果女儿成为遗孀，父母也要把女儿以及外孙接管起来。

不过至于更远一层关系的亲戚，比如侄女之类的，若其也有女儿一样的遭遇，其叔辈是没有义务收养他们的。就算收养，那也是出于别的考虑，而养育亲生孩子是孝道规定的义务，养育其他人等的话，日本人通常会先将其收为养子。不然，他们能不能得到很好的照顾就是未知数了。

另外，孝道也不强求日本人充满热情地帮助受困的直系亲人，只要能给予基本的帮助就可以了。因此，丧夫的女人若寄居在亲戚门下，遭受冷眼待遇是很正常的，她们要被亲戚家中的所有人使唤，甚至只能吃别人剩下的饭菜。而她的命运，也已经被掌握在人家手中。因为她不过是那个家庭收养的穷亲戚中的一个而已。

有的人可能要幸运一些，但那是极少数的例外情况，也许只是遇上了一个好人家。而人家对她好也不是为了尽义务，只是额外的施舍。兄弟之间也不讲究慈爱地执行义务，只要哥哥尽到了对弟弟的本分，就算与弟弟闹得再僵，也没有人说他的不是。

婆婆与儿媳的关系总是让人头疼。媳妇一踏进婆家门，就要明白婆婆喜欢什么，讨厌什么。做事也不能跟婆婆对着干。而很多时候，婆婆会当面指责儿媳不称职。我们可以想象得出，婆婆那样说，很多时候是因为与儿媳争风吃醋。但不管怎么说，传宗接代的任务还是要由儿媳来完成，所以婆媳关系的维持也需要孝道。

随着岁月的流逝，表面温柔的儿媳也成了婆婆当年的样子。她们也就开始像当初婆婆对自己那样，对待自己的儿媳。在日本，长子是要跟父母生活在一起的，因此很多姑娘为了不受婆婆的气，都不爱选择长子做自己的丈夫。

尽管和平与爱心是维系很多大家族的基础，但在日本人心目中，尽孝未必能获得那些爱。对此，有日本作家认为，日本人只是看重整个家庭，而家庭成员或成员之间的关系并不太被他们关注。

对于日本人来说,义务和报恩是家庭生活的关键,父母对子女有养育之责,同时他们也要监督下一代是否按规矩履行义务。对于那些不愿循规蹈矩的年轻人来说,他们最终仍是要选择服从,按照父母的安排去牺牲自己。

在一个家庭中,即使成员之间的矛盾已经相当激化,对于孝道所规定的各项义务,他们还是要完全履行的。孝道的威力之大可以想见。

而与之相比,"忠"的威力似乎就不是那样有形。日本的政客通过如簧之舌让人们相信,天皇是神,是与世俗的喧嚣格格不入的。正所谓距离产生威严,天皇也因此能够统领日本。

但我们不能就此认为天皇就是日本人的父亲,因为按照孝道,父亲虽然是为子女而担负种种责任和义务的载体,但父亲也可能并不能得到子女真正的敬重。而天皇则一定是神圣的不在尘世的。忠于天皇,差不多成了一种带有某种宗教色彩的顶礼膜拜。

在明治甫一改革的时候,日本政界人士曾访问过欧美诸国。经过考察,他们发现,西方的历史是统治者与被统治者的战争史,而日本不是这样的。后来,他们把天皇的神圣和不可侵犯的特点写入了日本的宪法。

另外,天皇对宫廷要人的行为都不必负责。作为日本国民一统的象征的天皇,同时也不必担负任何义务。大约700年来,日本的政治界几乎没有受到天皇的影响。所以,让天皇在另一个舞台上表演也就得到了认可。明治时代,日本人在政治家的影响下,唯一要懂的道理,就是忠于天皇,把天皇放在心头最高的位置。

在封建时期,被人们尽忠的则是掌握实权的将军。日本的时代背景迫使政治家们为了实现日本思想上的统一,就要在全新的体制下采取全新的策略。在过去的几百年里,大元帅和最高执政者都是将军一人,尽管将军之下的人也要对其尽忠,但将军也要随时防范其统治是否会被推翻,甚至要为性命担忧。

另外,在那个时代,忠于将军和忠于封建君主是矛盾的。在普通老百姓心目中,忠于君主比忠于将军更让他们觉得理所当然。因为在他们之上,君主是天然的主人,而将军就显得牵强一点。发生内乱时,封建领主就是由武士拥立的，而将军则成了被逼退位的一方。

同样，明治维新的先驱就是以尽忠天皇的名义讨伐幕府，推翻了德川统治。由于大家都见不到天皇，每个人也就可以凭空来想象天皇的样子。在推翻幕府时，尊王一派获胜也使得多年来日本人对将军的忠心被转移到了天皇身上。

1868 年“王政复古”后，天皇又引退后台了。天皇的权力被下面的官员分沾，而他自己却不能过问政事，更不用说决定什么。掌握政权的成了他指派的顾问。本质上说，精神领域的变化最大，因为从那时开始，日本人尽忠的对象已经成了最神圣的天皇，而尽忠的过程也就成了报恩。

日本人尽忠的对象，如此轻松地发生了改变，最主要是因为一个久远的传说发挥了作用。传说天皇是上苍天照大神的后代，天皇也就成了神的代名词。自然，这个传说所包含的神学色彩对尽忠对象转移所起的作用，也不像西方人认为的那样关键。事实上，根本不认可这个传说的作用的日本知识分子也不一定就对天皇深信不疑，就算认为天皇是神的后代的老百姓，也不认为是那传说让他们改变。

日语里的“神”有至高无上之义，也就是等级制度金字塔之尖。西方人认为人与神之间的距离是不可逾越的，但日本人不那样认为。他们认为，人死后都能成为神。在封建时期，被统治者要对统治者尽忠，但那时的统治者还不是神。后来尽忠的对象变了，最重要就是因为在日本，从古到今只有一个皇室，世代相承，绵延不绝。

西方人也许会认为，日本的皇位继承制度与欧洲诸国是不一样的，日本的继承制度有撒谎的成分在里面，但这并不能左右日本。日本人自己对这制度毫不怀疑，皇室的血脉就是永远不断的。与经历了三十六朝变故的中国相比，日本始终是一个天皇家族延续下来的。尽管它也历经沧桑，但它构建的社会结构并没有坍塌，日本的统治模式仍然保持原貌。

明治维新前的一个世纪里，倒幕派就是靠万世一系的天皇来鼓动百姓的，而西方人所看中的天皇是神之类的理论并没有被他们采用。反幕者认为，既然坐在等级制度金字塔尖上的应该得到“忠”，那么塔尖上的只能是天皇。反幕者让人们相信天皇是至高无上的，这比告诉人们天皇是神的后代要有用得多。

经过艰苦的说服,人们终于把自己尽忠的对象转向了天皇,而这个对象也具有了某种唯一性。

毫无疑问,明治天皇是个关键人物。他以出色和严厉而闻名。在他在位的很长时期内,他成了国民瞻仰的日本的标志。他很少抛头露面,就算偶尔的现身,也是在相当排场的环境里。所有跪拜着向他行礼的人都不敢发出声响,更别说抬起头来看他。

为了使天皇的视线在所有人之上,明治天皇命令关闭二楼以上的所有窗子。高官与他的接触也是严格按照规矩来的,只有很少一部分高层人物能有幸瞻仰天皇。对于存在争议的政治问题,天皇一般不公开发布诏书,他只就道德、节俭或一些具体事情告示天下,为的也是安抚民心。明治天皇即将辞世之时,全日本的百姓都为他祷告,整个日本几乎成了一个大寺院。

正是用这些手段,天皇超越了日本国内的政治,成为一种象征。就像美国人崇拜星条旗超越了民主党和共和党一样,日本的天皇就是不可冒犯的神的化身。美国人在表达对国旗的崇敬时有很多方式,但对具体的每个美国人来说,这些方式并不会产生同样的效果。但天皇作为人中之神的一个象征,却被日本人利用得淋漓尽致。

天皇爱护子民,人民也发自内心地爱着天皇。天皇略施恩泽都会让一个日本人感动得流泪。为了天皇,就算牺牲自己的生命也在所不辞。日本的文化基本是靠人与人之间的关系来维系的,天皇在与百姓的沟通中,也加强了自身的威力。作为人民尽忠的对象,天皇远比国旗更让人神往。如果一个日本的教员说他最效忠的对象是国家,他也会遭到指责,他应该说的不是爱国,而是爱天皇。

日本老百姓与天皇的关系,在一个"忠"字下面成了具有两面性的东西。一方面,在尽忠天皇的过程中,老百姓不需要借助任何别的东西,他们只要努力做事,让天皇放心就可以;另一方面,天皇对老百姓的告示却又不是直接的,而要辗转经过各个层面,由天皇以下的诸多官员来传达。有人认为,在如今,没有哪个国家对子民的号召力能像日本天皇的御旨那样强大。

有个美国人曾讲过这样一个故事,在日本军队的一次演习中,士兵们接到长官的命令:未经军官允许不得喝水。因为在日本的军队里,如果能在非人的环境下持续行军,是值得赞扬的事情。结果,就是那道命令,渴死和累死了5个士兵,还有20个人因高温中暑。行军结束后,盛水的水壶里的水还是满的。但没有一个士兵对此发牢骚,因为长官的命令就是天皇的命令。

从丧葬到税务的诸多事务,都属于民政管理的范围。征兵者、警察和税务官都是替天皇传达御旨的中间人,一切都是以"忠"的名义开展的。在日本人看来,遵守那些中间人的命令,就是对天皇尽忠的表现。

美国的传统则与之完全相反。在美国,每部新法律的出台,都被看作对个人自由的限制,从交通法规到税收制度,无一不是这样的,人民随时都可能被激怒。国家法律更是被怀疑的对象,因为每个州独立的立法权因之被干扰。而老百姓会认为,它不过是国家机器强制人民的工具。为了找到自身的尊严,人们会面对法律说不。但在日本,这简直就是造反。不过,美国人又会认为日本人缺乏民主精神,一味对政府屈就。

其实,两国百姓在想到自尊一词时,对不同事物的联想是造成这种差异的根本。美国人的自尊心,是跟与自己有关的东西有关的。而在日本,对恩惠的赐予者报恩才与自尊心有直接关联。但无论美国和日本,他们都有自己的苦衷。在美国,就算有一部对所有人的法律出台也不容易被接受。而在日本,人从一生下来就踏上了漫漫的报恩路,整个民族都有点直不起腰来的感觉。

可能所有日本人都能在一些情况下找到办法来绕过法律的雷区,但他们也是崇尚暴力和报复行动。不过,就算有这样或那样的前提,日本人的行为准则仍然是围绕"忠"展开的。

二战日本投降时,"忠"的魔力在日本人身上得到了全面的体现。很多西方人自认为参透了日本精神,他们不相信日本会投降。他们表示,没有遭受战争的洗礼,日本军队不会轻易屈服,让他们投降,简直是天方夜谭。而日军的多部也没有在区域战斗中被击败过,他们自然也认为,自己是为正义而战。在日本诸岛,国民都在声援他们所谓的正义的战争。为数不多的占领军队登陆后,如果没有了军舰和大炮,几乎就无立锥之地。

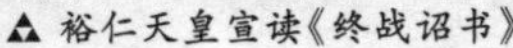

▲ 裕仁天皇宣读《终战诏书》

▲ 胜者与败者，麦克阿瑟与裕仁天皇

在战争中，日本人无所不用其极，因为他们本身就是好战的民族。但是，天皇一纸令下，日本人就马上投降了，恐怕美国的学问家没想到，这就是“忠”的威力的体现。天皇的声音还没有通过电波传出来时，很多负隅顽抗分子还跑到皇宫外面，为投降诏书的宣布制造麻烦。但诏书一出，他们也就顺从了。各条战线上的军队，甚至在日本的东条英机，也没有对诏书说一个“不”字。甚至在美军下飞机时，日本人还相当礼貌地迎接。

有个外国记者曾这样报道当时的情形：刚下飞机的美国军人还不敢把枪丢到一边，但没过多久，他们就把枪收到一边，轻松地去买东西去了。但就在很短的时间之前，日本人还奋不顾身地要把美国人打出去。在很多国家看来，这种行为是不可理解的。但如果放在“忠”字下面考虑，这一切又都是很正常的，因为，无论是做什么，最终目的就是让天皇满意。

西方人如果想接受日本人的这种行为模式，只要接受这个现实就可以了，那就是：人类的情绪是受到某些东西支配的，因此也就不是一成不变的。对于日本民族的未来，有人认为，他们只能自取灭亡。但也有人认为，只有把当前的政府推翻，让崇尚自由的人执政，日本才能有救。如果在一个全民皆兵、共同行动的欧美国家，上面的两种观点还可以理解。但是，日本人的行为准则跟欧美诸国是大相径庭的，因此，那样想的话，只能将自己引到错误的道路上去。

就在西方列强风平浪静地将日本占领了数月之后，很多人还预测，已经没有任何机会了，因为西方的革命行为没有在日本发生。也可以说，日本人还没有认为自己是被击败的一方。这完全是以西方的是非观念为基石建立的、欧式的社会哲学观念。但我们应该知道，作为一个东方国家，在战败后，日本并没有发生欧洲国家所发生的革命。而日本人也没有对占领军队进行消极的抵抗与不合作。

在气力还没有被耗尽之前，他们就接受天皇的诏令，无条件地投降，这是日本民族为尽忠而用自己的方法来付出的代价。在日本人看来，牺牲多少也是有意义的，只要是天皇下的命令，就算是投降，也成了他们眼中崇高的事情。也就是说，只要是以尽忠的名义，包括投降在内的一切行为，都是日本民族的最高法律。

▲ 密苏里舰上的投降签字仪式

第七章

情义最为难

“情义最为难”，这是日本人的口头禅。正如应该尽“义务”一样，每个人也都必须报答“情义”。在日本文化中，“情义”所指的责任和“义务”所指的责任，是两回事。“情义”这个词，在英语中找不到对应词。

人类学家从世界文化中发现了许多稀奇的道德价值观念，而“情义”是最奇特的一种。它是日本特有的。“忠”和“孝”，是日本和中国共有的道德概念；虽然日本对它们作了一些修改，但是仍然可以从其他东方国家里找到它们的影子。

但是“情义”却不是源于中国儒教，也和东方佛教没有关系。它是日本土生土长的价值观念。如果我们不了解日本的“情义”概念，那么就不可能理解日本人的行事方式。

日本人在谈到他们自己的行为动机、个人荣誉以及他所碰到的各种人生烦恼时，往往要提到“情义”。

西方人认为，“情义”大概是一系列义务的混合体，从报恩到复仇，什么都有。难怪日本人很难向西方人解释“情义”二字，因为他们自己也很难表达“情义”的确切定义。

一本日语辞典这样解释：情义，正道也；即人应守之基本规则；为了不受世人非议，即使无可奈何，它也是你不得不做的事。如此这般解释，当然使西方人一头雾水。不过，你从“不得不”一语中，可以看到“情义”与“义务"是两码事。

"义务"是什么?它指个人对社会所应尽的一系列责任,社会包括他的骨肉至亲,也包括祖国,以及国家领袖。"义务"必须履行。这种责任与生俱来,不存在"不得不"的意思。但是日本人在对"情义"的报答上,心中充满无奈的不快感觉。在"情义"这个领域,欠情的人处于两难境地,往往十分尴尬。

"情义"分为明显不同的两类。一类是"对社会的情义",也就是指向同伴或同一群体报恩的义务。另类是"对名誉的情义",类似于德国人的"名誉",一种为了名节,保持不受侮辱的责任。

▲ 下班以后的团队精神

"对社会的情义"大体上指一种履行契约性的关系,而"义务"指一种履行与生俱来的亲属责任。这是二者的区别所在。因此,"情义"包含了对姻亲家属应负的所有义务;而"义务"则指对直接家属应负的一切义务。岳父、公公、岳母、婆婆,被称为"情义"上的父亲、母亲;姻兄弟、姻姐妹,也称为"情义"上的兄弟、姐妹。不论对亲属的配偶,还是对配偶的亲属,这套称谓都是合适的。在日本,婚姻是这个家庭和另一个家庭之间的契约。所谓"履行情义"就是对配偶的家庭终身服务,其中包袱最重的要数对配偶父母所承担的"情义"。年轻儿媳对婆婆的"情义"尤其沉重,正如日本人自己说的,新媳妇到婆家生活,仿佛进入另一个世界。相比媳妇的生活,女婿对岳父的责任有所不同,但也令人忧愁。因为岳父一旦有困难，女婿就必须出钱出力，要尽很多“不得不”尽的义务。

一位日本人说：“儿子长大以后，孝敬亲生母亲是出于对母亲的天然之爱，这不能算作情义”。发自内心的自愿行动，不能称为“情义”。不管怎么说，履行情义时，也不可掉以轻心，即使你情不甘，意不愿。如果你做得不周到，就难免遭人非议，评头论足，说你“不懂情义”；那样的话，谁都会无地自容的。

关于姻亲家属的“情义”，日本人在“入赘”习俗上体现得特别清楚。所谓“入赘”，就是男方像女人出嫁一样“嫁”到妻家。当一个家庭只有女儿没有儿子的时候，就该为女儿择婿入赘，以延续家族“香火”。

女婿进门以后，就成了这个家庭的养子。他要抛弃自己原来姓氏，改从岳父姓氏。进入妻家，在“情义”上要服从岳父母的安排，而且死后葬在妻家墓园。这些都和女子嫁人一模一样。

入赘的原因其实很多，不仅仅是女方家没有男儿。入赘婚姻还考虑到双方的利益，几近“政治联姻”。有时，女家虽然很穷，但门第较高；男方就带一笔钱来入赘，等于是来女家换取身份。有时，女家很富裕，可以培养入赘女婿求学上进，男方就来接受这样的恩惠。有时，女方父亲想让男方成为自己商业的继承人，为了商业前途，就招婿入赘。不管怎样，入赘的养子在“情义”上承受着特别沉重的负担。因为，在日本，把姓氏改换成别家的姓氏，多少有些蒙羞。

在战争年代，这就意味着他必须为岳父作战，即使让他去杀死自己的亲生父亲，也是在所不辞！到了近代，通过入赘这种“政治联姻”的方式，在道义上凝聚了强大的约束力，把入赘青年的命运与岳父家的命运与事业紧密相连。尤其在明治时代，这么做，双方都有利可图。当然，社会上的风俗，仍对入赘养子有所嫌恶。日本俗话讲：“家有三斗米，至死不入赘！”这种嫌恶心理，同时也源于“情义”之难堪。假如美国也有入赘风俗，美国人表示反感时会说：“男子汉大丈夫，哪能沦为这种人！”可是日本人却是因为入赘所带来的“情义”太沉重，太为难，在履行它的时候，实在有些“不愿意”。因此，如此复杂所导致的负担，“为了情义”，实在是日本人无可奈何的“不得不”啊！

“情义”不仅指婚姻状态里的义务，并且也包括对伯父、伯母、外甥、侄儿的义务。日本人不像中国人那样，把这些对近亲的义务归为孝悌。二者差异很大。在日本，对亲属的救助，并不是出于私人情感，而是出于对共同祖先的报恩“情义”。

这与父母子女之间的血肉关系不同，帮助亲属，就像帮助姻亲一样，往往出于无奈，是“为情义所累”。

在情义上，日本人更加重视那些传统的诚信关系，比如武士对主君的关系，它是名誉所在。这种“情义”被视作武士的德行，在很多文学作品中久经颂扬。在德川氏统一全国之前，人们心中的这种德行，甚至超过“忠”的观念。

12 世纪，源氏将军曾命令手下的一位大名，要他交出跑到他那里避难的敌方藩主。但是这位大名回信拒绝；信中他写道，不能由于“忠心”，而背叛“情义”，这是武士起码的德行。这封信，保存至今。这类型的历史故事很多，在日本广为流传。有些故事被改编为歌舞和神乐。

最著名的故事，是对一位豪杰的叙述。12 世纪，一位名叫弁庆的“浪人”，他没有主君，四处谋生。弁庆力大无比，有万夫不当之勇。有一次他借宿寺院，竟吓坏了寺里的僧侣们。为了获得武士装备，他斩杀过路的武士，收集他们的刀剑，用来换取经费。

最后，弁庆向年轻的源义经挑战。源义经是源氏后人，后来成为日本人特别崇拜的英雄人物；当时他正在筹划光复源氏家业，期望重登将军宝座。弁庆向他挑战之后，佩服得五体投地，甘愿向他称臣。在以后的创业过程，弁庆立下汗马战功。

最后一次敌众我寡的战役中，源义经被迫带着家臣逃走。他们化装成化缘的僧人，由弁庆当领队，源义经身穿僧服，混在其中。沿途遇到缉查，弁庆就拿出一卷寺院募捐簿来念叨，蒙混过关。由于源义经的贵族气质，导致敌人见疑，要召回义经一行人重新审查。最后关头，弁庆为了消除敌人的疑心，竟然当众找茬，打了义经一记耳光。敌方疑团顿消，放过他们。在日本，家臣打主人是万万不可饶恕的。因此，弁庆急中生智的一耳光，虽然救了大家，却犯了天条。安全脱险之后，弁庆立即跪在义经面前，请求赐死。当然,义经赦免了他。

今天的日本人觉得,那些古老故事所发生的时代,是令人怀念的黄金时代。那时候,所有“情义”都发自内心,所有动机都纯正无邪;在故事里,“情义”没有什么“不得不”的为难意思。

如果“情义”与“忠”不能两全,人们就理直气壮地选择“情义”。那时代,“情义”是人们最为珍惜的情谊,“重情重义”就是舍身为主君,而主君也以诚相报。“报答情义”,就是为了主君哪怕奉献生命也在所不惜。

这也许仅仅是传说中的幻想罢了。封建时代,日本的历史事实表明,许多武士为了金钱或名利被敌方收买。并且,更为突出的事实是,如果主君侮辱家臣,后者是可以离弃主君,甚至勾结敌人;这样做并不会受到谴责。事实上,正如宣扬殉身尽忠一样,讲到复仇,日本人也是津津乐道。复仇与尽忠,都是“情义”的具体表现。尽忠是对主君的“情义”,为了名誉而复仇也同样是对自己名分的一种“情义”。这仿佛盾牌的双面。

古代忠诚的故事,只不过是日本人发思古之幽情罢了。如今,人们提到“报答情义”,已经和自己合法的主君之间的忠诚不太相干了。现在谈情义,语气中充斥嫌恶之感,强调的是“报答情义”的无奈,是迫于舆论压力,不得不去做。他们会说:“这桩亲事完全出于情义的考虑”,“迫于情义我才录用那个人”,“我会见他是碍于情义”,等等。他们甚至直接说,“受到情义纠缠,不胜其烦!”这是什么意思?是说“我被逼着去做这事”,“用情义来强迫我!”因为欠人情义,不得不如此。

无论在农村,在小商贩的交易中,在大财阀的社会里,还是在日本内阁,人们都“受情义纠缠”。一个求婚者,常常用从前的情义关系来说服未来的丈人;同样,要购买农民的土地也会用同样的手段。基于“情义”,被求者往往不得不应允。否则,别人会指责他不知恩图报,无情无义。

尽管与摩西十诫的道德规则不同,但是“情义”也有内在的准则。知恩图报,这种“情义”往往使他漠视正义而盲目报恩。正因为如此,大家会说:“为了情义,放弃正义”。“情义”也不同于基督教的“爱邻人一如爱自己”。它并非真正叫人诚心利人。人们履行“情义”的缘由,是受制于外在的舆论,假如不去做,别人就可能用“不懂情义”来羞辱他。实际上,英文也把"对社会的情义",翻译为"听从舆论"。

也许,用美国人关于偿还债务的规范来对比日本人"情义"的规范,有助于我们理解日本人的心态。在美国,谁不能偿还借贷,就等于宣告他的人格破产,这是极其严厉的惩罚;而在日本,谁不能报答情义,那么他的人格将被视为破产。"情义"在日常生活中,几乎无处不在,因此,日本人为了保全人格名誉,不得不谨小慎微,诚惶诚恐。美国人则不必顾忌那许多微妙的关系,不必为那些义务关系而谨言慎行。

和美国人借债还钱的观念有些相似,日本人对"社会的情义"也心存"有债必还"的念头。它跟"义务"不一样。"义务"没有止境,你怎么报答都不过分。报答"情义"则要讲究分寸。

美国人可能认为,日本人对旧恩是"滴水之恩,涌泉相报"。其实不然。我们讶异于日本人的赠礼习俗,比如说,一年中有两次,家里要准备好礼品作为答礼,回馈给半年前送礼来的对方。还有,女佣人也会寄礼品给东家,感谢他的雇用。注意,日本人特别忌讳回礼重于馈赠——"赚礼",是令人猜忌的;担心被误会成"用小虾钓大鱼",相当难听。报答"情义"时,也要把握这个分寸。

彼此之间的人情来往,日本人都尽量明文记录,这既包括劳务也包括物品。在农村,这些记录由村长保管,或由小工作组内的专人保管,或由家庭及个人保管。

参加葬礼,习惯带上"奠仪";此外,亲友还要送各色布料,用于制作葬礼经幡。左邻右舍都来帮忙,女人下厨,男人做棺材,挖墓穴。在须惠村,村长把这些事情都记录在账簿里。它记录了邻居们送了什么礼,帮了什么忙。死者家庭有了这一份详细的记录,将来就依此报答别人。

以上是准备长时间的礼尚往来。此外,还有短时间内的报答。即丧家要设宴款待那些来帮忙的人——帮忙者甚至也要送些大米给丧家。这些大米的数量会被村长记录下来。

如果举行庆典宴会,客人们也大都要送来酒水,作为宴席饮料。不论出生、死亡,还有春耕插秧、盖房乔迁、联欢聚会,"情义"的交往内容都一一记录,以备将来回报。

▲ 同学也是一种情

有意思的是，日本人的“情义”债与西方人的钱债还有一点很相似。那就是倘若逾期未还，它就如同利息一样增长。埃克斯坦博士曾经讲过一个日本商人的故事。这位商人供钱给博士，让他整理野口英世的生平资料。博士回美国撰写传记，然后把传记稿寄给那位商人；可是博士一直没有收到回音。他难免担心：是不是书中写得不对，惹怒了日本商人。他又发出几封信件，却仍石沉大海。几年后，这位日本人给博士打电话，说他来美国了。因为回报的时间拖得太久，他居然给博士家送来几十棵日本樱花树。这可是一份厚礼！日本人对博士说了这么一句话：“您并不需要我当时马上就回报吧？”

欠情的人往往要为长时间“拖欠”而加倍偿还。例如，某人向一位商贩求助，这人是商贩小学老师的侄儿。商贩在他年轻的时候，无法报答老师，随着岁月流逝，商贩心中的情义债与日俱增。于是，他“不得不”答应帮助老师的侄儿。否则，他就会“遭人非议”，有损名声。

第八章

洗刷其名

在日本人眼里，对名分有一种“情义”，那就是维护好自己的声誉，使它不受玷污，这是每个人应该履行的义务。它包括了一系列的品行。有些品行在西方人看来，可能相互矛盾，但在日本人眼里，却是和谐统一的。

履行这些义务不属于报恩，不需要考虑别人对自己是否有恩，其目的只是为了保持自身良好的名誉。因此，其内容包括：按照“各得其所，各安其分”的标准，遵行各种繁琐的礼仪，像苦行僧一样学会忍耐，维护自己职业和手艺的名声。

对名分的“情义”，要求消除对自己的诽谤或侮辱，因为诽谤会辱没名誉，必须雪除。有必要的话，还应对毁谤者施行报复，甚至自己自杀。在这两种极端行为之间，还有很多别的处置办法，但对于毁谤，人们绝不会一笑而过，轻易屈服。

我们所说的“对名分的情义”，日本人并没有另外起一个名称，只是把它简单地归为报恩以外的情义。这只是为了分类方便，并不等于说与报恩相关的义务就是“对社会的情义”，而与复仇有关的就是“对名分的情义”。在语言表达上，欧美人习惯于把这两种感情，分为感激和报复两个对立体，日本人则不做这种区分。他们认为，为什么一种德行不能既包括对他人善待自己的回应，又包括对他人污蔑自己的回应呢？

在日本，实际情况就是如此。一个正直的人，无论是得到别人的好处，还是被别人侮辱，他都要认真给予回应。日本人不像西方人那样把两者对立起来。在西方人眼里，侵犯与否，是泾渭分明的。而日本人认为，侵犯就是指在“情义”以外的行为。如果人们只是遵循“情义”的原则，维护自身的名誉，清洗污名，清算旧帐，就不能说他“侵犯”了人家。他们认为，只要世界上还有侮辱，还有诽谤，还有失败，未得到回应，还未被清除，那么，这个世界就是“颠倒了”。而一个正直善良的人，有责任让社会恢复到平衡状态。这就是人类所独具的品德，而不是人性中不好的一面。

人之情义，乃至像日语中把报恩与尽忠捆绑在一起的词语，在西方历史的某个阶段，都曾经是美好的情操。例如，在文艺复兴时期，这种情操曾经极为流行，尤其是在意大利。古代西班牙的“勇敢”和德国的“声誉”等词语都与之有关。就连一个世纪之前，流行于西方世界的角斗运动，其蕴涵的精神也与之有关。在西方世界和日本社会，名声胜于一切的精神是他们的优势，在他们看来，从本质上说，没有什么东西能比美好的情操重要。为了名声而不惜付出巨大物质代价、甚至是性命的人，是值得世人尊敬的。道德法则也包括这一内容，这是这些国家所提倡的精神价值的根基。尽管他们会因此付出巨大的物质代价，但衡量道德的尺码，是不能用物质的。

也正是在这一点上，这种价值观与美国社会中司空见惯的竞争和对立形成鲜明的对照。在美国，人们并不禁止各种交易中对利益的特权，这些交易包括政治方面和经济方面的，然而如果要得到物质方面的特权，只有通过战争。但也不能一概而论，在某些山村，人们会为了名声而发动战争，因为“对人的情义”也是他们的道德标准。

与“对名分的情义”相伴的一切的复仇，在所有的文明范围内，都不是亚洲特色的道德。就像上面的词汇表达的，不是东方的特征。中国人、暹罗人和印度人都没有这些特征。在中国人看来，只有道德品行低下的人才会对他人的侮辱感到过敏。而在日本人看来，名誉是与纯洁的理想有关的、必须加以保护的东西。

在中国的道德范围内，受到羞辱的人不应该用粗暴的方式任意复仇，这是令人耻笑的行为。他们应该宽容地面对这一切，把毁谤当作是无厘头的东西。和中国人一样，暹罗人宁可让毁人声誉的人遭遇难堪，也不拿自己的名声作代价。他们认为，无为和容忍是最让诽谤者受不了的，最能让他们觉得自己卑鄙。所以，受到侮辱对暹罗人来说，根本算不了什么，他们决不会为此大动肝火。

要是不能够把日本所有非侵犯性的道德——它们是属于“对人的情义”范围之内的东西——全面考虑的话，就不能全面地明白“对人的情义”是什么意思。

报复只是其一，在某些特殊的情况下，报复成为必须。还有，镇静和克制也包括在其内。“对人的情义”还有对名利的不计较、对自己的严格约束，所有这些，都是一个值得尊敬的日本人所应有的品德。

在生孩子的时候，女人尽量要忍住不喊叫，男人则要坦然面对危险和疼痛。洪水来临时，自重的人应该把需要的东西准备好，找到地势高的地方，而不是像没头苍蝇一样四下乱跑。秋分前后，日本经常遭遇台风和暴风雨，在那些情况下，日本人也要把自己的情绪控制好。就算不能做得很好，他们也把自我约束当作自尊的一分子。

在他们看来，美国人就不把自我约束放在自尊的范围内。对日本的贵族来说，他们要克制的则更多。在封建社会，上层人应该比下等人更懂得自我约束，一般老百姓则不用克制太多。但对所有阶层来说，克制仍然是生活的原则。如果武士能够忍受非人所能忍的身体上的痛苦的话，老百姓便要能够忍受武士对他们的非人的伤害。

有一些有名的传说，把武士的坚强和忍耐表现得淋漓尽致。对武士来说，挨饿是家常便饭，除非被饿死，否则他们要一直忍受饥饿。而且他们还要表现出很饱、很愉快的样子。为了让别人知道自己吃了饭，他们甚至还要拿着牙签剔牙。

日本有句俗话说：“鸟为食鸣，武士为了表达坚强而叼牙签。”在以往的战争中，日本的军队把这句俗话奉为格言。应征入伍的战士不能惧怕任何苦难。正像一位年轻的士兵回答拿破仑的提问时所说的：“我受伤了？不，陛下，我是被打死了！”日本人的态度恰恰如此。遇到困难，武士不能表现出任何消极的样子，他们要迎难而上。

传说19世纪末去世的一位出身武士家庭的名人，因为家里穷，只能要饭过活。在他很小的时候,他的下体被狗咬伤了,在要上手术台时,他的父亲手持佩刀告诉他:不许哭,否则就拿刀宰了他。对他父亲来说,宁可让他死在刀下,也不能让他因为喊叫丢了家族的脸。

"对名分的情义",还要求人们要根据自己的身份,过与之相匹配的生活。如果没有这种"情义",意味道丧失了自尊的权利。在德川时代,政府颁布取缔奢侈令,其中什么人穿什么衣,拥有什么财产,用些什么生活用品,都作了详尽的规定。比如,某一等级的农民可以买某种布娃娃给孩子,而另一等级的农民就只能买另外一种布娃娃。重视等级的人们必须接受这些规定,并把它作为自尊的组成部分。

对于这种明显按等级来制定的法律,美国人震惊之余,觉得非常恐怖。美国人的自尊与地位高低紧密相连。一成不变的取缔奢侈令,与我们现代社会的基础相违背。

事实上,美国人的习惯与规定虽然与日本人不一样,但结果是一样的。但我们认为这些理所当然,比如,工厂老板的孩子可以拥有一列电动火车,而农民的孩子只能拥有一个用玉米棒做的娃娃。我们认为这是双方收入之间的差异,是合理的。高薪高酬已成为美国人自尊体系中的一部分。布娃娃的级别只能用收入的高低来调节,这与我们的道德观念并不相违背,只要有钱,就可以买高级一点的布娃娃,这是天经地义的。

而日本的情况却大不相同,一个人特有钱会招来怀疑,安守本分才会让人信任。不论是过去,还是现在,日本的富人和穷人都一样,等级制是维护其自尊的基石。对此,美国人是难以理解的。

如今,人们对各民族的文化已有比较客观的研究,各民族对"真正的尊严"都有自己不同的定义,正如他们对"不体面"有不同的定义一样。有些美国人大声疾呼,如果不推行我们的平等制,日本人就不能获得自尊。其实这是典型的狭隘的民族自我中心主义。假如这些美国人真的希望有一个有自尊的日本,那么,就必须搞清楚日本人自尊的基础是什么。

就像托克维尔说的,我们承认,在现代社会,那种贵族的"真正的尊严"正在慢慢消失,但我们相信,一种更优越的尊严正在慢慢形成,并将取代它。毫无疑问,日本也将如此。但在目前,日本人要重新建立自己的自尊，必须依靠自身的基础，而不是我们的基础。并且，要净化自身，也只能靠自己特有的方式。

除了“安守本分”之外，“对名分的情义”，还要履行其他的义务。向别人借贷时，借贷人要以“对名分的情义”向债主保证。就在二三十年前，借贷者还得向债主表示：“假如还不了债，我愿在大庭广众接受惩罚，任人耻笑。”事实上，就算他真的无力还债，也不会有人在公众场合羞辱他。这是因为日本没有让人当众出丑的惯例。不过，借贷者必须在新年到来之前还清所有债务，不然，欠债人只能用自杀的方式来“清除污名”。直到现在，还有人在除夕之夜自杀，以挽回名誉。

“对名分的情义”，还包括各种职业的义务。在特殊情况下，比如，在一个人受众人责难时，日本人对自己要求往往很高。因学校起火，校长们引咎自尽的事数不胜数，尽管他们对火灾毫无责任，只是学校挂的天皇御像因为火灾受了惊而已。还有的老师甚至为了抢救天皇御象，奋不顾身冲入大火，结果被烧死。他们用死证明了，他们不但高度重视“名分的情义”，而且忠于天皇。

至今仍流传着这样的故事，有些人在公共仪式上读教育敕令或陆军海军敕令时，偶尔有口舌之误，最后竟然也以自杀来清洗污名。在当今天皇的统治下，甚至还有人只是因为一时不慎，给自己的孩子取名“裕仁”（这是当今天皇的御名，在日本绝不能说，必须避讳）。结果不但自己以死谢罪，还将孩子也杀死。

在日本，一个专业工作者十分注意维护其“名分的情义”，并且要求非常严格，当然，这不一定由美国人所理解的极其精湛的专业水平来保持。老师说：“老师名分的情义，不允许我对我的学生说不知道。”意思是说，哪怕他不太清楚青蛙的分类，也得假装知道。有些英语老师，即使没有太多英语基础，只是略懂一点皮毛，也不能容忍别人指出他的错误。“教师名分的情义”是一种特指，指的是一种对自己专业的自我防御。

企业家也是如此。即使他的生意周转出现严重问题，资产已经枯竭，公司拟定的计划失败，出于对企业家“情义”的考虑，他也决不会向任何人透露这些情况。外交家也是如此，在“情义”上，也不能承认自己外交方针的失败。

这些关于"情义"的涵义,实际上是把一个人和他所从事的职业紧密地联系在一起,任何对某人行为或能力的批评,理所当然地就会理解成冲着他本人来的。

这种别人指责自己失败和无能的反应,在美国也是一样,会经常出现。我们中的有些人一听到诋毁,就气得上窜下跳。但是,我们却很少像日本人那样,对自己的职业高度自我防御。

在美国,假如老师不知道青蛙的分类,那种企图掩饰自己无知的想法也只是一闪而过,最终,他还是会觉得,诚实比不懂装懂要好得多。假如企业家对他决定执行的方针不满,他会再下达另一种新的方针,而不会为了维护自尊顽固地认为自己一向正确;他也不会觉得,承认自己的错误,就意味着必须要辞职或退休。

但在日本,这种自我防御的观念已经深入人心,大家普遍都认为这是最寻常的一种礼节,所以,不在众人面前指出别人的过错或失误,是一种明智之举。

当日本人与他人竞争失败时,这种敏感性表现得特别明显。可能仅仅是别人在工作中获得提拔重用,或者本人未通过一次竞争性考试。失败者就会特别在意,感觉自己"蒙了羞"。虽然这种羞耻感有时会成为更好的发奋动力,但更多情况下,会让失败者变得沮丧,这是一件很危险的事情。他要么丧失自信心,一蹶不振,要么愤愤不平,要么兼而有之。他认为自己的努力已经付诸东流。

而我们美国人,则不会像日本人那样看待竞争,竞争在美国也不会产生像在日本那样的后果。人们把竞争当作一件好事,因而信赖它,依赖它。心理测试表明,竞争是我们发奋工作的最佳动力。它激发我们的潜能,提高我们的工作效率。一个人单独工作的成就,一般都达不到有工作伙伴当场竞争的成就。

而测试表明,在日本却恰恰相反。特别是少年期结束后,这种现象更为显著。因为,在儿童时期,日本人多半将竞争视为游戏,并没有为此劳心劳力。而一旦成年,碰到竞争后,就会表现得手足无措,工作糟糕透了。当他们单独工作时,很少犯错,进步快,速度也快。如果与竞争对手一起工作,不但会错误百出,而且效率也低了许多。对日本人来说,衡量自己工作业绩的最佳参照物,是自己,而不是别人。当与自己作对比时,他们表现相当出色;当与别人作对比时,表现反而不良。

为什么日本人在竞争状态下表现如此糟糕呢?几位实验参与者对此作了认真的分析。他们认为,假如在做一件事时,存在竞争,工作者的思想就会被分散,过分担心失败,工作自然会受到影响。竞争对手的存在,总是刺激着他们的神经,认为自己被侵扰了,把注意力集中到了竞争对手身上,所以无法专心地工作。

实验表明,在接受这种测验的学生中,大多数因为担心失败而蒙羞,心理承受的压力极大。就像教师、企业家注重自己职业上的"情义"一样,学生们也很重视自己名誉的"情义"。

参加竞赛中的学生队,一旦失败,就会感到耻辱,并采取一系列非常措施:失败的赛艇运动员会像船桨一样一下子扑倒在船上,嚎啕大哭;被击败的垒球队员会抱在一起,哭作一团。美国人看到了,会说他们气量太狭窄。比较高尚的举止应该是,失败者承认对方的优秀,并握手向胜者表示诚挚的祝贺。虽然不愿意被打败,可是我们更看不起因失败而出现情绪危机的人。

为了避免面对面的竞争,日本人挖空心思想一些巧妙的办法。在小学,日本人把竞争最小化,小到美国人想象不到。日本的教师们往往接到上级这样的指示,必须帮助每一个儿童提高成绩,但不能让学生有机会与其他学生去比较,去竞争。在日本小学里,没有留级制度,同时入学的学生,一起学习,一起毕业。在他们的成绩表上,记载的并不是学业各科成绩,而是品德评定。从小学进入中学时,都要进行入学考试,这个时候实在无法避免竞争,其紧张程度可想而知。甚至有的学生因为没考上中学,企图自杀,每一位老师都能列举几个这样的例子。

这种把直接竞争最小化的作法,在日本人的生活中处处体现。日本以"恩"为基石的文化,并没有为竞争留下太多的余地,而美国人的最高目标是在同辈竞争中脱颖而出。日本等级制有许多繁文缛节,把直接竞争降到最低。

▲ 祇园祭游行

同时，家族制度的严格也使竞争得到了限制，因为他们的制度决定了，父亲与儿子不可能像美国那样存在真正的竞争关系：他们可能会互相排斥，但不会竞争。在美国家庭中，在使用汽车上或照顾母亲和妻子方面，儿子与父亲经常竞争，日本人对此颇有微词。

在日本，中介人无处不在，很明显，这是为了防止两个竞争者出现直接对峙的局面。比如，一个人因失败而蒙羞时，就非常需要有个中间人，来调节心情。在其他场合中，如提亲、求职、辞职及其他众多的日常事务中，中介人也起着非常重要的桥梁作用。中介人负责向当事者双方传达对方的意见。

在一些重要交往当中，比如结婚这种重大事件，双方都必须请中介人，在向各自的雇主汇报之前，双方的中介人都会事先做一番细致交涉。用这种间接方式进行交往，当事人就很少听到在直接谈判中的要求与责难，也就不会发生憎恶，或损伤"情义"的情况。而中介人通过成功的协调，也因发挥了重要作用而深得人心，并得到社会的尊重。

顺利的谈判会提高中介人的声望，由此签订协议的机会也会顺利很多。另外，使用同样的方式，中介人还帮助雇员探测雇主的评价，或将雇员的辞职意愿向雇主转告。

日本人的各种礼节，都是围绕避免造成羞辱，以至引起所谓"情义"问题而设计的，这样，矛盾就被控制在最小范围，而且比直接竞争小得多。

在日本，有客人来访时，主人必须换上新衣，并以一定的礼节予以接待。所以，去农民家做客，如果主人还穿着工作服，那他们就必须稍等一会儿。在没有换上适当的衣服，并安排好适当礼节之前，主人不会对客人表示欢迎之意。甚至有时候，主人会在客人面前若无其事地更衣打扮，在一切收拾停当之前，就好像客人不存在。

在日本农村，有这样的习俗：夜深人静时，小伙子会在人们已经就寝时，向心爱的姑娘示爱，姑娘们或接受，或拒绝。小伙子一旦被拒绝后，会用毛巾把脸遮住，以防止第二天感到羞耻。这种做法并不是为了防止让姑娘认出来，而是阿Q式的自我安慰，这样日后就无须承认自己曾经受辱。

此外，日本人还有一项礼节性的要求，就是，任何一个计划，如果没有把握成功，尽量不要看得太重。比如，媒人的主要任务之一，就是在未有婚约之前，千方百计地让未来的新娘、新郎见面相亲，并把他们的见面设计成一种“巧遇”。因为，如果在此阶段相亲的目的太露骨，万一不成，一方或双方家庭的名声就会受损。

相亲时，男女双方都由父、母亲或双亲同时陪同，这时，媒人将扮演一个主人的角色，要么安排他们参观每年都会举行的菊花展或樱花节，要么去有名的公园或娱乐场所，这样双方就会“不期而遇”。

通过诸如此类的各种方法，日本人避免了因失败而引起的羞辱。虽然他们一再强调，受到侮辱时有义务要清洗污名，但在现实生活中，这种义务实际就是在处理事情时，尽可能地做一些适当的安排，这样就不致于感觉受到侮辱。

日本人是崇尚礼节的典范，正因为如此，对于那些必须清洗污名的事端，他们总是尽量避免发生。虽然他们会把因侮辱引起的愤怒，转化为获取成就的最佳动力，但日本人还是会想方设法，限制侮辱事件的发生。只有在特定的一些场合，或者传统的祛除侮辱的手段不能奏效时，才会发生对侮辱的反击。日本正是利用了侮辱的这种刺激作用，才统治了远东，并在最近十年间发动了对英、对美的战争。

不过，关于日本人对侮辱的敏感性，以及日本人热衷报复的西方言论，

▲"再见,欢迎再来。"

用在那些知耻而后勇的新几内亚部落,比用在日本人身上更加贴切。西欧人在预测战败后的日本将如何行动时,结果往往有所偏颇,原因在于他们没有认识到名誉之"情义"对日本人的深刻影响。

日本人一向崇尚礼节,因而,美国人不应当低估他们对诽谤的敏感性。美国人随性惯了,随便批评他人,就像玩一场游戏一样。所以,美国人难以理解,为什么日本人对一些轻微的批评也会当国家大事一样来对待?

日本画家牧野芳雄曾经推出过一本英文自传,是在美国出版的。该书淋漓尽致地描述了一个日本人在遭受"嘲弄"之后做出的种种反应,非常典型。著书之时,作者已在欧美居住了多年,但他却强烈地感受到自己好像仍然生活在故乡。

他出生在爱知县农村的一个地主之家,父亲在当时颇有地位,家庭也美满幸福,从小他就是家里的掌上明珠。好景不长,在快结束童年生活的时候,不幸的事接踵而来,母亲去世,父亲破产,全部家产都被用来抵债。家道中落后,一贫如洗的牧野很多美好的理想受到阻碍。

那时,他非常渴望学英语。为了实现这个愿望,他甘愿到附近的教会学校当看门员。一直到 18 岁时,他最远还只是去过邻近的几个乡镇,更别说出远门，但他却立志去美国。

我于是去拜访了一个我最信任的传教士，将自己想去美国的决心一五一十地向他表白，希望他能给我提供一些有用的建议。但令人失望的是，这位传教士显得无比吃惊，他大声叫嚷道："什么？你想去美国？"传教士和他的夫人一起嘲笑我！刹那间，我所有的信念灰飞烟灭。我站在那里，沉默了大约两三秒钟，然后连一声"再见"也没说，就回到了自己的房间。我对自己说："一切都完了！"

次日一大早，我就离开了那所教堂。现在我想写下离开的原因。我始终相信，世界上最大的罪行就是对人不真诚，而嘲笑他人是其中最不真诚的行为。

对于别人的发怒，我总是尽量忍耐，因为人不可能每分每秒都保持良好的脾气。一般的谎话，我都能原谅，因为人性是脆弱的，面对困难，人们往往就会懦弱，不敢讲真话。

对于一些空穴来风的谣言和诽谤，我也能原谅，因为在评论他人的不是时，人们往往难辨是非，难免会被闲话牵着鼻子走。

甚至，对于杀人犯，我也会尽量体谅。但是，我无法原谅嘲笑行为，因为嘲笑是不真诚的表现，而受到嘲笑的人往往是无辜者。

下面，请听我对两个词的解释。所谓杀人犯，是指杀害他人肉体的人；而所谓嘲笑者，是指杀害他人心灵的人。

心灵比肉体宝贵得多，所以，嘲笑他人是最低劣的罪行。传教士夫妇分明是在蹂躏我的脆弱的心灵，对此我悲痛万分，我的心在滴血，在呐喊："为什么……"

次日清晨，他打点好所有行装，头也不回地离开了。

一个身无分文的乡村少年想去美国，想成为一个艺术家，却遭到传教士的嘲笑。他感到自己的名誉被玷污了，只有实现他的理想才能清洗污名。因此，他别无选择，只有离开这里去美国，以此来证明自己的决心和能力。

但是他用英文字眼"Insincerity"来指责传教士的"不真诚，不诚恳"，让美国人十分奇怪。因为在美国人看来，那位传教士的惊奇跟"sincere"（真诚，正直）的含义是完全吻合的。

但牧野先生使用这个词，完全是按日本人的理解。日本人认为，蔑视他人、以至不屑和别人争吵的人是最不真诚，最不诚恳的。他们放肆的、毫无顾忌的嘲笑，是对人不诚恳的铁证。

“甚至，对于杀人犯，我也会尽量体谅。但是，我无法原谅嘲笑行为。”因为，如果“原谅”他人的嘲笑，不太合乎情理。那么，唯一正确的办法就是报复。现在牧野来到了美国，也就清洗了污名。

一旦受辱，或者惨遭失败，在日本人的传统观念里，“报复”是一种不错的手段。日本人为西方人写书，描写日本人对待报复的态度时，比喻也常常极其精辟。在日本人当中，新渡户稻造最富有博爱思想，他在1900年著书说道：“报复从某一方面讲，可以满足人们的正义感。报复必须像数学中的方程式那样，只有两边对等，才能保持平衡。不然，我们总是会感觉心愿未了。”

在《日本的生活与思想》这本书中，冈仓由三郎把报复与日本一种独特的习惯作了一番比较：

很多人认为，日本人的心理特性，来自于日本人喜爱清洁和憎恨污秽的习惯。假如不是这样，就无法解释。在实际生活中，我们被教导，要把侮蔑家庭声望或者国家荣誉的大事，通过申辩洗刷干净，就像脏物或疮疤，必须通过消毒、清洗、治疗才能恢复清洁或健康。对于日本人公私生活中常见的报复，我们可以把它看作是一个有洁癖的民族正在进行的一场场晨浴。

▲ 复仇

他还说，“日本人的生活贞洁无瑕，就像盛开的樱花，美丽而宁静。”换句话说，“晨浴”就是把别人向你投来的污泥洗刷干净，即使身上只沾一点，也称不上贞洁。

日本人从来不认为一个人只要自己不感到受辱，就不算受辱；他们也不认为，别人对他说了什么或做了什么，都不算真正侮辱他们，只有自己做的事才会侮辱自己。

在公众场合，一再强调这种"晨浴"式的报复理想，是日本的传统。关于这种报仇，有无数事例和英雄传说，其中最流行的就是《四十七士》的故事，这些故事无人不知。他们被编入教科书，在剧场里演出，被拍成电影，写成通俗读物。它们已嵌入了日本现有的文化。

这些故事中，有很多描叙了人们如何面对偶然的失败。其中有这样一个故事：一位大名有一把宝刀，但是不知锻造者何人，便叫他的三个家臣猜。三个人猜了三个不同的名字。经专家鉴定后，只有名古屋山三说对了，这把刀是"村正"锻造的。而另外两位说错了的家臣觉得自己受到了侮辱，便总想找机会杀掉山三。有一次在山三熟睡之际，用山三自己的刀去刺杀他，但未得逞。但他们仍然坚持不懈，最终将山三杀死，满足了对"情义"的需求。

还有一些故事，是讲述必须向自己的领主报复的。在日本伦理中，"情义"要求家臣必须对领主誓死效忠，但是，一旦家臣被领主侮辱，也会一变成为仇敌。有一个很好的例子，来自德川第一位将军家康的故事里。

有位家臣听说，德川曾在背后说他是个"会被鱼骨头卡死的混混"，这对于一个武士来讲，是莫大的侮辱，绝对不能容忍。于是，这位家臣对天发誓，至死不忘这等羞辱。当时，德川刚刚定都新城江户，着手全国的统一大业，敌对势力尚未扫荡干净，社会仍然动荡不安。这位家臣便充当敌方的内应，一把火烧掉了江户，使之成为一片废墟。这样，他就觉得报了仇，实现了"情义"。

有关日本人的效忠，西方人有很多不切实际的评论，这主要是因为，他们不了解，"情义"不但是指"忠诚"，在特定条件下，它也可以突变为背叛。就像他们自己说的："挨了打就会变成叛徒"，受了侮辱也是一样。

在日本的历史故事中，有两个永恒的主题：一是犯错误的人向正确的人施以报复；一是只要受辱就必定报复，哪怕对方是自己的领主。在日本的文学作品中，这两个主题屡见不鲜，情节更是千变万化。

不过，假如查阅一下当代日本人的传记、小说及现实事件，事实就变得很明了，尽管日本人的古代传统对报复赞不绝口，但在现实生活中，他们和西方人一样，很少有报复的行为，甚至比西方各国还要稀少。

当然，这并不意味着他们不再重视名誉，而是意味着面对失败和侮辱，他们的反应已更多地表现为防守而非侵略。他们仍然极其认真地对待耻辱，但在耻辱面前，他们更多地是束手受辱而非挑起争端。

明治维新以前，社会混乱，法律不完善，人们多采用直接攻击进行报复。而至现代，法律、秩序以及处理相互依存的经济关系，使复仇行为转入地下，真要复仇，则可能是搬起石头砸自己的脚。人们可以通过一些伎俩报复而使对方浑然不觉，这多少有些类似于古代故事中，为了不让仇敌察觉，主人在美味中加入粪便。客人居然真的毫无觉察。

如今，即使是这种秘密的攻击也不多见了，人们更多的是把攻击施向自身。此时，人们有两种选择：一是将其作为一种鞭策，促使自己去做“不可能”的事；一是让它吞噬自己的心，日夜不得安宁。

由于日本人对失败、诽谤或排斥有很敏感的反应，因而极易自寻烦恼，而不是使他人烦恼。近几十年，在日本的小说中，一再出现有教养的日本人如何在暴怒与悲伤之间迷失了自己。这些小说中的主人公都有厌倦情绪，他们厌倦生活，厌倦家庭，厌倦城市，厌倦乡村等等一切东西。这种厌倦并不是因为他们没有理想，也就是说，与宏伟的理想目标相比，一切努力都显得虚无缥缈。它并非来自理想与现实的对立。

一旦有追求重大使命的远大目标，日本人的厌倦情绪就会消失；无论这个目标看起来是多么遥不可及，他们的厌倦情绪也不会回来。这种厌倦也是日本人的“特产”，是一种容易感伤的疾病。

在他们的内心深处，一直深藏着被人抛弃的恐怖感，以至于最后迷失了自己。跟我们熟知的俄国小说相比，日本小说中描写的厌倦心理有所不同：在俄国小说中，现实生活与理想世界的差距，是小说主人公一切苦闷的源头。

乔治·桑塞姆爵士说过这样一句话：日本人没有意识到这种现实与理想的差距。这种说法，并不是探寻日本人厌倦情绪的根源，而是为了阐明日本人哲学的形成过程,以及日本人的最基本的人生态度。

的确,这种与西方人背道而驰的观念,已经远远超过了这里所指的一些特殊事例范围,不过这与日本人动不动就忧郁有极特殊的联系。日本人和俄国人都喜欢在小说里将厌倦写了又写。美国人却没有这种爱好。两者形成一个鲜明对比。

在美国小说里,一个人的不幸,往往是他的性格缺陷造成的,或者是受到了社会的不公平待遇,而很少纯粹地描写厌倦。如果一个人与周遭环境不协调,总得有原因的话,作者会把读者的思考引向主人公的性格缺陷或者是社会秩序中存在的弊端。

日本也有无产阶级小说,对城市中悲惨的经济状况和渔船恐怖事件大力谴责。不过,正如一位作家所说,在日本的人物小说中,描写的就是这样一种社会,在这里,人们的情绪就像漂浮不定的毒气,会突如其来地发生。不管是小说的主人公,还是作者,都认为细致地分析环境,以及主人公的生活经历,并没有什么必要,这对说明忧郁来自何处毫无帮助。只是因为它行踪诡秘,忽来忽去,人们才容易受伤。

古代英雄经常向敌人进行攻击,在他们看来,是内心的情绪使然。而消极的情绪如何来去,并没有什么明显的原因。他们可能会抓住某些事件作为原因,但这一事件给人留下的印象只不过是一种象征。

现代日本人最极端的自我攻击方式就是自杀。根据他们的信条,如能以适当的方式自杀,就可以清洗污名,给世人留下一个好印象。美国人对自杀大力谴责,认为这是一种自我毁灭,是对欲望的一种屈服。而日本人则对自杀崇拜有加,认为它是一种光荣的、极富有理想的行为,应该值得尊重。

在某种特定场合,从"对名分的情义"来讲,自杀的方式是最体面的。那些年关无力还债的人,因渎职而引咎自杀的官员,因结合无望而双双殉情的情侣,因考试失败的学生,还有以死抗议政府推迟对华战争的忧国志士,以及避免当俘虏的士兵,他们都把最后的暴力指向了自己。

一些日本专家认为,这种自杀倾向在日本是新现象。要明确判断这种现象并非易事,据统计,近年来自杀的频率往往被观察者高估。按比例计算,与日本的任一时代相比,19 世纪的丹麦和纳粹前的德国自杀率都要高许多。

不过，有一点是勿庸置疑的，即日本人对自杀情有独钟，就像美国人特别喜欢渲染犯罪一样，两者颇有共鸣之处。与杀害他人相比，日本人更喜欢对自杀津津乐道。套用培根的一句名言，自杀是他们生活中"最刺激性事件"，谈论自杀，比谈论别的话题更容易得到某种快感。

与封建时代历史故事中的自杀相比，近代日本的自杀更像是自虐。在历史故事中，那些广为传颂的武士，为了免受不体面的死刑奉命自杀，这与西方敌国士兵为了不上绞刑架而选择被枪杀，或是即使落入敌手宁愿自杀也不愿惨遭酷刑一样。

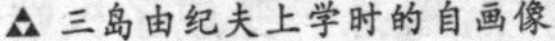

▲ 三岛由纪夫上学时的自画像

▲ 三岛由纪夫在歌舞伎中扮演助六

武士获准切腹，就像是犯罪的普鲁士军官有时被允许用手枪秘密自杀一样。在普鲁士军官除了以死挽回名誉别无他法的时候，他的上级往往会在他房间的桌上放上一瓶威士忌和一把手枪。注定了要死，只是死的方式不同而已，这跟日本武士一样。

现代的自杀则不同。人们往往不是去残害他人，而是把暴力施予自己。封建时代的自杀，是一个人勇敢和果断的表现，现代的自杀已经变味，成了主动选择自我毁灭。尤其是最近两代日本人，一旦感到"时代不公正"、"方程式的两边"不对等、或需要"晨浴"以洗刷污秽的时候，他们就会选择自毁而不是杀害他人。

日本人获得胜利的最后一招，通常就是自杀。从古至今都是如此。只是在现代，自杀行为已经向上述方向转变。德川时代流传着一个很有名的故事，讲的是一位身居幕府顾问团要职的顾命大臣，为了力荐他中意的将军继承人，曾在其他所有顾命大臣和代理将军面前，当众袒腹，准备拔刀相向。此方式果然奏效，最终推荐人不但当了将军，他也没有真的自杀。

在西方人看来，这位顾命大臣纯粹是在向反对派耍赖。在现代，这种抗议性的自杀行为已演变为殉道，而不再是一种策略手段。通常是在要么所提出的建议没有被采纳，要么为了名垂青史而反对某些已签字的协议（如伦敦海军裁军）的情况下才会发生。这种时候，像那位顾命大臣那样仅仅摆出自杀的架势已经不能奏效了，只有果断的自杀才能得到舆论的关注。

在现代，这种倾向越来越成型，当“名分的情义”受到威胁时，人们往往把攻击转向自身，当然，这并不一定要采取极端的自杀策略。有时也表现为郁郁寡欢、忧心忡忡以及那种日本知识阶层中特有的厌倦。

厌倦情绪为什么只在这个阶层广泛蔓延？其中有充分的社会学原因。因为知识分子超员，在等级制中，他们的地位极不稳固，其中只有很少人能够实现其抱负。尤其是在20世纪30年代，日本当局对他们极端不信任，甚至怀疑他们持激进思想，这使他们的心灵遭到更大的伤害。

日本知识分子常常解释，是西方化的混乱造成了他们的厌倦情绪。但这种解释并不充分。日本人的情绪转变很具有代表性，往往从一个极端走向另一个极端，最典型的例子就是从献身精神，摇身一变成了极端的厌世主义。很多知识分子都有过这种传统的日本式的情绪转变。

在20世纪30年代中期，多数知识分子就是利用这种传统的方式，避免了极端的精神厌倦。他们以国家主义为护身，再次把攻击的矛头从自身转向外部。他们发动了极权主义侵略战争，使自己摆脱了郁郁寡欢的心境，又一次“发现自我”，重新感受到来自自己内心的新的巨大力量。尽管在处理人际关系上，他们不能如愿摆脱精神上的压抑，但他们坚信，征服一个民族还是没有问题的。

但是，天不遂人愿。上述信念又被这场战争的结果无情否定了，日本人又开始整日忧心如焚，陷入巨大的心理威胁当中。无论如何，他们很难克服这种传统的固有的这种情绪。

一位居住在东京的日本人如是说:"已经不担心再有炸弹掉下来了,真应该松口气了。但战争结束了,我们也失去了目标。每个人都茫然失措,做事无精打采。我是如此,我妻子也是这样,全体日本人都像医院的病人,做什么都不对劲,不知道生活到底该怎么样进行,似乎病入膏肓了。人们都在抱怨政府迟迟不进行战争的善后及救济工作。其实我想,那些官员的心境与我们并无区别。"

日本人的这种虚脱状态与解放后的法国一样,都颇具危险性。这个问题在德国投降后最初的六至八个月里,并未出现,在日本却成了大难题。对于这种反应,我们美国人能够充分给予理解。

但令人不可思议的是,日本人对战胜国竟然表现得特别友好。战争刚结束,这种情况就显而易见:日本人的态度极度友好,他们不但心平气和地接受了战争失败的事实,还承担了随之而来的一切后果。他们向美国人鞠躬,微笑,招手,致意,甚至高声欢呼以示欢迎。从他们的脸上,看不到丝毫忧郁、恼怒和怨恨的表情。

或者,就像天皇的投降诏书中所说的那样,他们已经"忍受了一切难忍之事"。既然如此,人们为什么不着手重建家园呢?美国人并未占领每个村庄,他们仍然掌控着各种行政事务的管理权,因此他们还是有机会。但整个民族对这样好的机会却没有充分利用,而是把该做的事情抛诸脑后,全都在微笑、招手,欢迎占领军的到来。

然而,就是这样一个民族,在明治初期创造了国家的复兴传奇,在20世纪30年代倾注巨大的精力投入军事侵略,在整个太平洋地区不顾一切地战斗,征服了一个又一个岛屿。

其实,大和民族没有改变什么,他们的反应,统统没有背离日本人的惯有思维模式。他们习惯了有时顽强努力,有时懒散不动,任性消磨光阴,情绪不断摇摆。

如今,日本人正集中精力维护战败的声誉,并认为友善的态度是维护的手段之一。只有对美国百依百顺,就能安全地达到这一目的,也是一种必然的结果。因此,他们的观点是,努力去做,反而会引起猜疑,不如懒散地原地不动，以观望形势。于是，懒散的情绪在战后的日本迅速蔓延开来。

但是，日本人决不崇尚懒散。“从懒散中苏醒”，“唤醒懒散的他人”，这是如今日本号召人们改善生活常用的口号，甚至在战争期间，日本广播也常用这样的词句催人奋进。他们以自己的方式向消极无为作斗争。

1946 年春，日本报纸通版都在宣扬：“全世界的人们都在关注着我们”，但是，我们仍未清理轰炸后的废墟，让某些公用事业处于瘫痪状态，这无疑极端损害了日本的名声。日本人还抱怨那些无处可去的流浪难民，说他们意志消沉，夜间居然在车站席地而睡，让美国人看他们的可怜模样！这大大损害了日本人在美国人心中的美好形象。

对于这种批评，日本人普遍都能够理解，因为它们能唤醒人们爱惜名誉。作为一个民族，他们也希望通过倾注最大努力，将来能够在联合国获得一个受人尊敬的席位。也就是说，他们将再次为了国家的荣誉继续努力，但努力方向已全然不同。假如未来大国之间能够实现和平，日本将继续沿着这条自尊自重的道路走下去。

名誉是日本人永恒的追求目标，也是获得大众尊敬的必要条件。当然，为了达到这一目标，所使用的手段要根据具体情况而定。一旦情况有所变化，日本人就会立即改变态度，这并不涉及道德问题。美国人则对“主义”极为热衷，热衷于意识形态方面的信念。哪怕是失败了，美国人的信念也不会轻易改变。

战败后，在欧洲，地下活动十分猖獗。而在日本，除少数极端顽固分子外，根本没有组织抵制或反对美国占领军的秘密活动。从道义的角度出发，他们认为没有必要再坚守旧的路线。

占领日本不久，美国人就算单身一人乘坐混乱不堪的火车前往日本的贫穷乡村，也无需担心自身的安全。到达后，还会受到曾经是国家主义者的官员的热情接待，至今未发生过任何报复行为。当我们的吉普车经过村庄时，孩子们会在道旁站立，高喊“Hello（你好）”、“（Good－bye）再见”，而不会招手的婴儿，母亲就会挥动着他的小手向我们致意。

日本人这种战败后 180 度的转变，让美国人实在捉摸不透，并怀疑它的真实性。因为美国人是难以做到这一点的。从我们的角度来看，这比理

▲ 1946 年，麦克阿瑟访日，日本孩子挥旗欢迎。

解俘虏营中日本俘虏的态度转变还要困难。因为俘虏们认为，一旦被俘，就相当于在日本本土已经死亡。而“死人”会做些什么，我们也不会知道。

那些西欧的“日本通”，几乎没有一个人预测到，战败后的日本老百姓也会出现与日本俘虏表面性格一样的变化，而且如出一辙。大多数“日本通”坚信：日本“只知道要么胜利，要么失败”；如果失败，日本人就会觉得侮辱了他们，一定会拼死报复。

还有的人认为，日本民族的特性不容许他们接受任何苟和的条款。这些日本通不明白“情义”是怎么回事。为取得好名声，他们从众多选择里，只挑出复仇与侵犯这种非常明显的传统模式。

对于日本人的通常采取另一种方式的习惯，他们视若无睹。他们往往把日本人关于侵犯的伦理观与欧洲人的战争公式套用在一块。欧洲人认为，任何个人或民族在进行战争之前，首先必须确认，此战争是否具有永恒的正义性，他们的力量来自积蓄胸中已久的憎恨和义愤。

而日本人的侵略，则以另外堂而皇之的理由作为根据。他们迫切希望得到全世界人们的尊敬。他们看到，所有大国都是凭借强大的军事力量赢得尊敬的，所以他们也希望付出巨大的努力，以求与这些大国平起平坐。但是他们资源缺乏，技术陈旧，又不得不比希律王更加毒辣。

然而，最终他们还是失败了，这就意味着，依靠侵略根本不能赢得名誉。而维持“情义”通常有两种不同的方法，一是实行武力侵略，一是遵守互敬互爱的关系。战败后，日本人迅速地从前者过渡到后者，并且对这种明显的心理变化无任何压力。是因为他们觉得这一切都是为了名誉。

在日本历史上，也曾有过类似的举动，这使西方人实在费解。1862年，日本封闭已久的锁国帷幕刚一拉开，一位叫理察森的英国人就在萨摩藩被杀害。英国人非常恼火，专门远征日本，炮轰萨摩藩重要港口鹿儿岛，以示惩戒。

萨摩藩是攘夷运动的温床。在日本，萨摩武士以傲慢、好战而闻名。在整个德川时代，日本人一直是仿造旧式的葡萄牙枪制造武器，所以，鹿儿岛根本不是英国军舰的对手。但这次炮击的结果却让人大跌眼镜，萨摩藩并没有誓死报复，反而抱着不打不相识的想法，希望与英国人建立良好的友谊。

他们对敌人的强大倾慕不已，试图向敌人请教。于是，他们开始与英国通商，并于1863年，在萨摩建立了学校。据说，在这所学校，“教授西方学术的奥秘……日英关系因萨英事件而产生的友情持续发展”。所谓萨英事件就是指英国对萨摩的惩罚远征，并对鹿儿岛港进行炮轰的事件。

这种例子在历史上并不止一个。另一个可以与萨摩藩一较高下，同样好战且激烈排外的藩是长州藩。这两个藩都是煽动王政复古的领头羊。当时毫无实权的朝廷曾发布一道敕令，命令将军在1863年(阴历)5月11日之前，把一切夷狄赶出日本国土。幕府将军对此命令置若罔闻，长州藩却极其重视，在要塞向所有通过下关海峡的西方商船开了炮。当时日本的火炮和炮药确实非常糟糕，外国船只毫发未伤。

为了还长州藩一点颜色，西方各国联合舰队迅速派遣一支舰队，摧毁了长州藩要塞，并要求300万美元的赔偿。令人拍案惊奇的是，炮击事件给长州藩带来了同样奇特的结果。正如诺曼对萨摩事件和长州事件所论述的那样：“这些曾经是攘夷先遣队的藩发生了180度的大转变，无论这背后有多么复杂的动机，这种随机应变的行动充分证明了他们的冷静和务实主义,对此,人们不得不肃然起敬。”

这种随机应变的现实主义,恰恰体现了日本的“对名誉之情义”的光明的一面。“情义”和月亮一样,有黑暗的一面,也有光明的一面。它的黑暗面体现在:把美国限制移民法和伦敦海军裁军条约看作是对日本民族的奇耻大辱,并因此发动了这场可怕的战争。它的光明面则体现在:使人们心平气和地接受了1945年的投降,及其一切可能的后果。日本人不改初衷,依然是沿着其固定的性格模式行事的。

日本近代的著作家和评论家从“情义”的各项义务中,挑选出了某些东西,并介绍给西方读者,简而言之,就是“武士道”,或称“武士之道”。这在以下几个方面会产生一些歧义。

“武士道”是近代才出现的术语。它不像“迫于情义”、“仅为情义”、“为情义而赴汤蹈火”等格言那样,有着根深蒂固的民族感情作为背景。它也不能涵盖“情义”的复杂性和多义性。它只是评论家随心所欲的创造。

此外,由于这个名词曾是国家主义者和军国主义者的口号,随着这些领袖的身败名裂,人们对“武士道”这一概念也产生了许多疑问。当然,这绝不是指日本人今后就不再“懂情义”了。

正好相反,对于西方人来说,理解当今日本“情义”的内涵比以前显得更为重要。把武士道与武士阶级混淆在一起也是产生歧义的根源。“情义”是所有阶级都必须遵从的共同的道德规范。日本社会要求所有阶级都必须讲“情义”。与日本其他的义务和规定一样,一个人的身份愈高,他所承担的“情义”担子就愈重。比如,日本武士承担的“情义”责任就比平民要重。

外国观察家往往认为,平民好像对“情义”付出了最大的牺牲,他们得到的回报却最少。但日本人却认为,一个人,如果能在自己的生活圈子得到应有的尊敬,就是最好的回报;如果被自己的同伴轻蔑和排斥,那么,就是一个“不懂情义”的人,就会被人瞧不起。

第九章

人的情感世界

日本人讲究履行义务和自我约束的道德准则，比其他国家的要求更加严格，他们想从内心深处拔除他们认为有罪恶感的私欲，佛教中的传统教义就是如此。

可是，日本人对于肉体感官享受的宽容，却令人感到十分不解。因为日本也属于佛教国家，对肉体感官享受的宽容，明显有悖于佛教教义。日本人并不忌讳私欲的满足，他们不是清教徒，他们认为肉体的享乐是好事，应该给予尊重并需要“学习”。他们追求并尊重肉体的享乐，当然，在享受乐趣的同时要把握分寸，不能耽误人生的重要事务。

日本人的这种道德准则，使他们经常处于高度紧张之中。日本人并不担心放纵肉体的后果，印度人比我们美国人更能理解，在美国人看来，享受快乐天生就会，哪里要学习？拒绝感官的诱惑才是要努力的。

但是在日本人的眼里，享乐和履行责任与义务一样，需要学习。

世界上有许多优秀文化，大多数文化都没有教过人们该如何去享乐，因此人们只专注于履行自己的义务。世界的许多文化中，连男女间最基本的生理需求都受到限制，享乐并不能威胁到家庭的圆满。这些国家的婚姻家庭和男女爱情具有完全不同的基础。

而在日本，人们正处于一种进退两难的状态：一方面是人们赞同并鼓励肉体上的享受；另一方面则严格禁止肉体享乐进入严肃的人生事务。日本人往往把享受肉体的快乐，看成是一种纯粹的艺术享受，当品尝完了其

凄美的春梦。

18世纪的男伎。

中滋味之后，这个人就必须全力献身于完成义务。

▲ 温泉澡

日本人最喜欢的一种比较细腻的肉体享受，就是洗热水澡。在日本，无论是最穷的农民、地位卑下的佣人，还是达官显贵，都习惯在傍晚泡在滚烫的热水中——这在日本已经成为人们生活的习惯。

他们最常见的洗澡方式是：在一个大木桶里装满热水，并在木桶下面再用火加热，将水温加热到华氏 110 度甚至更高。入浴前会将身体洗干净，然后把全身浸泡在热水中，抱膝而坐，让水漫过下巴，尽情地享受。

日本人每天洗澡，虽然目的也是与美国人一样——为了保持身体清洁。但是有一点不一样，那就是日本人在洗澡过程中会加入一丝艺术情调，这种带有艺术情调的洗浴感受，在其他国家的人们是无法体验的，用日本人自己的话说，那就是年龄越大，情趣就会越浓。

他们虽然费很大力气节省花在洗澡上的财力物力，但是洗澡却必不可少。在城镇里，有许多公共浴池，普通市民可以在这里与澡伴们谈笑风生；在农村里，妇女们则在院中轮流烧洗澡水，几家人轮流洗浴，即使被别人看见，也认为无伤大雅。在日本上流家庭，洗澡也必须遵照长幼尊卑的顺序，客人先洗，其次是祖父、父亲、长子……最后才是下等的佣人。大家泡过热水澡后，浑身通红，然后团团围坐，共享晚餐前的天伦之乐。

日本人不但把泡热水澡视为是人生的一大乐事，同时还非常注重"锻炼"身体，他们锻炼身体有一种最严厉的传统方法，就是洗冷水澡。直到现在，这种锻炼方式还十分流行，只是在形式上已经有了很大的差别。

在日本古时候，要洗冷水澡的人必须在天亮之前出门，然后到冰冷的山间瀑布下开始冲洗。即使在寒冷的冬天，他们也会在没有暖气的房间里往身上泼凉水。这可不是一件好受的事。

帕西瓦尔·洛厄尔在《神秘的日本》一书中，对这种在19世纪90年代风靡一时的“冬炼”做了详细的描述。他是这样记录的：

那些不想去当僧侣和神官，但又希望自己能获得医治百病的本领或者能够预言未来的人，常常会在临睡前进行“冷水洗身”的锻炼。传说凌晨两点是“众神入浴”的时间，所以这些人还会在这个时间段再洗一次冷水澡，早上起床、中午和傍晚也要洗一次。日本许多急于学成一门乐器或技艺的人，对这种锻炼更是迷信不已。

日本人为了锻炼身体，往往不穿衣服，立于雪地之中。刚刚学写字的小孩也进行这样的锻炼，不管手指是否冻僵还是长了冻疮。

在现代的日本小学中，学校依然没有取暖设施。日本人认为，这种艰苦的环境可以磨练孩子们的意志。通过这种磨练，将来孩子们才能平和坦然地面对人生中的各种苦难，承担住各种压力。在西方人眼中，日本的小孩子总是经常感冒，或者流着鼻涕，都是因为这种锻炼的结果。

在日本人的传统教育观念里，不允许对恶劣的自然环境进行人为的、刻意的改变。

睡觉是日本人的另一种爱好，也是日本人最擅长的生活技能之一。不论是什么姿势，在一般人觉得无法入睡的情况下，日本人都能很舒服、很放松地熟睡。这在西方人看来，简直是不可思议！在美国人眼里，失眠与精神紧张有着必然联系。但是，时刻处于高度紧张的日本人，居然总能轻松地入睡。

日本人晚上睡觉都很早，这在东方国家中都是很少见的，农民们总是在日落不久即进入梦乡。睡觉，对于我们来讲，是为了恢复或积蓄体力。而在日本人的生活习惯里，似乎没有这样的概念。

一位研究日本的西方学者曾这样写道：“在日本，你应该抛弃那种认为睡眠是为了明天更好地工作的想法；你必须把睡眠与解除疲劳、休息、调养等区分开来。”

美国人的意识里总是习惯性地认为，睡眠的目的就是为了恢复或者维持一个人的精力和体能，所以大多数的美国人早上醒来要做的第一件事，就是计算昨晚睡眠占用几个小时，以此推算白天能有多少精力。而日本人则不是这样，他们只是喜欢睡觉，只要条件许可，他们总会高兴而放松地去睡觉。

虽然日本人很喜欢睡觉，但是他们有时也能“坚强地”牺牲睡眠时间。比如说，准备参加考试的学生可以整天整夜地复习功课，而不考虑会不会因为没有睡好而影响考试成绩。

在日本的军队训练中，一切都要服从于训练，睡眠也不例外。

《日军如何作战》一书记载，1934 年至 1935 年，杜德大尉曾经在日本陆军工作，有一次他与上岛上尉谈话时说：“在平常演习时，有时部队连续行军两三天，中间除了几分钟休息的时间可以小睡一会儿外，根本就别想睡觉，有些士兵边走边打哈欠。有个少尉不小心睡着了，撞在路边的木材堆上，大家都觉得好笑。等他们终于回到兵营，还是不能睡，都被命令去站岗巡逻。”

于是，杜德大尉问上岛上尉：“为什么不让其中一部分人去休息一下？”

上岛上尉说：“噢，不行，因为所有的士兵都知道怎么去睡觉，所以我们军训的目的就是，训练他们如何不去睡觉！”由此可以看出日本人对睡觉的态度。

与睡觉一样，日本人把吃饭也看成是一种休闲的娱乐，同时又把它当成一种项目技能来训练。

日本人在闲暇时，喜欢做色佳味美的各种菜肴，每一种却只有一小碟。

然而，在特定情况下，他们又只注重吃饭的速度，而不讲究质量。有一位日本农民说：“吃得快拉得快，是日本的最高美德之一。”

所以埃克斯坦在《和平的日本潜藏着战争》中说：“日本人不认为吃饭是件什么大事，吃饭只是为了维持生命而已，所以吃饭要尽量快，特别是男孩子。这一点与欧洲的人们有很大的不同，在欧洲，人们只会叫小孩慢慢地吃。”

日本的佛教寺院里，僧人们在饭前的感恩祈祷中，僧人要把粮食看作维持生命的原料，不应该把吃饭看成是享乐。

在日本人眼里，强行绝食就像冷浴和放弃睡眠一样，也是磨练一个人意志的最好方法。绝食在日本被看成是考验一个人意志的最好办法之一，就像日本武士"口含牙签"一样。如果绝食的人们能经受得住考验，人们不但不会因为消耗了大量的能量、营养而感到体力下降，还会因为精神上的胜利而备感兴奋。

在美国人的思想观念里，营养与体力是成正比的——没有营养就不会有体力，而日本人却不这么认为。否则，大战期间，日本东京的广播电台就不会向在防空洞避难的人们说："做体育运动可以缓解饥饿感！"

追求浪漫的恋爱，是日本人追求和崇尚的另一类"人的情感"。尽管这种对感情的追求与家庭、婚姻所要求的义务相违背，但这种情形在日本十分普遍。这类现象，在日本的小说中随处可见，书中许多地方都是对这种现象的深入探讨，而书中的主角大多和法国文学作品一样，常常都由已经结婚的人担当。

为爱情而死是日本人喜欢阅读和谈论的话题。写于10世纪时期的《源氏物语》就是一部描写爱情的杰出小说。在这部小说中，作者对爱情的描写与同时代任何国家发表的爱情小说相比，可以说毫不逊色。日本古代的大名和武士的恋爱故事也很浪漫，也是日本现代小说的主要题材。

▲ 想象中的情与性

在这一点上，日本就与中国的文学风格有着极大的不同。中国人往往很忌讳公开谈论爱情和性带来的快乐，当然这主要是为了避免人与人之间的烦恼。不过，中国的家庭也因此而相对稳定、和谐许多。

在追求恋爱情趣和性生活方面，美国人对日本人的理解比中国人要来得容易，即便如此，美国人对日本人的理解依然肤浅。其实，美国人在肉体享受上有很多禁忌，而在日本就没有了。在肉体的享受上，日本人不讲什么伦理与道德，但美国人就不同，还是有许多条条框框。

▲ 现实中的情与性

在日本人看来,“性”和其他“人的情感”一样平常,放在很低的角度就可以了。性的享受是人的本性需要,并没有什么罪恶可言,所以没有必要去强调什么伦理与道德。而在美国人和英国人眼里,很多日本人看来是很平常的事情其实是很淫秽的,比如日本人珍藏的一些画册。

在日本人认为享受肉体“最好”的地方之一——吉原,是艺伎和妓女集中的地方,在英美人的眼里却是最悲惨的地方。对于外国人这种观点,日本人一直都非常重视,他们刚开始与西方人交往时,就很在乎西方人的看法,并且制定了一些相关法律,以期消除这种与西方价值观的隔阂,接近西方标准。但这种文化上的差异是很难用法律来改变的。

许多在西方人眼里是不道德的行为,在有教养的日本人眼里就不这样认为。日本人没有完全地意识到,西方人的习惯态度与他们“人的情感不能影响人生重要事务”这种信条之间,有着巨大的鸿沟。正是由于存在这么大的差异,所以,英美人很难接受和理解日本人对待恋爱和性享受的态度。

日本人总是把夫妻生活和肉体享受划分得很清楚,而且两者都可以公开。这在美国肯定是不行的,也就是说夫妻关系可以公布,但情人关系一定不能让所有人知道。在日本,夫妻生活和肉体享受是两个性质不同的现象,但都被人们认可为正常的,这是因为在他们的观念里,夫妻关系是人生的主要义务,而肉体享受则是一种带有消遣性质的小事。

就这样,日本人在不同的场所都可以拥有自己的私生活,所以一个“模范”丈夫可能也在花街柳巷频频出现。

日本人与我们美国人不一样,他们不认为恋爱和结婚是一件事;我们美国人是把恋爱看成是寻找妻子的必然过程,只有通过相恋才能相爱结婚。结婚之后,如果丈夫与别的女人发生了性关系,那就是对自己妻子的侮辱，因为他把属于妻子所拥有的给了别的女人。

但这种事情在日本人看来是正常的。他们与某个女人结婚是顺从大人的意愿，然后草草结婚，当然结婚之后也得遵守夫妻间的礼节，他们就是这样对待婚姻。即使在很和睦的家庭，孩子们也无法看到父母的性爱表现。就像日本一本杂志所说的那样："在我们的国家里，结婚的真正目的是为了生儿育女、传宗接代，除此之外，所有的目的都是对事实的歪曲。"

即便如此，这并不代表日本男人在生活中就很枯燥无味。在日本，男人如果有钱，就可以包养情人。但与中国不同的是，日本男人不能把自己喜欢的女人带回家做小妾，否则就会把两种应该泾渭分明的生活方式混淆。

当然，这个情妇可以是那些精通音乐、舞蹈或按摩的艺伎，也可以是一般的妓女。但不管是哪种类型的女子，想找情妇的男子必须与这位女子的雇主签订契约，以保证这个女子得到相应的经济回报。

所以，想找情妇的日本男人往往必须为他的情人安一个新家。只有在特殊的情况下，比如情妇生了他的孩子，为了这个小孩能与自己原来的孩子生活在一起，这个男人才可以例外地将情妇接回家。但进了这家门后，这个情人不能当小妾，而只能当佣人。而她生的小孩不再承认她们的母子关系，得叫原配夫人为"母亲"。

日本人就是这样，总是将家庭义务和外边的"正常娱乐"分得很清楚。所以，以中国为典型代表的一夫多妻的制度在日本显然是行不通的。

正因如此，在日本只有上流社会的贵族才有能力养情妇，大多数的男人只能抽空去找一些艺伎或妓女来玩一玩。当然，这种"娱乐"是完全公开的。在日本，作为妻子有时还得为丈夫去风流快活梳妆打扮，妓院也可以给这个男人的妻子送账单，作妻子的也理所当然地付款。虽然作妻子的可能感到很不舒服，但也只能是独自烦恼。

一般情况下，找艺伎的开消要比普通妓女高得多，但这并不包括与艺伎过夜的费用，只能享受那些受过训练、衣着举止得体的美女们的热情款待。如果想跟某个艺伎过夜，那就得事先签约，声明这个艺伎是他的情妇，他是这位艺伎的保护人。也有另外一种情况就是，这位男人非常有魄力，风度十足，能赢得艺伎的芳心而自愿献身。

当然,也不排除偶尔与艺伎过夜的可能性,因为艺伎们的舞蹈、仪表、姿态等既美又富有挑逗性,充满了上层社会男人们所渴望的另一种情调。而这些在日本人看来很符合"人的情感"的事,是对儒家"忠孝"等礼仪的挣脱和解放。因而人们自然而然地纵情声色,但最重要的是要分清家内、家外的界限。

与艺伎相比,普通妓女的身份很低下。她们一般都是因为家里很穷,被迫卖给妓院的。妓女们都住在烟花巷中,有的人在玩完艺伎之后,如果嫌玩得不过瘾,还可以再到妓院去找妓女。由于妓院的开消要小得多,所以没钱的人大都不找艺伎,而是到妓院中寻求快乐。

通常,在妓院的门口都会挂着妓女们的照片,嫖妓的男人可以不用掩饰地在众人面前对她们进行评论和挑选。在没有遭到西方社会的非议之前,按照以前的习惯,妓女们往往得亲自坐在大厅里,在很多男人的眼光下被人任意挑选。只是到了近代,才用相片来代替。

一个男人选定一位妓女后,就得与妓院签订契约,之后这个妓女就是这位男人的合法情人,这个男人也就成了这个妓女的唯一客人。这个妓女签约之后就会受到法律保护,当然,也有些男人不签约就把女招待或服务员私自变为"情妇"的,但这种情况下,这些女性是没有任何法律保障的,被排除在公认的男人的义务之外。

所以,当日本人读到美国一些关于年轻妇女被情人抛弃,伤心欲绝的作品时,他们会自然而然地把这个私生子的母亲与他们日本的"自愿情妇"联系起来。

同性恋在日本也是"人的情感"的一部分,在他们认为这是合乎人性的、正常的。在古代日本,同性恋是武士、出家僧侣等上层人物公认的娱乐方式之一。直到明治时期,为了迎合西方的评论,同性恋才被政府列为非法。

但是,至今这种习惯在日本仍然被认为是"正常"的"人的情感",只要控制在一定的范围之内,不影响家庭就可以了。因此,日本人不会出现像西方人所说的那种一个男人(女人)"变成"同性恋爱者。

虽然也有一些日本男人自愿当男妓,但他们当听说美国有的成年男子扮演同性恋的被动角色后,日本人还是感到非常吃惊。因为在日本,成年男子只选择没有成年的男孩作为同性恋的对象，认为成年的男性扮演同性恋的被动角色，是很伤自尊心的事情。

日本人有他们自己的行为界线，认为什么事可以做但不能伤害别人的自尊，只是这种界线标准与我们美国人不同。

手淫，在日本也不是什么不道德的事。世界任何一个国家或民族，恐怕再也找不出一个能像日本人一样，拥有很多自慰工具。虽然迫于国外的舆论压力，避免在公开场合大肆宣传，但从内心角度来说，日本人从来没有认为那些性工具有什么不好。

在西方，人们是强烈反对手淫的，欧洲多数国家的反对态度比美国还强烈，这点不少美国人深有体会。大人总会告诉小孩，手淫会使人神经错乱，头发会掉光等。母亲们更是对小孩这方面的行为异常警惕，如果发现小孩有这种行为，就会用体罚来教训他，甚至缚住他的双手，有的家长还会对孩子说上帝会惩罚他。

在日本，儿童或少年是没有这种体验的，因为日本人从来就不觉得自慰是一件罪恶的事情。相反地，他们认为手淫是一种快乐享受。只要把它放在一个不重要的位置上，就可以给予合理的说法，并允许手淫的存在。

酗酒也是日本人必不可少的"人的情感"之一。当他们听到美国人说要禁酒时，觉得那简直是天方夜谭。对于美国某些地方举行投票决定，要求颁布禁酒法令的运动时，他们认为不可思议。

喝酒，在日本人看来是一种乐趣，只要是正常的人一般都不会拒绝的。而且，喝酒只是一种小的消费，所以大可不必担心喝酒会有多大的危害。而事实上，在日本喝酒的确没有成为日本的社会问题。

喝酒，在日本人看来是一件愉快的事情，是一种娱乐性的消遣，所以无论是在家庭，还是在社会各界，人们并不讨厌那些喝醉酒的人。一般，喝醉酒的人不会胡作非为，也不会打骂自己的孩子，通常就是放纵在歌舞情场、没有礼节而已。在许多城市的酒席上，人们一般喜欢坐在对方的大腿上。

在日本人的传统里，吃饭和喝酒分得很严格。农村里的宴会上，如果谁开始吃饭了，就说明他不再喝酒了，这表示他已经不再享受酒的美味。对于喝酒与吃饭这两种享受，日本人分得很清楚。即使在自己的家中，人们偶尔也会在饭后饮酒,但绝不会一边喝着酒又一边吃着饭,他们总是先享受完一种,接着再享受另一种。

以上所说的种种"人的情感",产生很多重要结果,从根本上否定了西方人关于肉体与精神在生活中互相斗争的哲学。

在日本人的人生哲学里,肉体本身不是罪恶的,尽最大限度去享受肉体上的快乐并不算是犯罪,精神与肉体也不是绝对对立的两面。按照这种说法,我们可以得出这样一条结论,即:世界并不是非黑即白的。

就像英国乔治·桑塞姆爵士所写的那样:"在整个历史的进程中,日本人都似乎缺乏认识'恶'的能力,或者说在某种程度上不愿意去正对这些'恶'的问题。"而事实上,在他们信仰的理念中,日本人始终拒绝把"恶"的东西看成是人生的一部分。

他们相信,人有两种灵魂,但却不是那种善与恶之间的较量和冲突,而是"温和的"灵魂与"粗暴的"灵魂之间的斗争。每个人或者每个民族,既有"温和"之时,也有"粗暴"之处。并且,没有注定哪一个灵魂一定得进地狱,另一个可以进天堂。这两个灵魂都是个人所必需的,并且在不同的场合下都应该是善良的。

日本人的这种善恶两面性,在他们信奉的神灵中也有这样的体现。在日本人的许多信仰中,最著名的神之一是素盏鸣尊,他是天照大神(女神)的弟弟,被称为是"迅猛的男神"。在西方的神话中,这尊神都被看成是魔鬼,因为他对自己的姐姐十分粗暴。

神话故事是这样描述的:天照大神怀疑弟弟到自己的房间来居心不良,想把他从房子里赶出去。于是,素盏鸣尊便放肆地胡闹起来。他在天照大神的饭厅拉粪便,而当时女神与侍从正在饭厅举行尝新仪式(品尝人们祭祀神仙的新稻谷),他还犯下了毁坏稻田的大罪。

更糟糕、也是西方人最不能理解的是,他居然在姐姐的卧室上面挖了个洞,还把一只倒剥了皮的"斑驹"(象征男性生殖器)扔进去。由于素盏鸣尊犯下的罪恶不可饶恕,因此受到了诸神的审判,被判处了重刑——赶出天国,流放到"黑暗之国"。

虽然如此,在日本,素盏鸣尊还是人们比较喜爱的神之一,而且人们对他很尊敬。

在世界众多的神话当中,像素盏鸣尊这样的神并不少见。但在高级的、伦理性的宗教里,这类的神往往是被排除在外的,因为只有明辨是非、善恶分明的超自然界,才符合现代哲学体系的需要。

日本人一直不能正面认可,德行也应包含在同恶的斗争当中。就像近几百年来日本的哲学家和宗教家所阐述的那样,这种道德准则对于日本来说并不适用,日本人甚至引以为豪地宣称:这就是日本人道德的优越所在。

按照他们的说法,中国的道德规范就是将“仁”、“公正”、“博爱”上升到一个绝对的高度,按照这个标准,人们会发现自己的缺点与不足。18世纪的日本神道家本居宣长曾这样写道:“当然,这种道德规范对中国人来说是有用的,是好的,因为中国人的‘劣根性’需要这种人为的约束方法。”近代,不少日本佛教学者及民族主义者也都以这类话题著书立说,发表自己“独到”的见解。

日本人普遍认为自己天生“性善”,是值得信赖的,所以没有必要刻意与自己本性恶的一面作斗争。人们只需要保持心灵的洁净,在适当的场合做适当的事情就行了。如果心灵不小心染上了污垢,日本人可以很快地将污垢清除掉,这样人性的“善”就会再次重放光辉。

在日本的佛教哲学体系中,比任何一个国家的佛教理论更加主张每个人都可以成佛。而道德律却并不在佛教戒律中,而只用于打开自己的悟性和清净的心灵。那么,日本人既然认为“恶”不是与生俱来的,为什么要怀疑自我内心的发现呢?

在基督教的教义中认为,人是有原罪的。而日本人并不这么认为,在他们的思想里根本就没有人会堕落的说法——一切“人的情感”都是上天赐予的,存在就是合理。因此,无论是哲学家还是普通百姓,都不应该对它表示谴责。

西方人听完这种论调肯定会认为,这种理论必将导致一种自我完全放纵。但是,正如前面所提到的,日本人把履行义务放在人生的最高位置,所以他们也完全承认,报恩就是意味着需要牺牲个人欲望和享乐。

他们认为,如果把追求肉体“幸福”作为人生的重大目标,既令人吃惊也是不道德的;如果以肉体感官刺激幸福与否,来作为判断国家和家庭的标准,是不可思议的。对于沉浸其中的人来说,肉体享受只能是一种消遣。

当人们履行"忠"、"孝"以及"情义"等义务时,常常会经受到许多苦难,但这些在日本人心里早已料到。虽然要为这些义务付出很多,但日本人会做好充分的准备,他们会放弃一些自己认为不是邪恶的享受,当然,这需要有坚强的意志才行,而这种意志就是日本人觉得最值得称赞的美德。

与日本人的思想一样,日本小说或戏剧中很少有那种"大团圆"的圆满结局。美国人都很渴望看到那种圆满的大结局——他们希望剧中的主角永远幸福,并很想了解剧中人物他们的美德是否得到了回报。如果观众不为剧中的人流泪,一定是因为主角的个性有缺陷,或者他是悲剧的牺牲品。但是,观众最喜爱的还是主角万事顺心,一切如愿。

而日本人看戏剧的心态可以有些不一样。他们会含着眼泪,伤心地看着命运的力量使男主角走向悲剧的终点,或者漂亮的女主角被惨遭杀害的场面,只有这样的情节才能引起他们欣赏戏剧的高潮。

甚至在日本的现代电影中,也是这种以男女主角的悲剧结局为主题的:

两个人非常相爱但又不得不放弃所爱的人;

或者是他们很幸福地结婚了,但一方不得不以自杀的方式来履行义务;

或者是妻子献出一切以挽救丈夫的职业生涯,最终丈夫成为优秀演员,而在丈夫成名前夕,妻子却悄然离去,以成全丈夫享受新的生活等等。

总的说来,日本的电影一般不会是一个欢快的结局,只要能唤起观众对男主角(或女主角)自我牺牲奉献精神的同情与惋惜就足够了。剧中经历的苦难并不是上帝判决的,也不是什么因果报应,一切只是向观众表明:剧中的主角为了履行义务承受了一切代价,任何的不幸、遗弃、疾病和死亡,都不能让他们偏离自己的理想和方向。

日本的现代战争电影也体现了这样的传统心理,看过这些电影的美国人都会说,这些电影是他们看过的最好的反战宣传电影——这是美国人的典型反应。

因为在这些电影当中,只会讲牺牲和苦难,你看不到阅兵式、军舰演习等鼓舞人心的场面。不管是描述日俄战争还是中日战争,几乎都是一个模式:

在泥泞中行军，凄惨的苦战，胜败不知的煎熬等。你在银幕上看不到战争胜利、或者高喊着冲锋的镜头，而是那种凄惨的情景，比如描写一家三代，经历了三次战争之后而幸存了下来，但他们都成了残废的瘸子或瞎子；或者描写士兵死后，家中的人聚集在一起伤心地怀念着他们的丈夫和父亲，失去生活能力的人仍然勇敢地活下来。即使是伤残军人康复的情景也很少写进剧本。对观众来说，只要银幕上的人物一直在努力地感恩报恩就足够了。

所以，这些电影仍然是日本军国主义的宣传道具。电影的制作者也知道，这样的电影不会在观众中激起反战情绪。

▲日俄战争中负伤的第三军士兵

第十章

道德的两难困境

忠、孝、仁、义、人情等道德规范，是日本人人生观的主要表现，他们觉得：人生的义务是个整体，就像地图上各国划分的范围一样清楚。用日本人的话说，人生是由“忠”、“孝”、“情义”、“仁爱”、“人情”以及其他不同的道德规范组成的。而每一种道德都有自己独特的、详细的准则。

对一个人犯错来说，不是把他归于一个完整的人格，而是说他不懂“孝”、不懂“人情”，等等。他们不会像美国人一样，用“不正派”之类的词语来批评某个人，而是明确地告诉他，在某个领域中他的行为失当了。

日本人基本不用“自私”、“冷漠”之类的评语，而是就事论事，明确指出那些违反准则的行为。他们不会听从绝对律令及圣人格言。一个得到大家赞许的行为，总是与这种行为所表现的道德相联系。一个人很孝顺，这只是一种行为方式；一个人在因为“情义”或“在仁的世界”所产生的行为（在西方人眼里），又是另外一种行为方式。甚至不同国度的准则，也会随着他们的内心变化而发生改变，并根据改变采取不同的行动。

对于君臣的“情义”，只要主君没有侮辱家臣，家臣就一定要尽最大的忠诚；如果家臣受到主君的侮辱，家臣就可以背叛主君。

在1945年8月之前，“忠”要求每一个日本人在与敌对方作战时，一定要战到最后的一兵一卒。当天皇从广播上宣布投降，日本人对“忠”的对象也随即发生变化，态度也一下子从对抗变成了合作。

对于这点，西方人很难理解。根据西方人的经验判断，人总是按照他的本性采取行动，而当我们把人进行分类后，总是指望他们能言行一致——他们不是慷慨，就是吝啬；不是主动，就是退缩；不是主张保守，就是主张自由，不能兼而有之。

一般地，西方人总是期待每个人在信仰一种特定的政治思想后，就会一贯反对相左的思潮。根据我们在欧洲战场的经验，那里都有合作派，也会有抵抗派，但是我们从来不相信，合作派会在胜利后改变立场。

在美国国内的政治斗争中，我们确实有新政派和反新政派，而且不管出现什么样的局势，原有两派仍会按照他们各自的本性继续行动。如果此时一个人突然改变立场，比如从一个没有信仰的人变成了基督教徒，或者激进分子变成了保守派等等，我们就会认为他是在转变方向，他就应该建立起与此相应的新的人格形象。

西方人关于行为完整性的观念，虽然没有完全得到证实，但也绝对不是毫无根据。在很多文化里，无论是原始的还是文明的，一般人都会把自身定位在一个特定类型的种类中，并按这一类型而表现出各种相应的行为。

比如，一个人如果喜欢追求权力，那么他就会以别人服从他的意志程度，来验证自己的成败；如果他希望得到别人的拥戴，他就必须与别人大量接触，否则就会失败。他们会把自己想象成严肃正直的人，或者具有某种特定气质的人，他们的性格都具有某种特定的风格，并希望给人类带来有秩序的生存环境。

日本人似乎不一样。他们从一种行为转成另一种行为时，不会感到心理不适应的痛苦过程。日本人这种能力在西方人看来难以相信，因为西方人从来没有体验过这种极端的心理转变。

可是，在日本人的生活里，西方人看来很矛盾的这种极端，就深深地扎根在他们的人生观中，就像"同一性"扎根于西方人的人生观一样。

对西方人来说，特别重要并值得注意的是，日本人所划分的生活中的道德并不包括"恶"。当然这并不是指日本人不承认有坏的行为，他们并不是把人生看成是善恶斗争的舞台，而是把人生看成是一出戏，每个人在扮演不同的角色。在这场戏里，每一个不同的道德或不同的行为特征，都有存在的理由，都是为了平衡或协调，所以都是善良的。

中国人的道德格言，被日本人看成是中国人的道德证明，并以此证明中国人的劣根性。他们自称完全不需要那种伦理格言作为戒律，用桑塞姆爵士的话说就是：日本人不喜欢讨论“恶”的问题。

如果依照日本人的说法，即使不从宇宙的高度来解释，也可以恰如其分地说明坏的行为现象。就是说，日本人认为每个人的心灵深处，本来就闪耀着道德的光芒。道德的光芒就像一把新刀的光芒，如果不勤加磨练，它就会生锈。这种自发的“锈”在日本人看来，就是坏东西。所以，每个人都要像磨刀一样去磨练自己的本性。如果没有磨练，真的生“锈”了，心灵也仍会在“锈”底下发光，稍加拂拭，就可以让它重现光辉。

西方人看不懂日本的民间神话、小说和戏剧等，就是因为日本人这种特有的人生观。除非将这些作品改写成西方的风格，才能符合西方人那种一贯性和善恶不相融的性格。

但是，在日本人看来并不是这样。他们评论的核心，总是围绕主人公如何处于两难境地，如何陷入“情义与人情”、“忠与孝”、“情义与义务”的矛盾之中：

因为过于注重人情而忽视了义务，所以主人公遭到失败；

或者是因为尽忠，所以不能尽孝；

或者是因为情义太重，所以无法遵循正义；

或者是因为人情，只好牺牲自己的家庭。

总之，这种思想充满了矛盾，但这种矛盾同时又具备约束力。而在日本人的观念里，无论从哪个角度上讲，两者都不是“恶”的。对于两者如何选择，就像是还债一样，他选择偿还这笔债务，同时也得承认另一笔债务。

日本人对故事主人公的这种心态，与西方人有着根本上的差别与对立。在西方人看来，如果故事的主人公是好人，那么肯定是因为他选择了善的一方，并付出了善行，而且还因为他敢与恶势力作斗争，就如同我们常说的有德的人必定胜利。并且，结局往往也是大团圆，就像俗语所说的“好人有好报”。

日本人却不是这样。他们喜爱的主角形象是：他既亏欠了社会的恩情，但同时又不能违背名分或情义，在两头无法调和的情况下，最后只好选择一条路——以死作为对两者的回报（在他们看来，这是最好也是最完善的回报方式）。

像这类故事，在其他的文化体系中，大都是教导人们：对于残酷的命运应该屈从。但是在日本，这种思想却成了启发人们主动精神和坚忍意志的教育题材。主人公在尽全力完成他所担负的某种义务之后，发现自己没有尽到其他的义务，但最后，他又必须补偿被他忽视的道德，并对此做一次总的清算。

在日本，真正称得上民族史诗的是《四十七士物语》。这部叙事诗虽然在世界文学丛林中的地位并不高，却非常强烈地扣住了日本人的灵魂。日本每一个小孩都知道这个故事，不但知道它的大概，并且非常熟悉它的情节。这个故事不断地被翻印，并得到了广泛的流传，甚至经常被搬上银幕。

如此一来，四十七士的墓地长期受到众多"信徒"的崇拜，成为了有名的圣地。成千上万的人前往那里去哀悼祭拜，因为吊悼的人太多，他们所留下的名片使得墓地周围变成了一片苍白。

《四十七士物语》的中心思想是以主仆之间的情义为核心。日本人认为，这个故事主要写的是个人的情义与"忠"或情义与正义的较量，当然，"情义"在这场冲突中最终占胜利地位。

《四十七士物语》故事的大概是这样的：

1703 年，正是日本封建制度的鼎盛时期，按现代日本人的说法，当时的所有男子都是"大丈夫"，对"情义"绝不会退缩。最后，四十七位勇士为了"情义"毅然牺牲了一切——包括父亲、妻儿、妹妹、名声和正义等，最终集体剖腹自杀，以此效"忠"。

按当时惯例，各地的大名都定期去觐见幕府大将军。这一次，幕府任命了两位大名来主持迎宾仪式，而浅野侯就是其中的一位。两位司仪官都是当地很有声望的大名，因为不太懂得怎么主持迎宾仪式，所以不得不向一位在幕府中枢任重要职位、很有身份的大名——吉良侯请教。

当时，浅野侯家最有智谋的家臣大石（即故事的主人公）如果在他身边的话，就一定会帮助浅野侯妥善解决的。但不巧的是，大石正好回老家了，而浅野侯又偏偏不太懂人情世故那一套，没有向吉良侯赠送重礼。而另外那位大名很聪明，知道如何运用人情世故的方法来促成事情，他在向吉良侯请教时就不惜以重金相赠。于是，吉良侯自然不会去教导浅野侯，并故意让他在主持仪式时，穿上与仪式规则完全相反的装束。

浅野侯的穿着是按照吉良的指导穿的，当仪式举行时，浅野侯才发现自己受到了侮辱，于是他拔刀而起，并用刀砍伤了吉良的额头，最后被人拉开。

如果从“情义”上讲，他因为受到了侮辱而报复吉良，是一种值得肯定的德行；但是，他在将军殿上拔刀伤人则是不“忠”。

因此，浅野侯拔刀在“情义”上是正当的，但他又因不“忠”而应该受到处罚，所以他只有选择剖腹自杀。

就是在这种情形下，浅野侯回到自己的家里后，换上干净的衣服，作好了剖腹的准备，唯一想等的是，那位很有智谋而又忠诚的家臣——大石回来。

大石终于回来了，主仆二人久久相望，最后他们在默默凝视中告别了。

浅野侯死后，亲属中没有一位愿意继承他的家业，因为他不忠于幕府并受到众人谴责。最后，浅野家的封地也被没收，家臣和仆人也都成为没有主人的浪人。

从忠于主君的“情义”来说，浅野家的所有家臣都必须履行“情义”的义务——一起与浅野剖腹自杀，因为他们的主君是为了“情义”而自杀。如果他们能遵从“情义”而剖腹自尽，就表示他们反对吉良使主君受辱的行为。

但是，大石的心里却并不完全这样想，他认为剖腹自杀不足以回报或表达他们做下臣情义，最好的方式是完成浅野报仇的心愿——因为浅野被人拉开，没有亲手杀了吉良。

按照当时“情义”所要求的义务，他们应当为主君报仇。但这样做又必然是对幕府显示不忠，而且吉良是幕府的亲信，幕府决不会让他们的复仇计划得以实现。

按当时日本社会的惯例，策划并实施复仇计划的人，事先必须将复仇计划告之对方（类似下战书），并告诉对方实行报仇的具体时间，如果报仇的人在这段时间内，没有完成复仇计划，那么他就必须放弃这一计划——

所有的账一笔勾销。这条惯例使当时日本人在处理“忠”和“情义”的矛盾时,得到了很好的调和。

大石清楚,如果按照惯例很快实行复仇计划,注定会失败。于是,他召集了所有曾经是浅野家家臣的浪人们,人数有三百人之多,但他对刺杀吉良的事却不提一字。

按1940年日本的教科书所说,这些人都是愿意剖腹自杀以表“情义”的。但大石知道,这些人并不都是真心效“忠”的人,所以不是每个人都很可靠,能够担当复仇重任。

为了分辨出哪些人只有单纯的“情义”,哪些人“情义与真诚”兼而有之,大石就问大家:应该如何来分配主君的财产?日本人认为这是一种心理测试:如果一些人把钱财看得很重而且想分得财产,那么这些人一定不会同意切腹自杀的。

浪人们因财产的分配展开了激烈的争论。在浅野的家臣中,家老的俸禄是最高的,以他为首的一部分人主张按原来的俸禄标准来分配;而以大石为首的一派则主张应该平均分配。

就这样,大石很快就分清了哪些人只有单纯的“情义”。于是,大石就赞同家老的分配方案。当分配完成后,家老也随即离开了——他因此而获得了“败类”、“没有情义”、“无赖”等骂名。

最后大石才发现,只有四十七个人是真正有“情义”的,并且意志坚决,足以完成复仇大计。

于是,这四十七个人与大石结盟发誓:无论是什么情形,无论是亲情、人情、爱情还是家庭,都不会妨碍他们实现誓言的决心——“情义”将是他们最高的行为准则。就这样,四十七歃血为盟,以表达他们的意愿。

接下来,他们要做的第一件事就是要使吉良丧失警惕性。四十七个人各奔东西,假装没有什么复仇之心。大石经常泡在低级妓院,打架斗殴,并以消沉的生活为由与妻子离婚,这是日本人采取非法行动时所常用的合理步骤,以不让妻儿承担自己行动的后果。大石的妻子在哭喊声中离开了,儿子也加入到浪人的队伍之中。

在当时,东京(那时叫“江户”)城里所有的人,猜测他们一定会替主人

▲ 杀气

报仇。那些尊敬和爱戴浪人的人们，深信他们一定会实施复仇计划。可是，四十七位浪人都闭口不谈报仇的事，他们假装是那种不懂"情义"的人。慢慢地，他们的亲人们认为他们不懂情义，十分生气。有的被赶出了家门，有的被岳父取消了婚约，朋友也是不断地讽刺他们。

有一次，大石被一位要好的朋友碰见了，当时他醉得非常厉害，正在和一位妓女打情骂俏。即使对这位亲密的朋友，大石也不透露一点对主君的"忠诚"之心。

当朋友问他会不会报仇，他回答说："报仇？我干吗要报仇，那不是很愚蠢的做法么？人生在世就应该及时行乐、尽情享受，哪里还有比饮酒享乐更重要的事情呢！"

朋友不相信大石所说的，就把大石的刀从刀鞘中拔了出来，如果刀磨得闪闪发光，这样就可以证明大石是在骗他。没有想到，大石的刀都生锈了，朋友不得不相信大石是真的沉沦了，气得他在大街上公开踢打大石，并向他的身上吐口水。

这些复仇的浪人都为复仇想尽了办法：

有一位浪人为了筹集资金，竟然把自己的老婆卖去当妓女。这位女子的哥哥是一位浪人，当得知复仇的秘密被妹妹知道后，为避免泄密，竟准备亲手杀死妹妹，证明自己的忠诚和决心，以期获得大石允许他参加复仇行动。

另一位浪人为了保守秘密，杀死了岳父。

还有一位浪人为了获得情报，竟将自己的妹妹送进吉良侯家当女仆和侍妾，她在完成复仇计划后，不得不自杀——因为，虽然她是为了探听情报而去服侍吉良的，但她也得以死来洗清自己的污点。

就在12月24日这天晚上，天降大雪。这天正好吉良大摆宴席，守卫站岗的武士们喝得大醉。于是，浪人们突袭了戒备森严的吉良府，杀死门卫后一直冲到吉良的卧室。但当时并没抓住吉良侯，不过他的被窝还是热的。复仇的浪人们知道他没有跑远，应该还藏在府内。

终于，他们发现一个人正蜷缩在放着木炭的小房子里。其中一个浪人用长矛隔着墙壁向他刺去，拔出来时却没有血。原来，长矛已经刺中了吉良，吉良在长矛拔出时顺带用衣服将血擦干。然而这个小计谋并没有瞒住浪人们。

浪人们把他拖出来后，他还不承认自己就是吉良。其中一位浪人突然想起，浅野侯曾在幕府殿上拔剑报仇时，砍伤过吉良的前额，应该留有伤痕。根据这个伤疤，浪人们认出了他就是吉良，于是要求他当场剖腹自尽。但吉良拒绝了——这正好证明了吉良是一个贪生怕死的家伙。

最后，浪人们用浅野侯剖腹自杀时用的那把刀砍下吉良的脑袋，按照惯例，将它擦洗干净，最终实现了报仇的目的。之后，他们带着浅野侯那把自杀的刀和吉良的脑袋，排队向浅野侯的墓地走去。

浪人们的复仇行动在东京引起巨大震撼。那些曾经怀疑过浪人们人品的亲戚们，为了表达敬意，都争先恐后去拥抱他们。那些当地的官员也在沿途热情地接待。

浪人们来到浅野的墓前，举行了祭祀仪式，并宣读了的祷文（听说这份

祷告文至今还保存完好)。祷文的大意是:

四十七位臣子跪拜于主君灵墓之前……我等在为主君报仇的志业没有完成以前,实在没有脸面来为主君清扫墓地。在那段日子里,心神十分焦虑,所过的每天都觉得十分漫长……现在,我等如愿以偿地将吉良的首级献上。这把短刀是主君您去岁珍惜和使用过、并吩咐让我们保管的东西。但愿主君现在能手执此刀再一次地砍杀仇人的首级,以永远清除您的遗憾和愤恨。谨此祷告!

浪人们刺杀了吉良,报答了对主君浅野侯的"情义",但他们还必须尽"忠"。不过,要完成这一"义务",只有死路一条,因为他们违反了"没有预先通知对方就实行报复"的国法。不过,他们没有背叛"忠"。在当时,只要是以"忠"为名义所要求的,这些浪人们就得遵守并执行。于是,幕府命令这四十七位浪人剖腹以效"忠"。关于这一段内容,日本小学五年级的国语课本这样写着:

他们为主君报仇雪恨了,而且情义真诚、意志坚定,应该奉为永远的典范……于是,幕府经过再三考虑,命令他们剖腹以效忠,这真是一举两得的好办法。

那些浪人们因为亲手结束了自己的生命,结果被视为是对主君和国家在"情义"和"义务"上都作了最大的努力和回报,是两全其美的。

日本的这首叙事诗因版本的不同,故事的情节和文字表达也略有差异。在近代所拍摄的电影中,故事开始的贿赂情节被修改成色情:吉良对浅野美貌的妻子心怀鬼胎,所以故意让浅野受到侮辱。这样改过之后,有关"情义"的义务和行为刻画得更加深刻,为了"情义",即使是抛家弃子、休妻杀父都不为过。

关于"情义"与"义务"相互冲突的题材,是日本许多故事或电影的基本内容。最出名的一部历史体裁的电影,取材于德川幕府第三代将军时期。

故事是说:这位将军在继位时年纪还很年轻,没有什么治理的经验。当时,对由谁继承"将军"之位的幕府家臣们分为两派,最终有一派被挫败了,这一派想拥立的是一位与将军年纪差不多的近亲。

在失败的这一派中,有一位大名始终牢记着这次失败的"屈辱",虽然这位年轻将军长大后很有政治才能，但这位大名却一直在找机会刺杀他。

有一天，将军派亲信通知这位大名，告诉他准备巡视几个地方，到时需要大名的招待。这位大名觉得是时机了，想找机会刺杀将军，以报往日的屈辱。

在将军没来之前，他尽量将自己的住宅变成城堡，设上层层封锁，并堵上所有的出口。他还在房屋上动手脚，想让房子"意外"倒塌，把将军和他的随从都压死。同时，他还让一位家臣在宴请上假装舞剑助兴，并指使他在宴会最高潮时，用剑刺杀将军。

从"情义"上讲，这位武士不能违背主君的命令；但是，因为"忠"，这位舞剑者又不能刺杀将军。在电影中可以看到，武士的剑姿充分地表露出他的矛盾心理——他必须得刺杀将军，但他又再三犹豫，不能行刺。

尽管他应该履行对主君的"情义"，但最终因"忠"的威力太强而下不了手。武士的舞姿渐渐地乱了，这让将军及他的随从起了疑心，于是赶紧离开了宴席。这时，一意孤行的大名下令毁坏房屋，想把将军压死。就在这紧要的关头，舞剑的武士走上前，带领将军一伙通过地道脱离了危险——"忠"战胜了"情义"。

最后，将军派人向武士表达谢意，并一再地劝他到东京（江户）接受奖赏，那位武士看了看即将倒塌的房屋说："不行，我得留在这里。这是我的情义和义务！"说完，他转身跳进正在坍塌的房屋中。

▲《忠臣藏》剧照

按日本人的说法就是：他通过"死"这一方式，兼顾了"忠"和"情义"，并使两者趋于统一。

日本的古代故事，并没有把"义务"与"人情"的冲突作为主题，只是近代才有这种现象。许多日本近代小说，主要描写的都是主人公不得不抛弃爱情和人情，以成全"义务"和"情义"。这类题材不但没有减少，而且还被大肆宣传，就像西方人总是感觉到日本的战争片是反战宣传一样，我们总以为这类小说是在追求一种个人的“自由”。在小说中确实有这种宣传和鼓动。

可是，日本人在评论这些小说时，他们的看法与我们大相径庭。我们同情或喜欢主人公是因为他拥有爱情、理想和抱负；而日本人却会批评这种主人公，因为他过于注重自己个人感情，没有认真对待义务。

西方人多数人认为，强者的标志是：反对落后的习惯和规矩，克服障碍以争取幸福；日本人却不是这样认为，他们所谓的强者，恰恰是为了履行义务应该牺牲个人幸福才对。

在日本人眼里，反抗并不能代表性格的坚强，只有推崇和谐才是正确的。所以，看了日本小说或电影后，西方人所肯定的东西与日本人所肯定的东西截然不同。

日本人也会用同样的标准，去评价自己或身边人的生活。他们觉得，如果与义务的准绳相悖时，仅仅迷恋于利益或欲望的人，只能是无可救药的弱者。日本人对任何的事情都以这样的心态来判断。

尤其是日本丈夫对妻子的态度，与西方伦理学显得最为矛盾。在日本所谓的“孝”这种道德中，妻子只能处在家庭很次要的地位，只有父母才是主要的。所以丈夫所要尽的义务就很明了：品质优秀的人就必须孝顺，如果父母命令儿子与妻子离婚，那儿子就得离婚，不管他是否爱自己的妻子还是已经有了孩子，都必须离婚。这样，才能体现出这个人的孝顺。就像日本人有句谚语所说的：“孝道，有时要求丈夫把妻子看作陌生人。”

所以，丈夫对待妻子的态度最多不过是属于“仁”。而最糟糕的是：妻子对家庭事务不能提出任何的异议，哪怕是两人的婚姻生活非常幸福，妻子也不能处于中心位置。因此，日本丈夫绝不能把他和妻子的关系，与双亲、国家的感情等同。

20世纪30年代，一位著名的自由主义者曾在大庭广众中说，他回到日本后，因为见到了久别的妻子，感到十分高兴。为此，他受到了公众的批评。大家认为，他应该说因为见到父母，或者是因为见到了富士山，能为国家奉献力量而感到高兴——而妻子，根本就不属于这个档次。

到了近代，日本人自己也觉得，过分对道德准则强调不同层次和范围的区别是不太合理的。在日本的教育体系里，大部分是把“忠”当成最高道德标准。就像政治家们把天皇放在最高点，以制约将军以及诸侯。在道德范围内，他们也像简化等级制度一样，尽可能地把低层次的道德都放在“忠”的范畴下面，以简化义务的体系。

这样一来，日本人不但要把全国上下统一在效忠“天皇”之下，而且尽量减少日本道德标准的多样性。他们向人们传递这样的信息：尽到了“忠”，也就等于完成了其他的一切义务，他们要使“忠”不再仅仅是一种大势力范围，而是要成为人们道德大厦中受力最大的顶梁柱。

1882年（明治十五年），日本颁布了《军人敕谕》，这是一本体现这种构想的最权威的宣言范本。这份敕谕与《教育敕语》，是日本真正的“圣经”。

在日本，没有一个宗教或派别拥有经典。神道没有经典；而佛教各派，要不就是以“不立文字”为教义，要不就反复称念“南无阿弥陀佛”之类，根本没有什么经典。

然而，明治天皇的《军人敕谕》和《教育敕语》却是真正的经典。宣读时，气氛神圣而庄严，听众毕恭毕敬、寂静无声。就像西方人对待《摩西十诫》和《旧约五书》一样尊敬。每当捧读时，谦恭地从放置处取出；信众听完后，再恭敬地放回原处。如果负责宣读的人不小心念错了一句，他就必须引咎自杀以谢罪。

《军人敕谕》主要颁赐给现役军人，军人必须要全文背诵，烂熟于胸。每天清晨还要默想十分钟；在重要的祭日、新兵入伍等其他相关场合，都要隆重宣读。中学以上的青年学生，也必须学习《敕谕》。

《军人敕谕》长达数页，它的条理十分清楚，文字相当严谨。不过，西方人读起来似乎感觉还是很难读懂，而且还会觉得它的含义互相矛盾。《敕谕》把“善”和“德”标榜为真正的目标，这点西方人是能够理解的。

《敕谕》告诫日本人：不要再像古代那些死得并不光彩的英雄一样，不要走他们的老路子，因为他们“不知道大的公理道德，只知道遵守个人的情义”。《敕谕》接着说道：“古代的这类故事，你们一定要引以为戒！”

如果你不了解日本人的各种义务与划分的范围，那就很难读懂“引以为戒”的意思。

整篇《敕谕》体现的是，日本官方在尽力淡化“情义”，大力提倡“忠”。在整个《敕谕》里，日本人平时所谓的“情义”两字从来没有出现过。它不提倡“情义”，却强调“公道”与“私道”的差别。其实，这里的“公道”就是“忠”，“私道”就是“私情之义”。

《敕谕》还极力鼓吹：“公道”完全可以成为一切道德的准绳。所谓“义”，就是履行“本分的义务”。尽“忠”的军人一定要有“真正的勇气”，“真正的勇气”就是指日常生活中待人接物一定以温和为先，目的是得到别人的敬重和爱护。

《敕谕》在积极地暗示：只要遵从和履行“忠”的教导，那么其他的“情义”就不是很重要了。“义务”（即“忠”）以外的承诺都不过是“私道”，所以必须慎重考虑，才能承担“义务”。《敕谕》写道：

如果想遵守私人情义上的诺言，但又想同时完成义务……那么从一开始就应当慎重考虑能不能行得通。如果把自己置身于不明智的义务里，就会令自己处于进退两难的境地。如果真正在既不能信守诺言的同时，又要坚持完成义务，这个时候应该当下放弃个人层面的承诺。古往今来的英雄豪杰，有的惨遭不幸，有的甚至身败名裂、让后人耻笑，这种的例子并不少见，都是因为只知道信守个人的小节，而不懂得大的义务；或者虽然知道公道之理，却依然信守私人小节的缘故。

这段关于“忠”高于“情义”的文字中，就像前面所提到的，全文没有提到“情义”这个词。所有的日本人都知道有一种表达模式，就是“为了情义，我不能履行义务”。在《敕谕》中改成了这种说法：“如果知道自己不能既守诺，而又坚持大义……”《敕谕》以天皇的权威教导说：在这种情况下，你应当放弃个人的“情义”。只要遵循《敕谕》的教诲，放弃自己的情义而顾全大节，那你仍然是一个高尚的、有德行的人。

在日本，这份歌颂“忠”的经典是他们最基本的一份文件。但是《敕谕》对“情义”的压制是不是改变了民众对“情义”的看法，这还很难下定论。日本人常常会引用敕谕的其他文字，来为自己或他人的行为作辩解。

比如“义就是履行义务”、“心诚则万事都可以成功”。尽管引用这些句子都恰如其分，但很少有人引用《敕谕》中那些反对信守私人诺言的句子。

“情义”在日本，至今仍然是一条权威的道德标准，如果有人说你“你真是不懂情义”，这就是他们对你最严厉的批评。

仅仅一个“公道”的概念并不能概括日本的伦理体系。就像他们常常自夸的那样，日本没有一种现成的可以普遍适用的道德，来作为那些善行的标准。在很多文化体系中，一个人的道德准绳是他的自尊，如将善良、勤俭节约以及事业上的成就作为维护自尊的标准。他们总会找一些目的作为人生追求的目标，比如幸福、对他人的影响力、自由、能力等等。

日本人遵循的标准就比较特殊，无论是在封建时代，还是在《军人敕谕》的教导中，即使谈到“大忠大节”，其实也只是意味着：在等级制度中，上层者的义务要压倒下层者的义务，他们依旧是搞特殊化。

而在西方，一般人所理解的“大忠大节”，是对应该忠诚的忠诚，而不是对某一特定个人、特定目标效忠。日本人正好与此相反。

到了近代，日本人准备建立一种能统领一切领域的道德标准时，往往会选择“诚”。在说起日本伦理时，大隈伯爵说，“诚”是各种格言中最重要的格言。“诚”这个字包含了一切道德教训的基础。在日本古代的词汇当中，没有其他任何词像“诚”字一样表达伦理概念。

近代的日本小说家，在20世纪初也曾经歌颂过西方的个人主义新思潮，但是现在，他们开始对西方的理念感到不满，于是开始大力地去赞美“诚”是真正的道德标准。

在道德方面强调“诚”这一点，得到了《军人敕谕》的有力支持。《敕谕》有一段前言很具有历史性，就像美国文件总会把华盛顿、杰斐逊等“国父”名字放在前面一样。

这段话的主要宗旨，是为了阐述报恩和尽忠的。它的大意是这样写的：

我（天皇）全靠你们来辅佐，你们也仰仗我来做你们的首领。我能不能保护国家以回报上天的恩德、祖宗的恩德，就全靠你们各位都能克尽职守了。

在这段话之后，还讲了五条训诫：

一、最高的道德标准就是尽"忠"。一个军人,如果不能极其忠诚,那么无论他有多大的才能,也只能是个假军人;一支军队,如果不能极其忠诚,在关键时刻,只会成为乌合之众。所以不能被不正确的言论所左右,不要干预政治,务必保持自己的忠贞气节,应该牢记"大义重于高山,生命轻于鸿毛";

二、应按照军队高低级别遵守礼仪。下级对待上级的命令,要像对待天皇的命令一样;上级军官也必须善待下级;

三、要有战斗的勇气。这里所说的勇气,与"逞能"相反,应该不轻视小股敌人,不惧怕大批部队;所以,喜欢战斗的人,与人交往应该以温和为先,以期赢得人们的尊敬;

四、不要只顾重自己私人的信义;

五、应该勤俭节约。如果不质朴为人,必将流于文弱与轻薄;如果喜欢骄傲奢狂,必然流于卑鄙自私,最终势必堕落,虽然注重大节大勇,也难免被世人所唾弃。我(天皇)很担心你们会染上这些恶习,所以谆谆教诲,希望你们能引以为戒。

最后,《敕谕》把上面五条称作是天地的公道、人伦之纲常,是"我们军人"的根本精神。

其实,这五条训诫的核心就是崇尚"忠诚":"内心不忠诚,则空有好的言词与行为,没有一点实用。只有内心忠诚,一切才有可能成功。"五条训诫就是这么"简单易行"。

《敕谕》在讲完一切道德和义务后,最终还是归到"诚"字上,这正是日本道德标准的特点。

日本人不像中国人,认为一切道德源自仁爱之心。日本人一般是先找到义务准则,之后,就会要求人们死心塌地,用所有的心力与精力来履行义务,验证道德的准则。

禅宗是日本佛教的主要教派,在禅宗的教义中,"诚"也有同样的含义。在铃木大拙论禅的专著中有这么一段师徒问答:

弟子问:我看见凶猛的狮子袭击猎物时,不管是兔子还是大象,它都是全力以赴。请问这是一股什么力量?

师父回答:这是至“诚”之力。至“诚”,则不会有任何侥幸,也就是使出一切力量。禅语中有句话叫做“全体即用”,即:不保留任何能力,毫无矫饰,也绝不虚费力气。有这种生活态度的人可以称为“金毛狮”,这是刚强勇敢、至“诚”至纯的象征,是具有神力的人。

在这里,顺便说一下“诚”字在日本的特殊含义:日文的“诚”字与英文“sincerity”一词的含义并不完全相同。与 sincerity 相比,日文中的“诚”字内涵虽然广泛,但意义又显得很狭窄。西方人初次接触,可能会觉得它的内涵比西方的用法要少很多,因为,如果哪个人与自己的意见不同,日本人会说他没有诚意。这种说法有它的正确性。

另外,日本人如果说某人很“诚实”,不一定就是说他能真诚地根据自己的感受去采取行动。美国人在表示赞同时,会这样说:“他看见我时心里很高兴”或者“他感到非常满意”。

日本人却不会这样说,相反,他们会以嘲笑的口吻说:“你瞧那只青蛙,一张嘴就把肚子里的东西全都倒出来了”、“就像石榴一样,一裂开嘴就知道它的心里有什么”。对于日本人来说,坦言自己的感受是一种羞耻,因为这样会暴露自己的内心世界。

美国人很重视与“sincerity”有关的一系列词语,日本就不是这样。前面曾经讲到,日本一位少年批评美国传教士“insincerity”时,他不会想到,对于这个身无分文的穷孩子要去美国的计划,那位美国人是否会感到十分惊讶。

近十几年,日本的政治家们经常指责美英两国没有诚意,他们一点儿也没有想过,西方各国是不是按照他们所理解的“诚意”来采取行动的。他们并不批评美英两国是伪善——在他们眼里,“伪善”只是轻微的带有责备性质的词语。

同样如此,《军人敕谕》上“诚就是这些训诫的根本精神”这句话,并不是说:所谓“至德”,就是实践一切其他德行时,必须发自内心。的确,这一训诫并非叫人按照自己的真心本意去行动,不管他的信念和别人有多大区别。

但是,“诚”这个字在日本,的确有它特殊的积极含义,这个概念的伦理作用也非常受到日本人重视，所以，西方人必须清楚日本人使用这个词时的真正意图。

在《四十七士物语》中，“诚”的基本概念有充分的体现。在故事中，“诚”依附在“情义”之上。“诚”的情义与单纯的情义是不同的，“诚”的情义是足以永远作为典范的情义。现在，日本人在评论时还会说：“是‘诚’让它保持下去的”。经过研究文章意思来看，这个“它”就是指日本道德中的所有准则，或者体现“日本精神”时所要求的所有态度。

大战时期，美国的日本人隔离收容所中，“诚”字的用法与《四十七士物语》中的用法完全相同，它清楚地表明：“诚”，可以延伸到何种程度，“诚”的含义又与美国的定义怎样的不一致。

亲近日本的第一代移民（生于日本，后移居美国的人）批评亲近美国的第二代移民（生于美国的第二代日本移民）时经常说，第二代移民缺乏“诚”——第一代移民的意思是说，第二代移民没有保持“日本精神”的那种心理素质。

第一代移民的这种批评，绝不说明他们对第二代移民的亲美态度有所怀疑。正好相反，当第二代移民支持美国，志愿加入美国军队并表现真实热情时，第一代移民则严厉地批评他们“不够真诚”。

总之，“诚”这个词在日本人心目中的基本含义是：积极地遵循日本道德规律和“日本精神”所指引的人生道路。不管“诚”字在特定的词句中有多少种特殊含义，一般情况下都可以这样理解：它是日本公认的“日本精神”的某方面的称颂，或者是对道德规律所指引的目标的赞美。

只要我们认识到自己并不懂得日本人“诚”字的那种含义，那“诚”字在所有的日本文献中都是值得关注的、也是极有价值的一个词，因为“诚”字的作用是，几乎准确无误地代表日本人所强调的各种好的道德。

在日本，如果称赞那些不谋私利的人，就经常用“诚”字。这说明日本人的道德伦理中非常讨厌谋取利益。获取利润如果不是等级制度下的自然所得，就会被视为剥削，从中得利的中间人会被人们视为讨厌的高利贷者，因此他们也被称为“不诚实的人”。

如果称赞那些很理智、不感情用事的人，也经常用“诚”字。这也体现了日本人的修身观念。一位"诚实"的日本人,肯定不会去冒险伤害一个很规矩的人。这反映出日本人的信条是:一个人不仅要对自己的行为负责,还要对行为所造成的后果负责。

日本人认为,只有"诚实"的人才能摆脱心理的冲突,有效地运用手段领导他人。

以上三点乃至其他更多的"诚"字的含义,十分明确地表达了日本人道德伦理的同一性。这些含义也反映出:在日本做事,只有根据道德的准则才不会产生冲突,从而将事情做好。

"诚"字在日本的这许多含义,虽然《敕谕》和大隈伯爵都十分推崇,但"诚"字并没有简化他们的道德体系,它既没有构成道德伦理的基础,也没有被赋予某种精神。"诚"字就像使某个数字可大可小的指数一样,例如:A 的二次方(A^2),它可以是 9 的二次方,也可以是 159 或其他任何数字的二次方。

"诚"也是一样,它可以把日本道德规律中的任何一条准则提得更高。可以感觉到,"诚"字并不是单独的一条道德准则,而是信徒对他们教义所产生的一种狂热。

尽管日本人努力地改进他们的道德体系,但依旧呈现一种多样化的分散状态,道德的作用依旧是保持各个行为之间的相互平衡,各种行为都是善的。

日本人所建立的道德体系就像是桥牌一样,遵守规则并能在规则范围内获胜的才是优秀选手。优秀选手与非优秀选手的区别,只在于推理的训练。优秀选手能够利用足够的知识,根据竞赛规则来判断其他选手的出牌,然后打出自己相应的牌。(用美国人的话说,他是按照霍伊尔规则比赛的)每出一张牌,都必须考虑到大量细节,比赛规则和记分都是预先规定的,一切可能出现的偶然都包括其中。美国人所说的"内心善意"反倒变得不重要了。

不管是哪种语言中,大家用来表达赢得或丧失自尊的词语,都将十分有效地帮助我们了解他们的人生观。日本人如果说"尊重自己",则往往是指他本人很谨慎;而不像英语表达的,是指遵循为人处世的准则(不拍马屁、不讨好别人、不撒谎等）。日本人如果说"自重"，则是指"自我慎重"，意即：自己应该仔细考虑到事情中一切因素，切不可因疏忽而降低成功的概率，或者招至别人耻笑。

"尊重自己"所指的行为也与美国所指的行为不同，甚至是相反的。日本工人如果说"我必须自重"，意思并不是说要继续坚持自己的权利，而是绝不能对老板讲那些不妥当的话，免得让自己下不了台。

政治交际场合，"你应该自重"这句话的意思也是一样："身负重任"的人必须谨慎，不能有危险的言论，否则就是"不自重"。而在美国，"自重"并不是指危险的言论，而是要求按照自己的观点与良心来思考问题。

在日本，父母经常告诫儿女应该"自重"，这里指的是要知书识礼，不要辜负人家对你的期望。比如，女孩坐要有坐相，不能乱动，双脚要摆正平放；男孩则要加强身体锻炼，要善于看别人脸色，因为每时每刻都可能决定你的未来。如果父亲说孩子的行为不像一个自重的人，这不是像西方人所说的不坚持自己的意见或者是缺乏勇气，而只是在责备孩子行为不庄重。

如果还不起债务的农民对债主说"我应该自重一些"，这句话的意思并不是说他自己懒惰，也不是说他在向债主低三下四，而是在说他应该对急用的需求考虑周全。

如果有身份的人说"我应该自重"，这并不是说他必须廉洁正直，而是说他在处理事情时，必须充分考虑到他的地位以及身份的重要性。

公司老总在谈到他的公司时说"我们必须自重"，意思是说必须万分慎重、十分小心。

如果复仇的人说"自重地复仇"，就是说必须慎重考虑、周全计划，一定要完全彻底地复仇；并不是说以德报怨，也不是打算要按照道德准则行事。

如果连说两次"自重"，这就是日语中最强烈的语气，表示万无一失，不可贸然下结论，同时还意味着必须反复权衡各种方法的利弊，一定要恰到好处地完成任务。

上面所有讲"自重"的含义，都符合日本人的人生观，他们认为，每个人都应该谨小慎微地按照规则办事。由于他们将"自重"赋予了以上诸多定义，因此不允许以"出发点是好的"为理由来为失败作辩护，因为举手投足都有它的必然结果，在付诸行动前，你就应考虑到这些行为可能产生的后果。

帮助人虽然是好事，但必须想到被帮助的人会不会感到欠了你的人情，因此不可不小心从事。

批评人当然可以，但必须有被别人怨恨的心理准备。

当前面所说的那位年轻画家指责美国传教士嘲笑他时，虽说传教士是好心，那也不行——传教士没有考虑到他做这件事情所产生的后果，这在日本人眼里，就是典型的没有修养。

将谨慎与自重相提并论，就意味着要细心观察别人行动中的一切暗示（或细节），并且要敏感地感受到别人是在议论自己。他们说"因为有社会，所以要自重"、"假如没有社会，就没有必要自重"，等等。这些极端的说法表明：自重是来自于外界的一种压力，根本没有考虑到这种行为是否正确。就像许多国家的谚语一样，过分地夸张。因为日本人有时也会像清教徒一样，明白自己罪孽深重，所以反应十分强烈。

即便这样，上面所讲的那些极端说法还是说明：日本人在"罪"与"耻"两件事上，更加重视后者。

在人类学对世界上各种文化的研究中，一项重要的工作就是区别两种文化：罪感文化和耻感文化。

罪感文化所体现的是，提倡建立道德的绝对标准，并依此让每个人发展自己的良心。不过，在这种社会文化中的人（例如美国）在做了并不是真正犯罪的错事时，他也会感到内疚并觉得羞耻。比如，衣着不当、说话不妥等，这些都会让他们感到懊悔和烦恼。

而在以耻感文化为主要强制力的社会中，人们会对那些我们认为是犯罪的行为感到懊悔和烦恼。这种感觉可能会非常强烈，他们不能像罪感文化的人那样，心灵可以通过忏悔和赎罪而得到超脱。（人犯了罪可以通过坦白罪行来让心灵减轻负担，这种方法现在已经被用于心理治疗的方法中了，不少宗教团体也在运用，虽然这两者之间在其方面没有必然的联系）所以说，坦白罪行可以让心灵得到适当解脱。

但在以耻感文化为主要强制力的世界里，犯错误的人即使当众承认过错，也不会得到解脱，哪怕是向神父忏悔。而且他可能会觉得，只要犯错的行为没有被曝露或者公开，就不必为它去烦恼和沮丧——对于他们来说，坦白罪行或忏悔只会是自己给自己找麻烦。

所以在耻感文化里，人们不会主动地去坦白罪行和忏悔，他们可能去祈福求平安，却不会去祈求赎罪，哪怕是对上帝忏悔。

真正的罪感文化是依靠罪恶感在内心谴责来促使自己行善；真正的耻感文化则是依靠外部的压力来促使自己行善的。羞耻感是由别人批评的回应所产生的，一个人如果感到羞耻，那是因为他受到了公众的嘲笑和反对，或者是他自己感觉到被别人嘲弄，无论什么情况下，羞耻感都有很大的约制力。

不过，产生羞耻感的前提是要有别人监督，或者是感觉到有人在对自己进行评论。

罪恶感不是这样。在有的民族中，名誉的含义是：按照自己心目中的理想自我去生活。在这种情况下，即使自己犯错的行为没有被别人发现，内心也会产生罪恶感；通过坦白罪行并忏悔，心灵也可以得到解脱。

以前移民美国的清教徒们，曾经试图把一切道德置于罪恶感的基础之上。现代所有的精神学家都明白美国人的苦恼来自于自己的良心。然而现在美国人的羞耻感正在渐渐加重，罪恶感也不像以前那样容易感觉得到，美国人将这种情况说成是道德的松懈。虽然许多真理蕴藏在这种解释之中，但是我们不希望承担道德重任的是我们的羞耻感，我们也没有把伴随耻辱而出现的懊悔和烦恼，归纳到基本的道德体系之中。

但是，羞耻感已经被日本人纳入到他们的道德体系中。用他们自己的话说，就是“知耻为德行之本”。不遵守明文规定的善行准则、不能摆平各种义务、没有预见到的偶然的失误等，这些都是耻辱。

“知耻的人”有时被译为“有德的人”、“重名誉的人”。耻感文化在日本道德伦理体系中的地位，就像西方道德伦理中的“纯洁良心”、“深信上帝”、“回避罪恶”等一样权威。从这种逻辑所得到的结果是：人死后不会受到什么惩罚。

▲ 武士头戴草帽以掩其面与妓女低声交谈

除了那些读过印度经典的僧侣之外，日本人并不了解那种三世因果、轮回报应的观念，他们中间除了少数人之外，大都不认为死后有什么报应、天堂、地狱等说法。

就像那些看重耻辱的部落或民族一样，耻感在日本人生活中占有很大比重。每个日本人都十分看重别人对自己行为的评价，所以他必须事先推测别人会如何评论自己，然后再针对别人的反应，将自己的行为做相应的调整。

因此，当许多人按照统一的游戏规则并相互支持时，日本人就会无所顾虑地参加；当他们感到这是在履行日本的国家使命时，他们会十分狂热地参加；当他们试图把自己的那一套复制到其他国家时，他们就最容易遭到反抗——在中国，他们“善良”的“大东亚”共荣圈失败了，中国人和菲律宾人的态度让许多日本人感到愤慨。

那些为了求学或经商来到美国的日本人，并没有带着什么“国家感情”，当他们在道德规律不那么严格的美国生活时，往往会痛苦地感到，在日本所受到的是一个细致周到的、"失败"的教育。他们觉得,日本的道德观念将无法成功地传播出去。他们想说的并不是一般所讲的"改变文化对任何人来说都很困难",他们想说的远比这多得多。

与中国人、泰国人相比,日本人适应美国式的生活要困难得多。关键的原因是,日本人是靠一种安全感长大的,只要一切都按规矩办事,就一定会得到别人的认可。可是,当他们看到外国人对那些礼节并不是很在乎时,就感到无所适从。于是,他们千方百计地寻求西方人与日本人生活中的类似细节,当找不到时,就会感到愤慨或惊讶。

▲"密苏里"战列舰上的日本官方代表

三岛女士在她的自传《我的狭岛祖国》中,就成功地描写出她在道德规则比较宽松的文化里的感觉,写得真的非常好:

她十分想到美国留学,千方百计说服了她的保守家庭,然后排除了"不愿接受恩惠"的观念,接受美国奖学金,终于进入到卫斯理学院学习。

她说,老师和同学们对她都特别热情,但这一切使她感到很不安。她说:"日本人的共同特点就是以自己的品行没有缺陷而感到自豪,而我的这种自豪感却受到了严重伤害。我不知道在这里应该怎样去做,周围的一切似乎都在嘲笑我以前所受的教育。我为此感到很懊恼。除了这种既模糊又深刻的懊恼之外,我的心中再也没有别的情感了。"

她感到自己"就像是一个从别的星球掉下来的人——原有的感觉和情绪在这里都派不上用场。日本式的教养是要求每一个动作都要文静,每一句话都要符合礼节，这使我在现在的环境中极其敏感，令我在与别人交往中常感到不知所措，十分茫然”。

经过两、三年时间，她才逐渐摆脱紧张状态，并开始接受别人善意的帮助。她认为，美国人是生活在一种“优美的、亲密的感觉”之中，而这种亲密感，“在我三岁时，就被认为是不礼貌，被无情地扼杀掉了。”

三岛女士把她在美国认识的日本女孩和中国女孩比较了一番，结果她发现，美国对这两个国度的女孩影响很不相同。“与中国女孩相比，日本姑娘缺乏那种沉着风度和社交能力。这些上流社会中的中国姑娘，每个人都具有近似皇家贵族般的仪表，好像她们才是这个社会的真正主人似的。我感觉到，中国女孩才是世界上最文雅的人，哪怕是在高度机械化的文明中，她们也没有太多的改变，她们是那样安详与沉着。比较起来，日本姑娘只有怯懦和拘谨，这种强烈的对比显示出，由于社会不同所产生的根本差异。”

与许多日本人一样，三岛女士感觉就好像网球名将参加棒球游戏，所有的好技术都派不上用场，过去所学的东西也不能在新的环境里发挥作用，她在日本所受过的道德准则的训练毫无用处，美国人根本不需要那一套。

一旦日本人接受了美国那种不太烦琐的行为规则，哪怕只有一点点，他也无法再过日本那种规矩机械的生活了。这些人把过去的生活有时说成是“失乐园”；有时说成是“牢笼”；有时说成是“镣铐”；有时又说成是栽在花盆里的小树——只要这棵小树的根还在花盆里时，就是一件增添情趣的盆景；如果移植到地上，就再也不是过去的盆景了。

他们已经感到，再也不能成为日本家庭或花园里的点缀品，再也不能适应往日的要求了。他们，曾最艰难地经历过日本道德的困境。

第十一章

自律

在外国人眼里，一种本土文化的自我修养，可能说不上有什么特殊的意义。修养的方法本身其实很简明，但为什么要给自己添麻烦？非要把自己吊在钩子上？为什么要气沉丹田？为什么让自己过得很苦却不愿意花一分钱？为什么只是注重修炼一项苦行，而在别人认为是很重要的、应当修炼的某些行为却一点也没有得到克制呢？特别是对那些在本国从没有学过修养方法的人来说，当他来到非常依赖修养方法的国家时，这就很容易产生许多误会。

美国自我修养的方法或传统并不发达。美国人的理解是，如果一个人能在生活中找到可以实现的目标，他就会在必要时锻炼自己，以求达到自己的目的。

要不要进行锻炼，则取决于他的志向和良知或韦伯伦所说的“职业本能”。他可以接受严格的纪律成为一名优秀的足球运动员；也可以放弃该享受的娱乐，成为一个好的音乐家或者取得事业上的成功，因为有了良知，所以他能摒弃邪恶和懈怠。

在美国，自我修养不像数学那样单纯，可以不考虑对特殊事物的影响，而仅仅作为一种单纯的技能来学习。如果说美国也有人教授这种修养，那只有欧洲某些教派的领袖，或传授印度修炼方法的印度教牧师。就连基督教的圣特丽莎、圣胡安所传授的冥想和祈祷式的宗教修行，在美国也几乎快要找不到了。

可是在日本人眼里,参加中考的少年也好,参加剑术比赛的人也罢,就是过着上流生活的人,也都必须在考试所规定的特定内容之外,进行自我修养的训练。考试成绩再好、剑术再高、礼貌再周到,你都必须放下书本、竹刀或社会娱乐,进行特殊的自我修养训练。

当然,并不是所有日本人都接受神秘的训练。但是,那些不修行的日本人,也承认自我修养的术语和方法在现实中的地位。不同层次的日本人,都会运用这种十分流行的有关自我克制的概念,来判断自己和别人的行为。

在日本人那里,自我修养的概念大体有两种:一种是培养能力的;另一种要求更高,我称它为“圆满”。在日本,这两者的区别在于产生不同的心理效果,有各自不同的根据,并通过不同的外部特征来区分。

第一类,就是培养能力的自我修养。这类事例在本书中已经讲了很多,比如那位陆军军官在谈到他的士兵演习时(长达六十个小时的演习,中间只有10分钟的休息)说:“因为所有的士兵都知道怎么去睡觉,所以我们军训的目的就是,训练他们如何不去睡觉!”

在美国人看来,这未免过于偏激。他的目的仅仅只想培养一种能力,而不顾及心理感受。他所讲的是一种日本公认的精神驾驭术。也就是意志应当控制几乎可以经受一切训练的肉体。日本人的整个“人情”理论就是建立在这样的观念上:不管肉体是否许可,都必须服从人生大事。不管肉体本身能否接受或者是否经过训练。最终目的,就是要一个人应当不惜牺牲一切个人修养,弘扬“日本精神”。

不过,日本人这样表述自己的观点似乎有点武断。因为在美国的日常用语中,“不惜任何自我修养为代价”的意思常常是“不惜任何自我牺牲”,而且有“不惜任何自我代价也要克制”的意思。

美国人的这种理念是,所有人从小都必须经过训练以达到社会化,不论这种训练是外界强制性的,还是内心形成意识的训练;也不管是主动接受的,还是由权威强行施予的。只要是训练就会有压抑感,被压抑的人对自己受到限制会感到不满。他必须敢于牺牲,并且一定会激起反抗情绪。这不仅是许多美国心理学家的观点,也是父母教育下一代的人生哲学。

因此，心理学家的分析对我们社会来说，确实有很多正确的道理。例如，孩子们必须准时睡觉，他从父母的态度上就感觉到，睡觉会产生压抑感。所以在许多美国家庭里，孩子们每晚都要吵闹以示不满。母亲还规定他：燕麦粥、菠菜、面包、桔子汁等食物“必须”吃。但是，美国的孩子学会的却是反对那些“必须”吃的东西，他会由此推断：凡是有营养的食物就是不好吃的。

这种例子在日本不会出现，在欧洲部分国家（例如希腊）也是没有的。美国人长大了，就意味着摆脱了食品上的压抑感。大人就可以吃美味的食物，而不管是不是对身体有好处。

当然，这些关于睡眠与食物的观念，与西方人关于自我牺牲的整体观念比较起来，都是属于鸡毛蒜皮，是不值得一提的。西方人遵循的标准信条是：父母付出很多牺牲是为了孩子健康成长；妻子牺牲自己的事业是为了丈夫飞黄腾达；丈夫牺牲自己的自由是为了一家人的生计，等等。

对美国人来说，一种社会如果可以不需要自我牺牲就太不可思议了。但实际上，的确有这样的社会存在。在这种社会里，父母自然而然地疼爱自己的孩子，婚姻生活在妇女们心目中超过自己的事业，承担一家人的生计是男人最喜爱的工作，不管是当猎手还是花匠。这也能说是自我牺牲吗？日本社会就是强调这样的解释，人们也愿意按照这种解释去生活，在他们心目中没有什么自我牺牲的概念。

在其他的文化体系里，只要是美国人觉得是为别人做出“牺牲”的事，总是被理解为是一种交换：要么被看成是有目的的投资；要么被看成是对从前受恩于人的等值回报（或酬谢）。在这种文化里，就是父子关系也是如此：父亲养育幼小的儿子，儿子长大后应该给予老父亲以回报。每一件义务的关系都是一种契约，要求双方同等的对待。一方承担保护的义务，另一方则承担相应的服务义务。只要双方都得到了好处，就不会认为自己的付出是一种“牺牲”。

在日本，为他人服务的背后，当然也有相互的强制力，不仅要等量，在等级关系上，彼此也要承担相对应的义务。这与美国人评定关于牺牲的道德地位截然不同。日本人特别反对基督教传教士关于自我牺牲的说教，他们的观点是，有道德的人，不应该把自己为别人的服务看作是对自我的压抑。

▲ 白领晨跑

一位日本人对我说过："当我们做了你们认为是'自我牺牲'的事情时，我们却觉得这是出于自愿，也会觉得这是正确的，并不会为此感到遗憾。不管我们实际为别人付出了多大的牺牲，我们也不认为这是为了提高自己的精神境界，或者是希望得到某种回报。"

这种以相互义务为核心的日本人的生活方式，当然不会去管其中有没有"自我牺牲"。传统中关于相互义务的束缚力，只会要求他们履行自己极端的义务，不会让他们产生"自我怜悯"或"自以为是"之心，而这种心情在个人主义竞争激烈的国家来说，很容易出现。

所以，如果美国人要弄明白日本这一套所谓自我修养的习惯，就必须对美国的"自我训练"观念进行调整，把美国的"自我牺牲"和"压抑"周围的"附属品"统统去掉。

日本人要想成为出色的运动员，就要进行自我修养（训练），就像打桥牌一样，一点也不会意识到训练是"牺牲"。训练当然是严格的，但这是事情本身所决定的。

刚出生的婴儿虽然很"幸福"，却不具备"体验生活"的能力。只有经过自我修养训练才能生活得很充实，从而快乐地"体验人生"。这种说法常被翻译成"只有付出才能享受人生"。修养能锻炼自己的自制力，这就能使你的人生充满广阔的前景。

自我修养能改善或提升自己驾驭生活的能力，所以日本提倡培养"能力"的自我修养。他们的说法是：刚开始修养时，也许会感到很痛苦，但这种感觉会很快消失，最终他会享受到其中的乐趣，否则他肯定要舍弃这种修养。

学徒要在商业上有出色的成就，少年时要学习“柔道”，儿媳要努力适应婆婆的要求。在刚开始训练时，不习惯的人都想逃避，这能够理解。此时，父亲就会教训他说：“你希望你一生得到什么？要充分体验人生，就必须加强自我修养。如果你放弃了训练，你的生活是不会快乐的。如果你因为没有修养而遭受社会大众的非议，我是不会去管你的。”

用日本人常用的话说，修养就是为了磨掉身上的“锈”，日本人都希望，用修养将人变成一把锋利无比的快刀。

虽然日本人这么强调自我修养对自己的好处，但并不说明他们道德戒律所要求的极端行为很好，不是真正的严重压抑，也不会因此而产生攻击性的冲动。

这种区别，美国人在游戏或体育活动中也能理解到。打桥牌时为了赢牌，绝不会抱怨为此做出的自我牺牲，也绝不会为了成为专家把所花的精力看成是一种“压抑”。尽管这样，医生们还是说，在下大赌注或争夺冠军时，精力必须高度集中，这些与胃溃疡及身体过度紧张有着必然联系。

日本人也有同类事情，不过，由于他们观念的强制力，还有他们坚信自我修养的好处，所以日本人很轻松地就接受了美国人难以忍受的行为，他们远比美国人更加注意力所能及的事情，也不会为自己找任何借口，更不会像美国人那样经常把生活中的不满推到别人身上。他们不会因为没有得到美国人所谓的平均幸福指数而沉浸在自我哀怜之中，他们比美国人更加注意自己身上的“锈”，这就是提倡培养“能力”的自我修养的缘故。

还有一种比培养“能力”境界更高的自我修养——“圆满”。“圆满”修养的技巧，如果西方人只靠看日本人所写的相关书籍，恐怕很难看懂；而专门研究这个问题的西方学者们，却又不怎么重视它。

学者们有时称其为“奇怪的行为”。有一位法国学者甚至认为那完全是“目无常识”，说最讲究的修养的禅宗是“聚集严肃的荒谬之大成者”。但是，日本人试图通过“圆满”修养所要达到的目标，却可以理解。研究这个问题，将对我们说明日本人的精神驾驭术大有帮助。

日语中有一系列的词汇，用来表达自我修养达到“圆满”的境界。这些词汇用途很广，演员用，宗教信仰中也用；剑客用，演说家也用；画家用，茶道宗师照样用；而它们一般都含有相同的含义。

我只举其中一词“无我”为例：它是禅宗用语，在日本的上流阶层非常流行。它所表达的“圆满”境界是指意志与行动之间的一种“没有任何障碍”的体验，就像电流一样从阳极出来，然后很自然地流入阴极。

而没有达到“圆满”境界的人，在意志与行动之间好像有一层绝缘体——日本人把这个“绝缘体”称为“观我”或者“有我”。他们经过特别修炼，消除“观我”之后，“圆满”者就完全意识不到自己的所作所为，就像电流在导电体中自然流动，而不需要借助外力。这种境界状态就是“一心”，也就是内心所呈现的想象与他的行为完全一致。

就连普通日本人也想通过努力达到这种“圆满”境界。英国佛教权威专家查尔斯·艾利奥特爵士说过一件事：

有位女学生来到东京一位著名传教士的住所，说要成为基督教信徒。传教士问她为什么，她回答说因为想坐飞机。传教士不理解，让她说说坐飞机与信基督教有什么关系时，她回答说：“听说坐飞机要有一颗非常镇定和临危不乱的心态，这种心态只有通过宗教修炼才能得到。”她心中认为，基督教应该是宗教中最好的宗教，所以前来向传教士求教。

日本人不但会把基督教与飞机相联系，还会把“镇定”、“遇事沉着”与考试、演讲、从政相互联系。他们认为，培养“一心”能力对从事任何事业来说都有好处，这是不容置疑的。

世界上，许多国家的文明都在发展这种技巧训练，但日本人训练的目标与技巧很完善，他们有自己完全独特的个性。因为在日本的修养术中，很多是来自印度的瑜伽（意为结合）派，这就更有另一番趣味了。迄今为止，日本的催眠、全神贯注以及自我控制的技巧中，仍然与印度的修行方法有着紧密的联系。

日本像印度一样，同样注重“空灵（心中无念）”和“身静（身体不动）”，无数遍地重复念诵同一句话，或者全神贯注在一个选定的目标上。就连印度的某些术语，日本也还在使用。不过，日本的修养术与印度的修养术只有这些表象的共同点，真正的内容和技巧几乎没有共同的地方。

瑜伽派是印度一个非常讲究禁欲苦行的教派，它认为只有禁欲苦行，才能从轮回中获得解脱（即涅槃）。除了这种解脱之外，人们就没有其他的获得解脱的方法了。在这里，要解脱的障碍是人的欲望，人只有通过饥饿、受辱和苦行才能消除自身的欲念，这些禁欲方法可以使人超凡脱俗，获得灵性的解脱，达到天人合一的境界。

瑜伽修行是一种消除欲望、逃脱苦海、控制精神能力的方法，而且认为越是苦行，就越能尽快达到目标。

日本则没有这种哲学思想。虽然日本也是佛教大国，但日本佛教信仰里却没有轮回和涅槃的思想。尽管有少数僧侣赞同并接受了这种教义，但仅此而已，轮回和涅槃的思想从来就没有对日本民间的思想习俗产生过影响。日本人并不认为，不杀生是因为人死后转世后会变成鸟兽虫鱼，在葬礼或诞生仪式上也没有轮回思想的体现。轮回与涅槃都不是日本的思想模式。不但普通民众没有这种思想，就连僧人们也将轮回与涅槃改造得面目全非，直至消失。

日本高僧们肯定地说，人一旦“顿悟”了，也就已经到达涅槃境界，就是在此时此刻，人在松树和小鸟那里都能“见到”涅槃。

日本人对死后的世界从来不抱有空想。他们的神话都是关于神的故事，而不讲已经死去的人。甚至佛教关于死后因果轮回报应的思想，都遭到了他们的拒绝。他们的认识是，不管高低贵贱，哪怕是身份最低贱的人，死后都能成佛。日本人把供在佛龛中亲人的灵位称为“佛”，这种称呼方式在佛教国家中是罕见的，没有第二个。

给一般死去的人用如此高贵的尊称，也可以理解，这样的日本人当然不会去追求来世涅槃。如果一个人怎样都能成佛，那么就不需要让肉体终生受苦，去努力地达到那种绝对静止的目标。

与轮回、涅槃一样，日本的教义也不认为肉体与精神不相容。瑜伽修行的目的是消除欲望，而欲望是寄生在肉体之中。

日本人却不这么认为，他们觉得“人情”并不是恶魔，肉体享受的乐趣也是生活智慧的一部分，唯一的条件是，肉体必须要随时为人生的重大义务做出牺牲。所以日本人这一理念在对待瑜伽修行方面，使他们从逻辑上扩展到了一个极端:不仅排除一切自虐性的苦行,甚至这个教派在日本也成了非禁欲主义的教派。

日本的"觉者"虽然称为"隐士",过着隐居的生活,但一般都是与妻子安逸地同住在风景美丽的地方,娶妻生子和超凡入圣丝毫没有冲突。在日本最通俗的佛教净土真言宗中,僧人可以光明正大地娶妻生子。

日本从不轻易接受精神与肉体不相容的说法,认为只有冥想修行和生活朴素才能获得"顿悟入圣"的境界,并不在于破衣烂衫、不沾声色娱乐。所以,日本的高僧们可以整日只是吟诗品茶或观花赏月。现在,禅宗甚至告诫信徒们,要避免衣着、饮食、睡眠三种不足。

日本也不存在瑜伽哲学的最终信条:神秘主义的修行。瑜伽哲学认为,可以把修行者引导到一种无我的天人合一的境界。只要是实行神秘主义修行方法的人,不管是原始部族的人、伊斯兰教的阿訇、印度瑜伽修行者或中世纪的基督徒,虽然他们的信仰各不相同,但都会异口同声地说达到了"天人合一"的境界,体验到了人世间所没有的快乐。

虽然日本也有神秘主义的修行方法,但是没有神秘主义。这并不意味着他们不会进入禅定(身心合一的一种境界),他们也能进入禅定。但是,他们不把它称之为"超凡入圣",只把这种境界看作是修炼"一心"的手段。

而其他国家的神秘主义者说,禅定时五官将停止活动,但是日本禅宗的信徒却认为,进入禅定会使"第六感官"非常灵敏。"第六感官"位于我们心里,通过训练后,"第六感官"可以支配通常的五官。但是,味觉、嗅觉、触觉、视觉和听觉(五官)经过特殊训练才能进入禅定。

所以,日本的禅宗信徒要练习听无声的脚步声,并能准确地跟随脚步声,或者能在三昧(意译为"正受"或"正定")境界中仍能辨别诱人的味道。眼、耳、鼻、舌、身都是辅助"意"这个第六感官,人要在这种禅定的境界中,使自己的感官都变得很灵敏。

这对于任何重视超感觉经验的教派来说,都是非常特殊的。甚至在进入禅定状态时,修禅者也并不想超脱到自身以外,而是像尼采描述古希腊人时所说的那样:"保持自己原来的样子,保留自己市民的身份。"

对于这种见解,日本那些有成就的佛教高僧的言论中,有过很多生动的表述。其中，描述得最精彩的是日本高僧道元（他在13世纪时从中国传入曹洞宗，至今，该宗仍然是日本最有势力的禅宗教派）。他在谈到自己悟道时说："我只知道眼睛是横在鼻子上的……禅的体悟没有什么神秘可言。就像时间的自然流逝……太阳升在东方，月亮沉落于西方一样自然。"

日本禅宗著作认为，除了培养自我修养的能力以外，"禅定"不能培养别的什么能力。一位日本佛教徒曾写道："在瑜伽派里，认为冥想可以获得超自然的能力，禅宗则不赞同这种荒谬的说法。"

▲ 镰仓大佛

印度瑜伽派的各种基本观点，就这样被日本人完全否定。日本人很喜欢设定某个界限，这让人想起古希腊人。他们认为瑜伽派的修行方法是追求自身修养的方法，或者认为是达到"圆满境界"、身心无碍的一种方法。这是一种自己锻炼自己的训练，它的回报也是及时的——因为它能使人们恰到好处地、用最有效的方法来应付任何局面；它能控制自我，令人不急不燥，无论遇到任何危险都能镇定下来。

当然，这种训练不但对禅僧有帮助，对武士也很有帮助。实际上武士们的信仰往往就是禅宗。从禅宗对日本发生影响之时开始，武士就用这样的神秘主义来训练自己的打斗能力，而不是让它来体验心性，这种现象在任何地方都很难看到。

12世纪时，日本禅宗的开山祖师荣西的重要著作就名为《兴禅保国论》。而且，禅宗还训练武士、剑客、政治家和大学生，以求达到较高的成就。正像查尔斯爵士所说的，从中国禅宗史上，很难预见禅宗传到日本后，竟然成为军事训练的手段。"禅宗与茶道、能乐一样，完全日本化了。可以想象，在十二三世纪的动乱岁月里，这种主张直见本心、不立文字的神秘的、冥想的教义，会在避世独居的僧院中流行开来，却不想到武士阶级会把它作为生活准则并加以遵循，但事实的确如此。"

日本有很多宗教派别，包括佛教和道教，都十分强调入定、催眠、冥想等非常神秘的修行方法，某些教派甚至将这种修行的成果当成是上帝给予的恩赐。这些修行的理论基础建立在"他力"上：必须依靠上帝（他力）进行修炼。

而有些教派则主张依靠自己的力量修炼，禅宗就是如此。禅宗认为，修炼要靠自己帮助自己，人的潜力仅仅存在于自己身上，只有靠自己的努力才能修炼成功。

禅宗的这种教义十分符合日本武士们的性格。所以，他们不管是身为僧侣、政治家还是教育家（日本武士基本都从事这类工作），都以禅宗的修行方法来进行修炼，以加强自己朴素的人生观。

禅宗的教义非常明确："禅宗所追求的，是在求得自身的光明，不能有任何阻碍，要消除修炼过程中的一切孽障……见佛杀佛，遇祖灭祖，逢圣去圣,只有这一种办法,可以修炼圆满。"

真正探索禅宗真理之人,不会接受自身之外的东西,不管是佛祖教诲、前辈经典还是各种神学,他们认为"三乘十二因缘教,都只不过是一堆废纸"。当然,这并不是说研究经典一无是处,而是强调自身开悟的灵光,只有自身灵光闪现,才能使自己开悟。

有一本书记载了一段禅宗故事:

弟子请求师父讲解《法华经》。师父讲得十分透彻,谁知弟子却很失望:"我还以为学禅的人都看不起经典、理论和逻辑呢!"

师父说:"学禅的人并不是一无所知,只不过相信真知并不在所谓经典之中。你不是来求得真知的,不过是来问询经典而已。"

禅师们教给弟子的修炼方法,是要使弟子求得真知、获得顿悟。这种教诲既有肉体的,也有精神的,无论是哪一种,都必须在内心的意识中获得效果。

例如,日本的剑客修禅时,也必须经常练习刺击的基本功,但是练习基本功只是属于能力范围,剑客还必须懂得"无我"。刚开始时,剑客先被命令站到地板上,全神贯注地注视着脚下几方英寸的地板;一段时间后,脚下这块小地板逐渐升高;天长日久,剑客站在四英尺高的柱子上,就像站在庭院之中一样自如。

当剑客能够很坦然地站在柱子上时,他就获得了真知并且顿悟了,他的心就会被自己真正控制,不会再因为站在柱子上而头晕目眩。

日本剑客的这种立柱术,实际上是从西欧中世纪圣西蒙派的立柱苦行术变化而来的。并使其成为一种很有目的性的自我训练方式,在这时,立柱术就不再是所谓苦行了。

不管是修禅还是农村中的许多生活习惯,许多肉体的训练都经过了日本人这种改造。世界上许多国家,都有在冰水里潜泳或者站在瀑布下的苦行修炼方式,有的是为了将肉体进行锻炼;有的是为了让上帝怜悯自己;有的则是为了麻痹自己。

但是,日本人所喜欢的这种耐寒修炼,要么是在凌晨站在(坐在)冰冷刺骨的瀑布里,要么就在冬天的夜里洗三次冷水澡。他们的目的就是为了锻炼自己的意志，直到感觉不到痛苦才算罢休。

修行者所进行的这些修炼，就是为了自己能不受各种外界干扰，继续冥想求悟，当他们感觉不到水冷，或是冬天凌晨洗凉水澡都不发抖时，他们就"圆满"了。除此之外，别无所求。

精神的训练同样如此，也必须自参自悟。有不懂的当然可以请教师父，但是师父不会像西方老师那样进行指导，因为弟子从身外学不到任何有意义的东西。师父可以和弟子进行讨论，但大都不会很温和地引导弟子到达新的境界。

相反，越是粗暴的师父，越是被人们认为有帮助。比如，师父冷不丁地打落弟子刚送到嘴边的茶杯；陡然把弟子摔倒在地；用铜制的如意敲打弟子的手指关节，等等。弟子会在这刺激中像被电着似地豁然开悟。因为师父的这种教导方式打掉了弟子的执著。在僧侣的言行录中，记载了很多这类故事。

为了使弟子尽早开悟，最常用的一种方法就是"公案"，按文字理解，公案就是"问题"。相传有一千七百个。在禅僧的记录中说，有的人为了解决一件公案，竟然经过七年！

其实，公案的目的并不是为了得到合理的答案。像"想象孤掌独鸣"、"思寻父母未生我之前的本来面目"、"背着尸体走路的是谁"、"朝我而来者是谁"、"万物归到一处，一又归到何处"，如此等等。

这些公案在中国十二三世纪之前就曾经有过，日本在引进禅宗时就引进很多公案。现在中国的公案已经看不见了，在日本却是修炼者达到圆满的重要训练手段。在禅的入门书籍中，也十分重视公案。

在公案里，隐藏着人生的困境，解决公案的人就像"穷途末路的老鼠"、"想吞下热铁球的人"或"想叮铁牛的蚊子"。修炼者忘我地、加倍地努力着，挡在心灵与公案之间的"观我"屏障终于被打破，就像一道闪电，心灵与公案合而为一，修炼者就达到了"顿悟"的境界。

看到这些令人紧张的努力描述之后，在这些书中，如果想找到他们费尽心力得到的真理，你就会感到失望。

南岳用了八年时间，解决"朝我而来者是谁"这一公案，最后他终于明白,得到的结果是:"即使这里有一件东西,随后也会失去"。

禅语对人的启示也有一般的模式,从下面的问答中就可窥见一般:

弟子问:"我怎样才能脱解生死轮回?"

师父说:"有谁束缚了你?(就是说有谁把你绑在轮回上?)"

修炼者说自己所学的东西,就像中国谚语所说的"骑牛找牛"。他们需要学的"不是渔网和陷阱,而是用这些工具捕获到的猎物"。用西方的术语来说,修炼者学到的是二难推理,"二难"均与题意无关。关键目的就是要使人顿悟:只要心眼被打开,现有的方法就可以解决问题。一切皆有可能,不需要借助外力,只用在自身即可求得。

公案的意义,在于如何去探索真理,而不在于修炼者所发现的真理本身(这些真理与世界上所有神秘主义者的真理没有什么不同)。

公案也被称为"敲门砖"。"门"就装在没有开悟的人性的周围"墙壁"之上,这种人性很担心现有的手段是不是够用,总是觉得有很多人盯着自己并随时准备褒贬。

其实,这堵墙就是日本人深刻体会到的"耻感"。一旦这扇"门"被"敲门砖"砸开,心灵就会进入自由的天地,"敲门砖"也好,公案也罢,统统都没用了。功课修炼完成,日本人道德的困境也随之获得解脱。

于是,他们拼命钻着牛角尖,为了修行成为"叮铁牛的蚊子",可是到了最后,才蓦然发现,在"义务与情义"之间、"情义"与"人情"之间、"正义"与"情义"之间根本就没有什么死角。他们找到一条出路并获得自由,因此充分"体验"着人生。他们进入"无我"的境界,他们的"修炼"使他们成功地实现"圆满"的目标。

禅宗的权威研究专家铃木大拙将"无我"解释为"无为意识的三昧境界","不用力,无用心","观我"既已消失,人也就"失去了自身",也就是说自己不再旁观自身的行为。

铃木说,一旦意识觉醒,人的意志就会一分为二:行为者和旁观者,这两者之间必定发生冲突。因为行为者的我(即本我)要摆脱旁观者的我的束缚。当顿"悟"之时,修行者会发现,既没有"观我者",也没有"作为不知或者不可知之量的灵体",只有目标和因实现目标而产生的行为,其他的都不存在。

研究人类行为的学者如果变换一下表述方式，就可以更好地表述日本文化的特征。一个人就像一个小孩，他受到许多严格的训练以观察自己的行为，关注别人对自己的评论以判断自己的行为。作为经常反省的自我，他很容易受到伤害，一旦经过修炼升华到心灵的三昧境界，他就消除了这个容易受到伤害的自我，他已经意识不到“他在有作为”。此时，他就会感觉到，就像剑客站在很高的柱子上而面无惧色一样，自己的心性已经修炼圆满。

日本的画家、诗人、武士和演说家们，都采用这种训练，以求达到“无我”的境界。他们学到的不是“无限之境”，而是用有限的、清晰的、不受影响的体验，或者说学会调整方法与目标，以最佳方式或方法达到预期目的。

甚至，没有经过修炼的人有时也会有“无我”的体验。比如：欣赏歌剧戏曲而完全陶醉时，也可以说他没有了“观我”。如果他手里全是汗水，那他会觉得这是“无我”的汗水；飞行员驾驶轰炸机快要接近目标时，那只投弹的手也会渗出“无我”的汗水，因为他没有意识到自己在这件事，他的意识已经没有了旁观的自我；当高射炮手全力在天空搜寻敌人的飞机时，周围的世界已经不在心中，他同样没有了“观我”，流着“无我”的汗水……

日本人认为，只要是达到了这种状态的人，就是进入了最高境界。

上面所说的足以证明，日本人把自我省视或自我监督看成是多么重大的负担。他们以为，如果这种牵挂没有了，就会感到自由并产生更高的效率。

美国人认为日本人的“观我”和内心的理性原则是一回事，所以美国人为临危不惧、保持理性感到自豪，日本人却需要把灵魂升华到“无我”之境，忘记自视的束缚，才会感到能解脱一切。

我们可以看出，日本文化在反复地向人们的心灵灌输谨慎细心的理念，而且他们还以辩解的口吻断言：一旦这种心理束缚和压力消除了，人的意识就会达到一个更有效率的境地。

日本人表达的这种信念是很极端的（至少在西方人听来是这样），他们会高度赞扬那种“像死了一样活着”的人。如果硬要译成西方语言，应该就是“行尸走肉”，无论在西方任何的语言中，这句话都让人感到厌恶。

西方人讲这句话，是说一个人已经没有生命力，只剩下一付躯体；但日本人说“像死了一样活着”，是说这个人已经达到“圆满”的高级精神境界了。他们一般是用这句话来劝勉和鼓励别人的：

青少年面对烦人的中考时，别人会这样劝他：“你就当是死了一样什么都别怕，就容易通过。”

▲“生命，如鲜花般脆弱，
今日怒放，转瞬凋零。
怎能希望花儿的芬芳，
长留不散？”
这是大西泷治郎中将作的一首俳句。大西中将就是神风特攻队创建者之一。
图为神风队员起飞执行自杀任务之前合影。

在鼓励别人做大买卖时也是这样说：“就像死了一样，只管干。”

当一个人陷入严重的精神痛苦中时，他也会劝自己“像死了一样活下去”。

日本基督教领袖贺川丰彦在战败后被选为贵族院议员，他的自传中就有这么一段话：“他就像是被鬼缠身，每天躲在房间里哭泣。他歇斯底里的爆发性的哭泣持续了一个半月，他的心灵最终获胜了……我要身体带着死的力量活下去……他就当已经死于战争之中……他要成为一个基督徒”。战争时期，日本军人最喜欢说：“我决心要‘像已经死了一样’，以报答天皇的恩德。”其实，这句话意味着许多行动，比如：出征之前为自己举行葬礼；宣誓时要把自己变成“硫黄岛上的一把土”；下定决心要“与缅甸的花儿一起凋谢”之类。

“像死了一样活着”的态度也潜藏着以“无我”为基调的哲学。在这种状态下的人没有了自我监视，也没有一切的恐惧和防范之心——他已经是死人了，那还有什么可以担心的呢？死了的人不用再报“恩”或还债，他们“彻底”自由了。

因此，“像死了一样活着”这句话意味着最终摆脱了一切矛盾与冲突；

意味着“我的行动不受任何约束，我可以全力以赴来做这件事了。‘观我’和恐惧的重担都已经不再会阻碍我达到目标；以前我在拼搏时的紧张感和消沉感也已经不见了。现在，我没有什么不能去做的了！”

西方人理解，日本人在“无我”和“像死了一样活着”的习惯中，排除了自己的意识。日本人所讲的“观我”之类，是一种判断自己行为的标准。这形象地说明了西方人与东方人之间的心理差异。

我们美国人讲一个人没有良心，是指他在做坏事的时候心中没有罪恶感；而日本人用这一类词时，却是指这个人不再紧张或心中没有障碍。同一个词语，美国人指坏人；而日本人却是指有能力、有修养、最优秀的好人，是指能完成艰巨工作、大公无私的人。

在美国，要求一个人行善的强大制约力是罪恶感，如果一个人良心蒙蔽，就不会受到罪恶感的制约，成为反社会的人；日本人却不同，按他们的哲学表述，是说人的内心本来就是善的，如果内心的想法能直接付诸为行动，这个人就会很自然地实践善良的道德。

于是，他们通过努力修行，消灭自我因缺陷而生起的“羞耻感”，希望求得达到“圆满”的境界。只有这时，“第六感官”的障碍才会彻底消除，才会从个人意识及所有的矛盾冲突中得到解脱。

如果你没有日本文化的生活经验，你研究日本人这种自我训练的哲学时，就会感到有很多不解之处。就像前面所讲的，日本人那种归咎于“观我”的“耻感文化”带给他们巨大的压力。如果不讲一讲日本人教育下一代的方式，那么你对他们的精神驾驭术的哲学意义就很难读懂。

其实，任何的文化体系，它的道德规范总是世代相传的，不仅仅只是通过语言文字，而且还要通过长辈对晚辈的教育态度来传承。一个外国人如果不研究这个国家的教育方式，那么他就很难理解这个国家生活中的许多重大问题。

到本章为止，我们仅仅从成人的方面，来讲述日本民族对人生的各种态度及观点。了解日本人的教育方式，将对我们理解这些观点有更多的帮助。

第十二章

孩童的成长

无论西方人怎样展开想象的翅膀，也想象不到日本人是怎样育儿的。日本父母在培养孩子适应社会时，一再叮嘱孩子要“小心”、“小心”，要“注意”、“注意”。美国父母并不这么严苛，但他们一开始也告诉孩子，他那一个个小小的愿望并不是至高无上的指令，并不是都必须满足的。美国婴儿一般按时喂奶，按时睡觉，不到时间，再怎么哭闹，妈妈都不理他。稍大一点的婴儿喜欢吃手指，爱摸自己的器官，妈妈会拍他的手指制止他。妈妈外出办事一般不带上宝宝，所以亲子时间还是不多的。该断奶时就忍痛断奶，如果是喝奶粉，父母就不把奶瓶给他。这时，大人开始给孩子添加营养食品，如果孩子拒绝吃，大人就惩罚他。美国人一般会想，美国尚且如此，日本的婴幼儿教育一定更严格，否则日本成年人怎么会如此克制，中规中矩。

但是美国人想错了，日本人育儿并不那么严。日本人的人生曲线和美国人的人生曲线正好反了，它像浅底大 U 字型。两头是婴幼儿和老年人，可以耍性任性，享受自由，随着一天天长大，社会限制也越来越多，越来越严，结婚前后直至整个壮年期，达到顶峰。而后限制又开始减少，自由自在的好日子又一天天增多了。捱到六旬，日本人又复归于婴儿，宠辱不惊了。在美国，人生曲线是倒过来的。婴幼儿管教甚严，越长越大，越管越松，一旦成家立业，就谁也无权管他了。他可以尽享自由，呼啸人生。随着年长力衰，慢慢又成了他人的累赘，这时又要受限制了。按照日本人的 U 型曲线安排人生,在美国人是难以想象的,跟现实整个反了嘛。

美国人和日本人虽然按照相反的人生曲线生活,但他们都能在壮年期投入社会的建设。在美国,以尽可能增加人的自由度来达到目标,日本则尽力限制青壮年的自由,也能殊途同归。青年壮年身体好,活力强,但在日本都左右掣肘,忍辱负重,因为日本人相信,约束是修身良法,修身才能担当大任,而不是自由。所以日本人在生命的旺季必须甘愿受缚,但并不伴随终身,孩子和老头老太太就悠哉悠哉,享受人生假期。

有宠爱孩子习惯的民族,其百姓大多希望生几个属于自己的孩子。日本就是这样的一个民族。为什么要生孩子?因为孩子能给父母带来无限欢乐,美、日家长人同此心。但日本人喜欢孩子的其他理由,美国人民就会说不敢苟同了。比如,没有孩子断了后代,那是人生大失败,美国人就比较无所谓啦。日本男人做梦都想要个儿子,这样才不致身后寂寞,灵前才会有人跪拜。传宗,耀祖,续财,非要个儿子不可。日本的社会传统是,父亲需要儿子,一如幼儿需要父亲。将来,儿子和父亲总要易位,这虽然有点残酷,但日本人认为这不是取而代之,而是求父安心。在一段时间内,父亲仍是一家之长,仍在主持工作,而后才退下来。如果父亲的接力棒传不到儿子手上,那父亲就算白当了。日本人的意识深处潜藏着很强的代际承续观念,以至于日本成年男子在自己的父亲面前,好长一段时间有点站不起来,而且跟西方人不一样,他们一点都不会不好意思。

同理,结了婚的女人希望生个儿子也不只是为了满足自己的母性,因为女性只有做了母亲,在家庭中的地位才能稳固下来。日本人一贯的观念是,女人婚后没有生儿育女就是一个失败者。即使丈夫不把她休了,她也当不上婆婆,也没有儿子的婚事可以让她做主,更没有儿媳妇要看她的眼色,终归在家里是说不上话的。但无论如何自己这一脉的香火是不能断的,这时她老公可能会抱养一个儿子,但也无济于事,改变不了她的地位。所以日本妇女都巴望着自己儿女一箩筐。20 世纪 30 年代上半叶,日本的出生率是 31.7‰,高出人口繁茂的东欧各国,而 1940 年的美国,出生率只有 17.6‰。而且日本女性普遍早育,很多人 19 岁就当妈妈了。

在日本,生孩子和夫妻床上生活一样,是不宜声张的。产妇再怎么痛也不能大声呻吟，以免被人听到。在宝宝出生前，妈妈就要准备好小床，上面还要有新被新垫，比较穷的家庭至少也要把棉被翻新洗净，缝成“新”被，因为新人必须睡新床才吉利。而且宝宝的小被褥还要柔软，不能跟大人的一样。说是婴儿睡自己的床才舒坦，其实日本新生儿与大人分床而睡，是源于一种“交感巫术”理论。宝宝的床和妈妈的床靠在一起，直到宝宝能够表达想跟妈妈一块儿睡时，妈妈和宝宝才睡在一起。有的婴儿一周岁了才会伸手表示意愿，这时，宝宝才有机会躺在妈妈身边幸福地入睡。

婴儿出生 3 天之后，妈妈才给宝宝喂奶，宝宝有时在吃奶，有时只是叼着好玩。母亲也特喜欢给孩子喂奶，日本人认为哺乳是女性最大的生理快感之一。婴儿也在分享母亲的快乐。乳房不仅给婴儿提供营养，而且还传递出喜悦和温馨。出生头一个月，婴儿要么睡在自己的小床上，要么让妈妈抱着。满月后，妈妈抱着孩子到当地的神社里参拜。日本人认为，这时婴儿的生命才真正驻进孩子的体内，此后，母亲就能带着他安全出入了。

通常是母亲用双重宽带将孩子兜在背上，冬天母亲就用外衣把孩子整个裹住。大一些的孩子也常常要背弟弟妹妹，边背边跑垒跳房子，跑来跑去。农家或穷人更需要小哥哥小姐姐照看小弟妹。日本婴儿从小就在人多的环境中长大，很快就显得聪明可人，似乎也高兴地在背上跟哥哥姐姐一块儿玩游戏。日本人把婴儿背着让他伸开四肢，这跟太平洋诸岛等处用披巾裹孩子的方法相似。这里的大人把孩子看作是被动的。用这种方法带出的孩子，随便什么地方用什么姿势都能睡得着——日本人民就是这样长大的。不过，用带子背孩子跟用披巾裹孩子还是有所区别，前者还不至于使婴儿产生完全被动的性格。日本婴儿在背上像只小猫一样趴着，背带非常结实，宝宝必须靠自己把自己摆得舒舒服服的，他很快就学会了怎样巧妙地趴在背上，而不是绑在背上的包袱。妈妈干家务时，就让宝宝躺在床上，出门上街就背上宝宝。妈妈还要不停地逗宝宝，哼曲子，学习各种礼貌动作。妈妈向别人还礼时，也是晃晃宝宝，教他一起致意。总之，日本人讲礼貌从娃娃抓起。每日午后，妈妈都要给宝宝洗澡，把他放在膝上逗着玩。

出生 1 到 4 个月，宝宝要系尿布，尿布好厚好粗，害得不少日本人长大得了罗圈腿，当然这只是一种说法。4 个月后，妈妈开始训练宝宝按时排泄。估计孩子该尿尿了,就抱至室外,"嘘嘘"吹着口哨,一回两回条件反射,宝宝就明白大人要他干什么了,他只好干了。全球公认,日本婴儿与中国婴儿一样,很小就会定时便溺。如有犯规,有的母亲捏屁股惩罚他,更多的妈妈用嘴责备,不厌其烦地把这个不听话的小家伙带到室外勤学苦练。如果孩子大解困难,妈妈就给他洗肠子服泻药,说是这样孩子才舒服。当孩子能够控制排泄时,他就可以卸下尿布重负。日本婴儿一定觉得下身系着一块尿布,要说多难受就有多难受了。它不但厚重,而且尿湿之后老妈还不给及时换。当然,小小的他,还搞不明白学习定时排泄与解除尿布之缚之间的因果关系,他只觉得母亲的命令必须服从,系上尿布例行公事罢了。而且,母亲给婴儿把尿,得托出去一点,手还必须把婴儿抓牢抓紧。如此严格的排泄训练,这个婴儿长大后就能适应日本文化繁复的规则。

日本孩子通常先学话后学走,爬行也不受欢迎。日本传统观念认为周岁以前不应学站学走。只是近十几年,日本政府发行的《母亲杂志》告诉母亲应当鼓励孩子学步,情况才改变了。婴儿学步,妈妈会在他的腋下绕条带子,或用手扶着,引他迈步。婴儿学话开始得更早。当他说出几个单词时,大人逗孩子的话慢慢就有教学目的了。大人不满足于让宝宝偶然模仿几句,而是教他单词、语法、敬语,大人孩子都乐此不彼。

日本孩子刚会走路,就开始捣乱。比如故意捅破窗户纸什么的。大人当然不喜欢,于是就夸大室内危险。他们会告诉孩子踩门槛很危险,一定不能踩。日本房子是靠梁柱架在地面上的。日本人认为孩子不小心踩了门槛,会引起房子变形。而且孩子还不能踩在榻榻米的连接处,更不能坐在那里躺在那里。大人常常吓唬小孩说,过去武士神出鬼没,会从榻榻米的连接处伸出剑来,把坐在那里的人刺死。于是,日本孩子都相信,厚而柔软的榻榻米是安全的,连接处是非常危险的。为了孩子安全,妈妈挂在嘴边的词是"危险"、"不行"。第三个常用词是"肮脏"。地球人都知道,日本家庭非常清洁,日本孩子被训诫得从小讲卫生。

除非妈妈又要生弟弟妹妹了,否则上一个孩子可以一直吃着奶。政府办的《母亲杂志》倡导8个月就断奶,中产阶级的母亲照着做了,更多的妈妈一仍旧习。喂奶吃奶是母子天性,母亲更是感到幸福无比。缩短哺乳期是母亲为了孩子幸福做出的自我牺牲。新潮母亲认同了“长期喂奶孩子身体虚弱”，据此批评传统母亲只顾满足自己快感，所谓断奶失败乃是借口，是妈妈不能自制。故而八月断乳新俗还不普遍。断乳新俗推广不开也是有实际缘由的，那就是日本人民没有给刚断乳的孩子准备好特别的食品。本来断乳婴儿应该代以粥和汤喂养，但日本孩子常常直接从母乳转吃成人食品，而这些食品中又不含牛奶，也没有专门为孩子准备蔬菜。这样，母亲怎么能不怀疑政府的新说法呢？

日本孩子一般什么时候断奶呢？在能够听明白大人对他说的话之后。此前，一家人围坐在饭桌前，妈妈让孩子坐在膝上，给他喂点食物，断奶后就吃得更多了，有的孩子又缠着要吃奶，真是麻烦事多了。为了断奶，有的妈妈不得不在乳头上涂点胡椒。所有的妈妈都有一招，那就是假装嘲笑孩子：再吃奶你就长不大，“看看你那个表弟，已经像个大人啦！他跟你同岁，他就不吵着要吃奶”，“看，那个小朋友在笑你呢，这么大了还吃奶”。于是，两三岁甚至四岁还在吃奶的孩子，一看到大一点的孩子走过来，就会急忙吐出奶头，装着对此没有一点兴趣。

这种刺激孩子，嘲笑孩子长不大的管教方法，不仅用于孩子断奶。从孩子能够听懂大人说话开始，这一招数就常常使用。小男孩哭泣时，妈妈会说：“你不是女孩子吧？”“你是个男子汉！”“你看那个小朋友，他就不哭。”有朋友带着孩子来做客，妈妈有时会当着自己孩子的面，搂着客人的孩子说：“我多想有这样一个孩子呀，他好乖好聪明，你这么大了还调皮捣蛋。”一听这话，她自己的孩子就会扑到妈妈怀里，边打妈妈边哭：“不要！不要！我们不要别人家的孩子，以后我一定听话。”一两岁的孩子吵吵闹闹不听劝时，妈妈就会对客人说：“你把这个孩子带走吧，我们不要他了。”客人也会配合，假装真的要带走孩子。孩子慌了大哭起来，向母亲求救。母亲一看达到目的，一下子温柔起来，把孩子拉到身边，让他保证今后一定学乖。这个把戏有时还用来管教五六岁的孩子。

妈妈有时还会采取这种方法刺激孩子：她转向孩子的爸爸然后对孩子说：“你和爸爸之间，我更喜欢爸爸哦，他表现好啊。”孩子一听嫉妒了，非要插身于父母之间，母亲这时会说：“爸爸不像你，他不会在房间里乱叫乱跑。”孩子争辩道:“我也不会呀!我也不会呀!我要做个好孩子,你现在爱我了吧。”戏演够了,父母相视而笑。无论男孩女孩,他们都用此招。

这些童年经历滋养了日本人成长过程中害怕嘲笑怕被看轻的心理。我们无法确知幼儿是什么时候明白了那是大人在设计耍他,但他迟早会明白的。一旦明白过来,除了感觉被嘲弄之外,还会产生一种恐惧感,害怕失去安全和家庭的亲密。长大被人嘲弄时,还会记起儿时的恐惧。

在2到5岁孩子的心中,家应该是很安全的,他可以在那里面自由自在地生活。因此,父母的嘲弄在这个年龄段的孩子的心中引起的恐惧更强烈。父母之间在体力和感情上是有明确分工的,在孩子面前,他们不是竞争者。妈妈和奶奶持家带孩子,侍候孩子的爸爸。日本家庭中的等级次序非常明显,连孩子都看得出来,长辈比晚辈有特权,男性家庭成员比女性家庭成员有特权,哥哥比弟弟有特权。但幼儿尤其是男孩,则是全家人的宠爱对象。在孩子眼里,妈妈是什么要求都会满足自己的。一个三岁男孩有时会向妈妈发脾气,对爸爸他们是不敢的。被大人嘲弄时产生的怨气和怒气总是冲着妈妈和奶奶而发。当然,也不是所有男孩都有这么大火气。但从农民家庭直至上流家庭,3到6岁孩子脾气大是正常的。他对着母亲又捶又叫,把妈妈的发髻弄乱。这里,虽然是母亲但仍然是个女人,而他虽然只是三四岁的小不点,却是个不折不扣的男人。他甚至可以对母亲随意发作,无理取闹,以此为乐。

面对父亲,孩子就不敢放肆了,相反,一定要表现出应有的尊敬,因为他知道,父亲位居等级阶梯的顶端。用日本人的话说,孩子尊敬父亲是需要学习的,这是一种训练。在日本,父亲极少承担教育子女的任务,几乎比所有西方国家都要少。这项工作落在女人手里。父亲要对孩子提要求了,一般连话都不用说,使个眼神就可以了,最多发表几句训诫之辞,甚至连这也不太需要,因为孩子早乖乖照办了。有了空,父亲也会给孩子制作玩具。孩子好大了,已经会走路了,父亲好不容易才会像母亲那样,抱着孩子四处走走。

爷爷奶奶,孩子也是得尊重的,但也可以向他们撒娇。爷爷奶奶并不亲任管教孩子的角色,有时儿媳妇太宠孩子,他们看不过去了,也会亲自出马调教孙子孙女。这又会带出一大堆的家庭矛盾。奶奶一般整天都跟孙子在一起，婆媳之间的孩子争夺战哪个家庭没有上演过？孩子自然乐意啦，妈妈奶奶都争着爱自己。祖母则把孙子作为压制儿媳的一个手段。儿媳呢？她只有讨得婆婆的欢心了，这是日本媳妇一生的最大义务。爷爷奶奶多爱娇宠孩子，儿媳心里不满嘴上也不好说。经常会有这样一幕：妈妈对孩子说再不许吃糖了，奶奶则又递给孩子一块，还影射说："奶奶给的糖果不是毒药。"而且奶奶还能给孙子一些妈妈弄不到的东西，有更多的时间陪孙子玩。

哥哥姐姐被告知，必须照顾弟妹。在妈妈要生弟弟妹妹时，大孩子明显感受到了"失宠"的危险。他想，今后妈妈的奶和妈妈的床都要让给宝宝了。妈妈也会跟他说，这回你有一个真宝宝，而不是假宝宝了。以后你就不跟妈妈睡而是跟爸爸睡了，这很光荣哦。在准备迎接新宝宝的日子里，小孩跟大人一样兴奋。宝宝呱呱坠地，孩子无比激动，无比喜悦。很快，这种感觉就消失了。但这也是意料之中的事，所以并不觉得难受。接下来，失宠的孩子总想把新宝宝弄到别的地方去，他会絮絮叨叨地向母亲建议："我们把他送人嘛。"母亲回答说："不行，这是我们家的宝宝。我们要好好爱他。他跟你一样呀。你来帮妈妈照顾小宝宝好吗？"这种场景在很长一段时间里会反复出现，母亲并不介意。多子女家庭自动会产生一种调节机制：老大带老三，老二带老四，按间隔次序结成相对亲密的伙伴。直到七八岁前，男女性别对这一安排影响不大。

日本孩子都有自己的玩具。家人和亲友都会为孩子做个"娃娃"或买个"娃娃"，穷人则自己动手，一分钱不花。孩子们让这些娃娃过家家、娶新娘。游戏前，他们还会争论一番，大人是怎样做的，我们跟着学。如果争持不下，就请母亲过来裁决。如果孩子吵起来，母亲就说"宰相肚里能撑船"，大应该让小。母亲的道理是"吃亏是福"，大孩子先把玩具让给小弟妹，一会儿他们就玩腻了，玩具不又回到你手上了吗？对于母亲这个处世哲学，三岁孩子很快就会领会。日本有一种主与仆游戏，母亲也建议大孩子当仆人，当仆人有当仆人的乐趣呀，皆大欢喜多好呀。在日本，成年人也信"吃亏是福"。

训诫与嘲弄之外，日本育儿术之一是引诱孩子分心。不时给孩子几颗糖果，就是这一技术的应用。孩子快上小学了，父母还会运用各种方法开始“治疗”。如果孩子脾气犟，不听话，爱吵闹，妈妈就会带他到神社或寺庙里，妈妈的心态是“求求神佛给治疗吧”。通常这会变成一次快乐的郊游。负责“治疗”的神官或僧侣，表情严肃，问孩子生日是几号，有什么不乖。而后退到后院祈祷，再回来时则宣布：病已治好。比如，他会说孩子淘气是因为肚里有虫子，于是举行仪式，为孩子袯除虫子，即刻可以病愈回家。日本人认为此法“短时有效”，誉为“良药”。还有一种“灸疗”，实际上是对孩子严厉体罚，日本人却认为这也是一种“治疗”。在圆锥形容器内装上一种叫“灸”的粉末，置于孩子皮肤上燃烧，过后皮肤会留下一个疤痕，终生不褪。“灸疗”古时盛行于东亚，日本也用此法治疗各种疾病，包括“脾气暴躁”和“固执”。六七岁的“淘气包”，妈妈或奶奶会对他施以“灸疗”，一次不改再施疗救，再调皮的孩子也很少施治三次的。美国人说，“你这么做，看我揍你”，是一种惩罚，“灸疗”不是惩罚，但比挨打更难受。于是孩子懂了，捣蛋没有好果子吃。

除了以上对付顽童的办法以外，还有许多风俗习惯用以锻炼孩子体能。他们强调，指导者必须手把手地教孩子动作，孩子必须一丝不苟地模仿。两岁之前，父亲要指导孩子练习盘腿端坐：两膝内曲，足背贴地。刚开始孩子一盘腿就向后倒。端坐必须身子平稳，不能乱动，不能变形。日本人说端坐的诀窍是全身放松，再放松，处于被动状态。除了坐姿还要学习睡姿。在日本，妇女如果睡姿不雅是很不好意思的，其性质之严重，相当于美国妇女春光外泄，裸体被窥。日本政府曾为博取外邦人士对其文明程度的承认而将裸浴列为陋俗。此前，日本人并不以在他人面前裸体入浴为羞，却特别看重女性睡姿。女孩必须两腿并拢挺直而卧，男孩则可以睡成一个仰八叉。这是早期训练男女有别的规则之一，如同其他规则一样，对上层社会严，对下层社会松。杉本夫人自述其武士家庭教养训练时说：“自记事起，晚上我总是静静地躺在小小的木枕上。武士之女在任何时间地点，甚至在睡眠中都要身心静如止水。男孩子可以摊开四肢呈‘大’字形，或爱怎么睡就怎么睡。女孩子则必须庄重、优雅地曲身而成‘**き**’字形，以期体现一种自制精神。”日本妇女告诉我，小时候她们睡觉前，妈妈或奶奶

▲日本浮士绘大师歌川国芳笔下，屠杀一样惊艳。

都会教她们摆正姿势。

学习传统书法，老师也是握着孩子的手描字。这可以让孩子"体验感受"。在孩子不会认字当然更不会写字之前，就让他们体会那种一板一眼、一笔一划的运笔特点。这种教学法在现代大班制教学中已不常见但仍然存在。总之，教孩子鞠躬、用筷、射箭，背个小枕头当娃娃，日本大人都是亲身示范，亲手纠正。

除了上流社会的子女，多数孩子上学前就跟左邻右舍的小伙伴玩作一团。农村孩子不到3岁就结成一个个游戏团伙。乡镇和城市的孩子，在人来车往的街头自由穿梭照玩不误。这些孩子有些特权，他们可以在商店里瞎转，在一旁听大人说些什么，玩跳房子，踢橡皮球。孩子最喜欢聚集在村里的神社前嬉戏，说是本村的神灵会保佑他们。上学前或小学低年级，男孩女孩常常玩在一起，但同性伙伴或同龄者会更亲密。这样，穿着开裆裤一起长大的小伙伴，尤其在农村，其情谊几乎可以保持一生，远非其他关系可比。在须惠村，上了一些年纪的人，随着性生活的逐渐淡出，同龄的童年伙伴的聚会成了人生最大的乐趣。须惠村有一句俗语说："玩伴更比老婆亲。"

学龄前玩伴之间的游戏往往是百无禁忌的，有些玩法在西方人眼里甚至是猥亵的，但孩子们一点儿也不害臊。在日本，大人之间的谈话并不回避孩子，而且家庭居住空间狭小，孩子多少都了解一些性知识。妈妈为孩子洗澡，逗他们玩，也会触弄孩子尤其是男孩子的生殖器。只要不是场合不宜或玩伴不当，大人并不责备孩子们玩性游戏，也不认为手淫有什么危险。孩子们一起玩常常自夸，或互相揭短。大人见到了只是笑笑说："小孩子嘛，是不知羞的。而且，这就是他们的乐趣呀。"孩子与成人的区别正是在此。谁要是说哪位成年人"不知天下还有'羞耻'二字"，就是对那人的最大侮辱了。

这个年龄段的孩子常常互相攀比各自的家庭，看看谁更阔。"我爸爸比你爸爸牛多了"、"我爸爸比你爸爸聪明"，都是孩子们经常说的话。更有甚者，嘴巴上谁也不服谁，不惜动武，各护其父。美国人对这些是不当一回事的。可在日本，孩子们的这种表现和他们的耳闻目睹正好相反。大人称自己的住所是"寒舍"而称别人的住家为"府上"。日本人公认，幼儿期的孩子，从结成玩伴到小学三年级9岁左右，是强烈地以自我为中心的。他们时时会这样争吵："我来当主人，你是我的兵"，"不要，我才不当兵，我要当头。"总之，童言无忌。等到慢慢长大，他们知道了社会需要他们说什么，他们知道了有些话不能说，他们终于静下来了，有人问话才答腔，"肆无忌惮"的童年结束了。

对超自然的神灵应如何抱有正确的态度，孩子们是在家庭这个课堂里学会的，神官和僧侣并不直接教导孩子。只有在民族节日或祭日里，孩子才正式地接触宗教，他们和所有参拜者一起参加袚灾驱邪仪式，他们和家长一起参加佛教礼仪。在以佛坛和神龛为中心的家庭祭祖活动中，孩子们获得了最为深刻的宗教体验。在供奉着先祖牌位的佛坛前，摆着鲜花、佛香和含义特别的树枝，每天还须供上食物。家中长辈每天跪拜，向祖先报告家里发生的大事，晚上点起一盏油灯。人们通常不愿在外留宿，说是看不到家庭的守护神心里发虚。神龛无非一个简单的棚架，供着从伊势神宫取回的符咒之类。此外，厨房里有满是油烟的神符，窗上墙上也贴满护符。这些都是家的守护者，可以确保全家安全无虞。还有一个安全的地方就是本村的镇守神殿，慈悲的神祇坐镇在此守护着整个村子。母亲最喜欢放孩子们去神殿里玩了。孩子们心里并不怕神，也没有要求他们的言行必须符合神意。神只是接受礼拜，并赐福于人。神并不是握有大权的专制者。

男孩入学二三年后，按照成年人的规范训练孩子的工作正式开始。此前，孩子学习约束自己的手脚，勿使乱跑乱动。如果他太闹，父母就"治疗"他，让他分心。有和蔼的规劝，也有令人难受的嘲弄。有时也被纵容，比如对母亲无礼。他的自我中心意识仍在滋长，即使上了学也没有大的变化。一到三年级是男女合班，不论是男老师还是女老师都很爱学生，跟孩子们亲密无间。这时，老师和家长一再叮嘱孩子，不要让自己陷入"窘境"。孩子年幼尚不知"羞耻"，但已可以引导他们产生"难堪"意识。比如，"狼来了"的孩子就在撒谎，捉弄别人。如果哪位孩子也这样骗人，大家都会不理他的。这就是一件使自己"难堪"的事。许多日本人承认，自己做了错事，首先被同学嘲笑，而不是老师或家长。确实，这时家长的工作不是嘲弄自己的孩子，而是告诉孩子被人嘲笑是因为自己未能践履对社会的情义。待孩子6岁左右，忠义献身的故事中所倡导的义务，渐渐变成了孩子的一系列行为规则。规则众多，且因时因地而异，大多数规则与礼仪有关。这些规则要求每个人履行渐次扩大的对邻居、家族和国家的义务。孩子们必须学会克制自己，必须明白自己的义务，从而逐渐进入欠恩还债的社会位置，今后若要清还社会的恩情，就必须时时处处谨守社会规范。

幼儿期的嘲弄教育在这时代之以新的严肃的态度。八九岁时，孩子犯了错，家里的人就动真格地批评、排斥他了。如果老师报告孩子不听话，操行不良，家里的人就会对他进行“冷处理”。如果哪位店主指责孩子捣了蛋，那就是“家名受辱”，全家人都会一起批评他。我认识两位日本人，他们在10岁前，就曾两次被父亲逐出家门，也无颜到亲戚家借住，只好露宿窝棚，还是母亲发现经过调解才得以回家。有时，小学高年级的孩子被关在家里“悔过”，认真地写日记。对于写日记日本人是十分郑重其事的。总之，男孩对外就是家庭的代表，他被社会批评，全家人就一起批评他。他未能履行对社会的情义，家长、玩伴、同学就都不理他。只有他认了错并且发誓不再重犯，才能重新回到集体中。

正如杰佛里·格拉所说的：“必须强调一点，从社会学角度分析，上述种种约束机制达到了相当的强度。在大家族制或各种群体活跃的社会里，当一个群体成员受到其他集团的非难时，群体会团结起来保护自己的同伙。只要能继续获得本群体的认可，在遇到外来攻击时，他相信同伴会坚决支持他，他就敢于对抗所有的人。在日本，情况正好相反。一个成员要在本群体站稳脚跟，却必须先获得其他群体的认可。如果遭到外人的批评，自己人反而会群起而攻之，直到他痛改前非，其他群体不再批评他了，事情才算完。在日本，重要的是每个人都必须获得外部世界的认可，这是其他任何社会都没法比拟的。

在这个年龄段之前，男孩女孩所接受的行为规范训练的细节不同本质无异。女孩所受约束相对比男孩多些，也更多做些杂事，当然，男孩有时也被派活，负责照看更小的宝宝。分配礼物和获得照顾时，她们往往也要吃点亏。她们也不能像男孩子那样耍脾气。不过，在亚洲各国中，日本女孩已经是相当自由的了。她们可以穿鲜艳的衣服，可以跟男孩子在街上追逐嬉戏,而且常常不服输。她们在幼儿期也“不知耻”。6岁到9岁,跟同龄男孩一样,她们也慢慢明白了自己的社会责任。9岁以后,男女分班。男孩非常看重小哥们儿的义气,他们抱成一团,排斥女孩,生怕被人看见和女孩子说话。母亲也告诉自己的女儿少跟那帮野小子在一起。这个年龄段的女孩往往郁郁寡欢,不爱活动,父母说话她也听不进去。日本妇女认为女孩的欢乐童年因被男孩子圈排斥在外而告结束。此后的许多年里,她们在人生的道路上,只能“自重再自重”。不论是订婚之时,还是结婚之后,这一诫勉将一直伴随她们。男孩在学会“自重”,明白了“对社会的情义”之后,还不能算习得了日本男子所应负的全部义务。日本人说,男童10岁之后必须学习“对名分的情义”,意思是说,男孩子必须明白受到侮辱必须表示愤慨,这是一种美德。他还必须学习以下规则:什么场合可以直接攻击对手,什么场合可以间接地洗刷污名。我理解,这不是在教导孩子受到侮辱必须反击。男孩小时候就已经学会对母亲没有礼貌,跟玩伴在一起打闹时也少不了互相揭短、自我辩护,没有必要到这时再学习这些了。这时,是要求十几岁的少年其言行必须符合“对名分的情义”所衍发出来的种种规定,从而把孩子的攻击言行导向社会认可的模式,并教给他们具体的处理方法。如前所述,男孩也不例外。

▲ 祈福的女孩哭了

日本人常常把本应施向别人的暴力突然转向自己。小学毕业,孩子们

▲ 小格斗手

马上要面临激烈的升学考试竞争。每个学生在每个科目上都展开竞争，对名分的情义所应承担的责任马上就摆在他们面前。对于升学竞争，他们并无经验，在小学在家里，竞争总是被降到最低限度。现在全新的事态突然来临，孩子们面对竞争忧心忡忡：能否争夺到好名次，怀疑别人是否有猫腻，等等。不过，在日本人回忆少年往事时，印象更深的是中学高年级学生欺侮低年级学生的风气。高年级学生对低年级学生颐指气使，想方设法捉弄他们，比如让他们表演各种屈辱的动作。低年级学生对此恨之入骨，因为这不是开玩笑。一个低年级学生被迫在高年级同学面前，当孙子，表演四脚爬行，事后他会恨得咬牙切齿，发誓一定要报复。但又无法立即报复，就只能怀恨在心。在他心中，报复事关"对名分的情义"，是必须履行的道德责任。也许，此后的哪一年，他会动用家族的力量把仇人从一个高位上拉下来；或者卧薪尝胆，磨砺剑术苦练柔道，等毕业之后在大街上伺机报仇，让那小子当众出丑。总之，此仇未报就是"心事未了"。所以，日本社会竟尚复仇。

那些小学毕业没考上中学的少年，参军受训时也会有同样的经验。和平年代，日本青年四人中就有一人入伍。在部队，老兵对新兵的欺辱比学校里严重得多。军官对此不闻不问。日本军律第一条就是，向军官申诉是丢脸的。士兵之间的争执自行解决。日本军官把它作为磨练士兵"坚强"的一个手段。老兵把郁积了一年的怨恨向新兵尽情地发泄，变着法子欺辱新兵，以显示他的资历。新兵经过此番"磨练"往往变了一个人，成了"真正黩武的国家主义者"。这种变化，不是因为他们中了极权主义国家的毒，也不是受了效忠天皇的洗脑，而是各种屈辱的体验刺激的结果。日本青年在家里接受如何处置各种名分的训练，对"自尊"极其敏感。一旦应征入伍，很容易表现丧失理性。他们不堪其辱，不能忍受那种被排斥的感觉，结果他们变成了以折磨别人为乐的人。

毫无疑问，日本中学和军中诸如此类性质恶劣的现象，源于日本古老的嘲笑人和侮辱人的习俗。日本人对嘲笑和侮辱的反应模式，并不是中学、大学或军队发明的。显而易见，由于存在“对名分的情义”的传统规则，在日本被人嘲弄比在美国难受多了。虽然被嘲弄的群体转而会把自己的怨恨在另一个群体身上发泄出来，但那个被人嘲弄的少年是不会忘掉那个坏蛋的，一定要找到机会报一箭之仇。这与古老日本的复仇模式一模一样。与日本不同，在西方国家，有一种民间惯例是找个替罪羊来发泄积愤。比如波兰，一个学徒被人戏弄后，并不直接找那个对头报仇，而是拿下一批学徒泄愤。日本少年当然也用这种方法，但他们最终还是直接复仇，只有找到这个债主复仇成功，心里才真正舒坦。

在战后日本重建工作中，正在筹划日本未来的领袖们，对日本学校、军队中的这种侮辱习俗应当特别关注。应当弘扬“爱校精神”“校友关系”，消除老欺新、大压小的恶习。军中绝对禁止虐待新兵。老兵应当严格训练新兵，这也是军官的职责，但不能侮辱人、虐待人、戏弄人。在学校和军队中，谁要是再让低年级同学或新兵装小狗摇尾巴，学知了叫唤，别人吃饭他扛大鼎，都必须惩处。这种变化相比否定日本天皇的神性、删除课本中国家主义的内容，它对日本改造重建的效果会更有效。

日本少女并不学习“对名分的情义”的行为规则，没有男孩在中学或军中的那种体验。她们的人生比男性显得缺少变化。自打她们记事起，她们就被教导：凡事先男后女，接受礼品、接受照顾，男孩拥有优先权。她们必须尊重的一条处世规则是：女性没有公开表明自我主张的权利。当然，在婴幼儿时期，她们也和男孩一样无拘无束，特别快乐。这时，她们可以穿鲜红鲜红的衣服，成人后就只能把它压在箱底，等到 U 型曲线的另一个自由期开始，也就是六十岁后才能再穿这种颜色的衣服。在家里，妈妈和奶奶总闹别扭，但她们都宠爱孩子，不管是男孩还是女孩。作为姐姐，弟弟妹妹总是央求她跟自己“最亲”，总是吵着要跟她一起睡觉。姐姐总是把奶奶的宠爱跟年幼的弟妹分享。日本人不喜欢自己一个人睡觉。夜里孩子可以紧挨着年长者睡，孩子心想，这说明他（或她）今天“最疼我”了。女孩八九岁以后就不能跟男孩在一块儿玩了，但她们也是有补偿的。她们可以梳起美丽的发型。14 岁到 18 岁的日本姑娘的发型最为精巧。她们可以脱下棉布衣服，换上丝绸织品。家里人细心地为她打扮，让女儿显出青春的魅力。这样，女孩在心理上也能获得某种满足感。

对于女孩子来说，她们也有义务遵守约束。在父母不强迫的前提下，她们积极地履行这种义务。父母似乎是不怒自威，而不是通过棍棒，来使自己的女儿适应受到限制的生活。

日本父母在教育男孩子养成习惯时，不像教育女孩那样严厉，但也要通过各种训练来让他们养成细致入微的习惯。这样，男孩子们就不会做什么出格的事情。成人以后如何操练那些习惯，就看他们自己了。

父母不会教他们如何示爱，明目张胆的求爱是不允许的。男孩从很小就不能与没有血缘关系的女孩坐在一起。符合日本人希望的做法是，在男孩还不知道性为何物时，父母就要为他找好媳妇。在看到女孩子时，脸红的男孩子是被大人喜欢的。

在乡下，人们总会拿性的话题来让男孩子脸红，可没人去教他们去了解性。很多乡下女孩还没出嫁就大了肚子，不光以前，现在也有。但那些事情因为与婚姻无关，也不被人们看重，也不会影响她们的婚姻。

但在现在，无论身份多么卑贱的女孩，都要知道何为贞操。在中学，男女生有来往是绝对不行的。无论从教育方式上，还是社会舆论上，男女授受不亲是日本人一贯的主张。在日本电影中，随意向女人求爱的男人都不是好东西。而在美国人看来，日本人所谓的"好"青年不过是对可爱的少女态度粗鲁的冷血动物。男孩子热情地向女孩子表达芳心，就会被指责为流氓。在日本人看来，只有追求妓女才需要那种亲昵的方式。

在日本，学习"性事"的"最好"的地方是艺伎馆，因为男人只要坐在一边看着就行了。艺伎会教他们怎么做。因此，他们不用因为自己初出茅庐而惭愧，也不会忍不住与艺伎做爱。但鲜有日本男孩总能光顾艺伎馆。咖啡馆倒成了教会他们求爱的地方。

不过，无师自通的学习，与他们所接受的其他训练根本就是两码事。害怕自己"技术不够熟练"是男孩子心头长久之痛。在他们所学的习惯里，有极少一些是由父母之外的长者教授的，性行为就是其一。身份较高的夫妻在新婚时，会得到名为《枕草子》的“性”书，以及各种“春宫图”。

日本人认为性不需要学习，父亲不必教儿子明白。男孩子长大了就自然知道怎么做了。日本人认为，性行为和修剪花草一样，是看看书就会搞懂的事情。这也实在有点意思，实际上，多数日本男人没有通过正规途径了解性行为。无论如何，他们的父母是绝对不会教给他们的。

在这样的培养模式下，日本的年轻人坚信，性不是重要的事情，是另外一个世界的东西，只要自己摸索养成习惯就可以了。就算有时候他们会对很多东西感到迷惑，甚至不安，但他们也要通过自学“成材”。

性的习惯与其他方面的习惯不一样。结婚以后，日本男子就可以在外面任意地享受性的愉悦。他们认为，这样做不会给家庭带来什么麻烦，同时也不会伤害到妻子。

而当妻子的就没有这些特权了。为丈夫守身如玉才是她们的本分。就算有其他男人向其示爱，她们也只能背着丈夫去偷欢，对于私情，日本女人中很少有能隐瞒的。有人说，情绪波动大的女人是得了歇斯底里症。

对妇女来说，社会生活没有让她们受到挫折，让她们受挫的是性生活。很多妇女因为长期得不到性的满足而发疯，因为她们只能从丈夫那里满足需要。可以说，她们头脑失常的根源来自子宫。如果她们的丈夫另有所爱，那么她们就只能通过手淫来满足自己。无论是乡村野妇还是上层人家的妇女，她们都有自己满足自己的性具。

在乡下，女人在生孩子之前不能随便开性的玩笑，但生过孩子，她们就肆无忌惮了。在生完孩子以后，她们会在男女同时出现的场合开性的玩笑。她们甚至还会伴着下流的音乐淫荡地跳舞。而她们的舞蹈肯定会引起人们的大笑。在有些村庄，服役期满回家的士兵会得到村里人的迎接。那些时候，当了母亲的女人会穿上男人的衣服讲下流话，还要装出奸淫少女的样子。

所以，在性的问题上，日本女人也不是没有自由的。社会身份越卑贱的人的自由度越大。在人生的多数时间，她们要遵守这样那样的规矩，但性事绝不在被禁忌的范围内。

在充当男人的泄欲工具时，她们既保守又放纵。成熟的女人就变得毫无顾忌，身份低微的女人放纵起来，一点都不比男人差。在不同的年纪和不同的场合，日本人对女人的要求是不一样的。而欧美人则习惯笼统地把女人分成两类：贞洁的女人和荡妇。

▲ 谁适为容

不同的情景下，男人有时是放荡的，有时也很小心从事。对男人来说，男人与男人一起喝酒是最大的乐趣，如果有艺伎作陪就更好了。对于饮酒，日本人是不加限制的。日本男人稍喝点酒就会把正人君子的形象抛在一边，闹成一团。就算酒桌上难免有人会吵架，但喝醉了的人一般都不滋事。

除了饮酒，日本男人认为，他们从来不做让人生厌的事情。如果他们在生活的重要问题上有让人厌恶的地方，他们就会被人骂作混蛋。

要想搞懂欧美人介绍的日本人的两面性，可以参考一下日本人的育儿经。正是这种育儿方法让日本人有了矛盾的人生观，而矛盾的每一面都被他们所重视。在很小的时候，他们拥有特殊的待遇，宠爱满身，之后在他们受到的所有教育里，孩提时的美好记忆永远留在他们的心中。他们不去想将来的美好，因为他们曾经历过最美好的年代。童年时代，在他们心目中，永远与善良、悲悯和至高无上的荣耀有关。

他们的道德观念很容易走上极端，即认为所有人死后都能上天堂，都能变成佛或神。顽固和过于自信的思想，使他们会高估自己的能力去做他们做不到的事情。也会让他们在政见上走向极端，乃至与当局势不两立。他们宁可牺牲自己的性命去证明自己的正确。很多时候，过分的自信使他们整个集体都表现出目中无人之态。

日本的小孩在六、七岁以后，会从家长那里学到很多责任，比如谨言慎行和懂得羞耻，这让他们感觉到巨大的压力。这压力是无法逃避，甚至有些残酷的。家长会在他们做错事时责骂他们。

在还能享受特殊待遇的少年时期，这种成长模式已被两件事打下了基础：一是他们在父母顽固的教导下，知道如何上厕所以及采用何种姿势；二是他们经常被父母假装地丢弃。这两件事，让日本的小孩时刻都准备着被严加管教，否则他们就会成为笑柄，甚至被排斥。

进入少年时代，他们再也不能像小孩子那样不加约束地表达自己的想法。他们要面对的，将是正经八百的世俗生活。孩提时代那些待遇的失去，也使他们开始学会享受成年后更大的乐趣，不过小时候的记忆是永远不会抹去的。

在以后的人生路上，他会随时保留这童年生活的经验。孩提时代的经验充斥着他以后所有的生活，就算在性行为上，也不例外。

对日本的小孩子来说，让同伴认同自己的重要性是不言而喻的，这也贯穿了整个童年生活。这并不是上纲上线的道德准则，但其对孩子们的影响是深远的。在幼年时期，小孩学会撒娇后，就会要跟妈妈睡在一起，也会跟家里其他孩子比谁的糖多，从而证明自己是否是妈妈最爱的一个。

别人的漠然是最让他们受不了的。他们会经常问："你是不是最爱我？"长大一点，他就把别人的夸奖看作比个人的满足还要重要的东西，而被人耻笑对他们来说是最要命的惩罚。当然，世界上很多民族的文化都会对儿童附加这样的压力。但日本孩子的压力更加沉重。

对孩子们来说，不被人理睬的感觉，就好比要被妈妈丢掉不管一样可怕。所以，在他以后的人生道路上，他们宁可被打一顿，也不想被同伴置之不理。

对于被抛弃和被耻笑，他们有着相当脆弱的神经，就算想想也是要命的。事实上，因为几乎没有什么隐私能留在日本社会，每个人的行为也就基本暴露在日光下了。得不到赞同，就等于被抛弃了。日本的房屋结构也注定了这一点。没有隔音效果，白天又不闭户。对于没有院墙的人家来说，他们是没有隐私的。

儿童教育的不连贯所带来的双重性格，可以被日本人的某些比喻来了解。

孩提时代没有羞耻感的人，长大后会经常对镜自问：儿时的天真是否还在？他们认为，镜子能照出心灵深处那个不知道害臊的自我，会永远地折射自己纯洁的一面。镜子不会让人虚荣，也不会让自己看到俗世中的自我。镜子里的眼睛，是他们心灵的窗子，他们可以借此学会如何找到童年的无邪。成人能够从镜中窥到他们所要的家人的样子。

据了解，有些人为此把镜子随身带着。有些人甚至在祭坛上也放一面镜子，从镜中反省自己。也就是自己祭拜自己了。这听起来耸人听闻，但却很容易做到。日本几乎所有家里的神龛上都有一面镜子，那不是一般的镜子，而是神器。日本电台曾在战争年代播出歌曲，赞扬几个女孩子合伙凑钱买了面镜子放在教室里。

在日本人眼里，这与虚荣无关，这是一种牺牲精神的体现，这折射出女孩们心中高尚的情操。对人们来说，一个人想知道自己是否是一个道德高尚的人，照照镜子就知道了。

孩提时代对自我的关注，使日本人对照镜子有独特的感觉。揽镜自怜时，他们看到的不是镜中真实的面孔，而是童年时的自己，而那个自己，无疑是性本善的。日本人让镜子有了这种魔力，也让他们在成熟的道路上有了训练自己的道具。通过一面镜子，他们不断打消窥视自我监视的念头，从而回到纯洁的孩提时代。

儿童时代所拥有的自由生活，给日本人日后的生活带来了诸多影响。儿童时代即将结束时，他们所接受的守规矩的训练，日本人并不认为是对孩子特权的剥夺。

西方某些宗教中，自我献身是一个重要概念，而这概念则经常被日本人唾弃。我们也经常能看到，就是在马上咽气的那一刻，他们也坚信自己是为了某种东西而死的，要么是为了忠孝，要么是为了情义，总之是自愿的，而决不是什么自我牺牲和献身。

只有自愿地死掉，才能得到他们想要的东西，否则就像狗死掉一样，没有任何价值。而在英语中,"像狗一样死掉"指的是因穷困而死,日语的解析是不一样的。对于那些中庸的举止,西方人叫做自我牺牲,日本人则呼之为"自重"。"自重"一词表达了约束之意。

日本人强调,只有约束自己才能有所作为,而美国人认为,只有得到充分的自由,才能实现理想。对生活在不同社会的日本人来说,只有自由是不行的,要严格地约束自己,才能成功,这也是他们信奉的一个重要原则,否则,他们便要被那个"邪恶的自我"所控制,因此带来的危险会给他们造成麻烦。

就像一个日本人说的那样:"漆器之所以越来越宝贵,是因为漆层越来越厚重。一个民族也是这样的……人们认为,俄罗斯人的外衣下面,隐藏着鞑靼人的本性。而日本人的外表之下,也有海盗般邪恶的东西。不过要记住的是,日本人的外衣是贵重的,至少是与下面的坯子同样精美,没有任何瑕疵和杂质。"

对日本男人的两面性,欧美人深感吃惊,也许是有一个因素作祟:日本儿童受到的连贯的教育在他们成年后被打断了。在他们的记忆里,儿时的自己就是个无所不为的神仙,他们所要的任何东西都能得到,甚至包括打人。这种特权回忆将永远印在他们的脑海里。

正是这牢固的记忆携带的矛盾性,使他们成人以后既能浪漫地谈恋爱,也能对父母包办婚姻表示服从;他们既可以纵情欢乐,也可以不计后果地走向承担义务的极端的道路。受到严格约束的训练方式让他们胆小慎微,却也能给他们带来勇气,甚至让他们变得粗野。

在等级社会里,他们能够成为特别乖巧屈从的人,却也不会那么容易就被上司左右。他们时而是个礼貌的绅士,时而又像脱缰的野马;一个日本军人能够不假思索地被长官训练,却也有着一颗倔强的头颅;他们既顽固地信守自己那套理念,又不时被新鲜事物所吸引。比如,他们又学习中国文化,又引进西方文明。而各种各样的矛盾也因为日本人的双重性格接踵而来。

对此,不同的日本人有不同的反应。如何协调将孩提时代的特权生活与成人后对自由的各种限制,成为所有人都要面对的问题。但如何做出决断不是件容易的事情。

有些人会像出家修行的人那样对生活严加约束，似乎一点的不克制就会让生活变得一团糟。不过这种所谓的不克制，又不是凭空捏造的，而是他们确实曾经经历过的，这就让他们内心的压力越来越大。他们用超脱的态度恪守着自己的信条，而且认为自己就是主宰自己命运的神灵。

有些人甚至会因为过度紧张而有些神经分裂。表面上乖巧的他们，内心已经堆积了太多的叛逆之情。然而他们还是把精力集中在平凡的生活细节上，这样就可以更好地把自己内心的真实情感隐藏起来。每天，他们只要遵循着既定的生活轨迹走下去，像个木头人一样就可以了。

还有一部分人，他们对孩提的特权待遇有着特别深的印象，成人后，当社会的大门向他们敞开后，他们的焦躁不安也愈加明显。在有可能的前提下，他们希望别人更多地袒护自己。每一次挫折，对他们来说都是致命的背叛，也让他们很容易地被紧张情绪所包裹。生活既定轨迹之外的东西都会让他们有深深的焦虑感。

以上所说的，是日本人面临的一些非一般的威胁，威胁来自他们的抛弃与折磨。日本人可以享受生活中的种种愉悦，也能尽量地给他人带来快乐，但一般的前提是，他们没有被焦虑情绪包围。这样，他们就几乎接近完美。

孩提时代的他们，是那样的自信，那样的纯洁，长大以后，形形色色的教育和训练让他们成了克制的人，他们所担负的种种义务也只是为了与社会保持融洽。也许在不少方面，日本人的意志要被别人插手，但在某些相对自由的领域，他们的感情可以无所顾忌地发泄出来。

在享受自然之乐方面，日本人是举世文明的。他们赏樱花，看月亮，观雪，看菊，还在家中听虫鸣，吟诗作赋，学习茶道与赏茶花等等。这些乐趣，决不是一个有着巨大焦虑情绪和侵犯心理的民族应该呈现出来的特征。

在享受乐趣的同时，他们也没有带着消极的情绪。日本国在还没有担负起不幸的“义务”时，其民族劳动和闲逸的乐趣不亚于当今任何一国。

可是，日本人给自己施加了太多压力。为了不被世人抛弃，他们要丢掉很多刚刚得到的个人欢悦。

在重要的事情上，随便冲动是最最要不得的。离经叛道的一部分人甚至会颜面丧尽。判断自己是否拥有尊严的标准，不是能否知晓善恶，而是能否被他人接受，不辜负别人对自己的期望。毫无疑问，个人的享乐已经被社会需求吞噬殆尽。但唯其如此，才能成为一个懂得羞耻、言行谨慎的好人，才能光宗耀祖，为国争光。

日本人的焦虑也来于此，焦虑转化的惊人能量，使他们成为东方世界不可轻视的国家，甚至在全世界，他们也是强大的。然而这种焦虑给个人带上了巨大的枷锁。

▲ 男歌伎——男美人

害怕失败成为人们永远焦虑的问题，他们害怕，无论怎样努力也免不了被排斥和抛弃，哪怕自己曾经为之付出太多。他们有时会用极端的方式去对付他人，以发泄内心的紧张。而美国人只有在被别人粗暴干涉时才会攻击别人，而攻击也是出于自愿。日本人则经常因为别人对自己的嘲笑和讥讽而去攻击，因为那是最能激怒他们的东西。那些时候，他们是充满危险的，如果不去攻击那些讥讽者，他们就要攻击自己。为了这种生活方式，日本人做出了巨大的牺牲。很多自由被他们自愿地放弃了。可是在美国人眼里，那些自由就像每天的阳光一样是理应得到的东西。

必须知道的是，日本在战败后已经走上了民主化的道路。当他们突然能够按照自己的意愿行事时，他们的狂喜是无法掩饰的。

有个叫钺子的日本姑娘说了一段话，就很吸引人。她说，当她在东京一所教会学校学习时，因为学校允许学生随意栽培花木而惊喜万分。每个学生都得到了属于自己的苗圃和种子。随意种植，完全遵循自己的意愿，这带给钺子关于人权的全新体验。

她非常惊异自己竟然能产生这样美好的感觉。从前那个墨守成规、从不给周围的人带来麻烦、时时刻刻想着维护家族光荣传统的自己，却也拥有了行动的自由。

在新的生活环境中，他们还要知道如何用新的方法来约束自己。要适应新环境就要有所牺牲。树立新的人生观和道德准则不是件容易的事情。欧美人不会认为日本人会马上套用新的道德观，并一次到位地变成自家法则。但欧美人也不会因此就觉得日本人终将建立相对宽松的道德准则。

▲ 和平雕像，祈福全球和平。

成长在美国的日本人早已不知传统的日本道德观为何物，他们的骨子里，也不再有日本传统观念的影响。同样的道理，成长在新时代日本的日本人，也有可能建立自己新的道德规范，不必像先辈那样义务载身。就像一直被捆缚的菊花，一旦摆脱线圈的束缚，仍然会怒放。

在一步步走向民主的道路上，为保有平衡，日本人有几个古老的习惯。其一是对自己负起责任，也就是磨砺自身。这种说法是把自己比成了刀，刀所产生的一切后果，都要由自己负责，就像佩刀的武士要时刻让自己的武器保持锋利那样。而因为自己的种种缺点，比如懦弱和无能而带来的所有恶果，自己都要负责任。

说到对自我负责，日本人的内涵比美国人的远远要深刻。把自己比成刀的意义，不是来表明自己的侵犯性，而是象征理想和勇气——对自我负责的勇气。在一个崇尚民主的社会，这种内涵可以是最有效的润滑剂。而日本人在孩提时代接受的教育和训练，也早已使对自我负责的观念挥之不去，成为日本民族精神重要的组成部分。

如今，在西方的意义上，日本人已经“把刀放下”了；但在日本的词典里，他们仍要使那把刀永远锋利无比，光洁如新。按照日本人的价值观，在民主、自由而和谐的世界里，作为文化留存的刀，已经成为一种象征。

第十三章

投降之后的日本人

战胜之后美国对日本的管理是成功的，对此，美国人完全有理由自豪。8 月 29 日，国务院、陆军部、海军部通过电台向麦克阿瑟将军发出联合指令。麦克阿瑟将军出色地实施了美国的对日政策。但是，这项政策却在美国国内引起争议，报刊、电台中的称赞与批评，党派之间的不同看法，使这项政策的英明之处变得模糊不清，只有少数熟知日本文化的人才知道这项政策的合理与得当。

▲ 登上"密苏里"舰的日本军官

接受日本投降之后面临的第一大问题是：这是什么性质的占领？战胜国怎么对待现存的政府，还有天皇，是接受还是废弃？美军是否应该建立军政府，直接指挥管理日本的每个县市？盟军对意大利和德国的占领就是这样，在每个占领区建立 A. M. G.（军政府），将地方行政权从战斗部队移交给盟军行政官员。现在，太平洋地区的 A. M. G. 官员相信在日本也将建立同样的行政体系。日本人也心中无数,他们不知道自己能参与多少行政事务。《波茨坦公告》只是说:"日本领土经盟国之指定,必须占领,俾吾人在此陈述之基本目的得以完成。"还有:"欺骗及错误领导日本人民使其妄欲征服世界者之威权及势力,必须永久剔除。"

国务院、陆军部、海军部发出的联合指令对美国的政策做了清晰的阐述,并获得麦克阿瑟将军的全面支持。这项政策指出,日本的行政管理和重建工作将由日本人负责。"只要有利于实现美国的目标,最高司令官将通过日本天皇、日本的政府机构来行使自己的权利。日本政府将在最高司令官(麦克阿瑟将军)的授权和命令下,行使内政方面的行政职权。"与盟军对德国和意大利的管理不同,麦克阿瑟将军是自上而下地利用和通过日本各级政府来管理日本的。最高司令部把命令和通告发给帝国政府,而不直接发给日本国民。最高司令部规定了日本政府的工作目标。哪位日本官员认为这些目标是不可接受或不能实施的,可以提出辞职;他也可以向最高司令部提出反对意见,只要提得正确,命令可以修改。

这是一种大胆的管理尝试。美国从这项政策中获得了明显的好处。正如希德林将军所说的:"利用日本政府进行管理的方式是非常好的。如果没有借用日本政府的力量,占领军就必须建立一个庞大复杂的管理机构来领导这个七千万人口的国家。我们不熟悉他们的语言、习惯、处世的态度。通过对日本政府的改造和利用,占领军节省了时间、人力和物力。换个说法,这不是占领,是要求日本人按照我们的希望改造整顿好自己的国家,我们只提供指导和监督。"

在制定这项政策的时候,许多美国人担心日本民族会对占领者采取傲慢的、仇视的态度,担心日本人会伺机寻求对占领军的报复,并抵制一切和平计划。这些担忧和预言都没有成为事实。其原因,首先与日本特殊的文化有关,而不是一般的关于战败民族与战败国家的政治、经济理论所能说清的。或许没有别的任何一个民族能像日本这样顺利地接受美国的这种政策。对于日本人来说,他们正面临着严酷的战败现实,而这项政策可以使他们摆脱屈辱,促使他们施行新的国策。他们能迅速地接受,也正是因为特殊的文化形成的特殊的民族性格。

在美国，曾经争论接受日本投降条件的宽和严，其实这不是真正的问题。问题在于能不能恰到好处，能不能摧毁传统的，带有侵略危险性的国家体制，达到建立新的国家的目标。为了达到这一目的，就要根据战败国的国民性格和社会文化传统来选择应该采取的手段。在普鲁士，权威主义思想深入每个家庭每个国民的心中，这需要针对德国的情况制定专门的政策和条件。对日本应该和德国有所区别的，这才是明智的。德国人和日本人不同，他们内心里没有对社会、对过去的欠恩的意识，他们奋斗的目的不是为了报恩和偿还心灵债务，而只是为了改善生存，避免使自己成为失败者。在德国，父亲就是天然权威的化身，和掌握着国家权利的人物一样，像德国人说的，"总是强迫别人尊敬他"，如果得不到尊敬，心里就不舒服。德国的每一代的儿子都在反抗父亲的权威，但当他们成为父亲之后，他们也就和上一代一样，成为不断重复的单调生活的牺牲品。对于德国人来说，他们一生的巅峰是青少年时代，那是叛逆的疯狂时代。

在日本文化中，没有极端权威主义的问题。西方人注意到，日本父亲对孩子的关爱在西方是罕见的。日本孩子感受到的是一种真挚的父爱，他们愿意在公开场合夸耀自己的父亲，也愿意遵守父亲的意愿，只要父亲的声调稍微改变，他们就会去做。在日本孩子心中，父亲不是绝对的权威者，和幼儿园里严厉的老师是不同的，所以，他们的青少年时代，并不是一个反抗父母权威的时代。相反的，在进入青年时代之前，日本的孩子就要面对社会的评判，他们几乎就开始充当家庭责任的代表了。日本人认为，日本孩子对父亲的尊重是"为了学习"，"为了训练"，对于日本孩子来说，父亲是日本文化中等级制度和正确与人交往的人格化象征，是值得尊敬的。

儿童从父亲身上学到的人生态度，成为整个日本信守的社会模式。在等级制度中，处于上层的人物理所当然地受到最高的尊敬，他自己不掌握绝对权力。等级制中处于首脑地位的人物并不行使实际权力。从天皇到最下层机构的权力运作，都有一股背后的力量在操纵，他们或是顾问，或是一些隐蔽的势力。20 世纪 30 年代，有一个黑龙会式的民间团体的领袖对东京一家英文报纸的谈话，确切说到了日本社会的这个特点。他说："日本社会是一个三角形，其中的一角被大头针固定住了。"其意思是，三角形在桌面上，谁都看见了，但那颗大头针却是看不见的。三角形有时偏左有时偏右，但只能围绕着一个看不见的轴心。这好像西方人常说的，凡事都用一面“镜子”来反映。权力背后的专制本质一定要掩盖起来，在表面上，所有行为都表现出对具有象征性的最高权位者的忠诚，而恰恰这个最高权位者是不行使实际权力的。一旦剥掉那个象征性的面具，日本人会认为他们受到了剥削，就像受到高利贷者和暴发户剥削一样，因为他们看到了统治着他们的那些权力的真实源泉，而这与他们心目中的制度是不一样的。

日本人对于社会持有这样的态度，使他们会反对剥削和不公正，但不会成为革命者。他们丝毫不想毁掉原有的社会制度。他们能够做到彻底的改革，像明治时代那样，但又可以不涉及对社会制度本身的批判。这种改革被称作“复古”，就是回到过去。所以他们不是革命者。西方的著述都错误地估计了日本，或者以为日本全国在意识形态上会掀起一场革命，或者夸大了日本的地下反对力量并希望他们会在投降前夺取政权，或者预测在战后的选举中，激进的政策会取得胜利。币原男爵是个保守派，在1945年10月就任首相的演讲中，表达了日本人的想法：

新的日本政府选择民主主义形态，尊重全体国民的意愿……我国自古以来，天皇的意志和国民的意志就是一致的。这正是明治天皇宪法的精神，这里我所说的民主政治，正是这种精神的真实体现。

这样来解释民主，美国读者会以为毫无意义。这种以复古为出发点的民主理论，比立足于西方的意识形态，更容易扩大日本国民的自主范围，给国民带来福利。

毫无疑义，日本将试行西方的民主政体。但西方的制度未必能成为改善世界的可靠手段，像在美国那样。普选和通过选举产生的立法机构既能解决许多问题，也会产生许多问题。一旦问题暴露并拖延下来，日本人就会改变我们的民主方式。那时美国人会愤怒地认为这场战争白打了。我们的方法是最好的，对此我们有足够的信心。但在日本重建和平国家的进程中，普选还不是第一重要的。日本在19世纪90年代试行第一次选举，这之后没有发生根本的变化。小泉八云写下了当时面临的传统困难，这些困难今后还会重复出现：

激烈的选举战牺牲了许多生命,这中间没有丝毫的个人仇恨。议会中的论战十分激烈,甚至发生暴力事件,让外人瞠目结舌。这些论战很少属于个人的恩怨。政争不是个人之间的斗争,而是藩阀之争,党派之争。每个藩阀、党派的狂热追随者都把新的政治理解为一场新的战争——忠于领袖利益的战争。

在最近的20世纪20年代的选举中,农民投票前总是说:“已经洗好头准备砍吧。”这句话背后的意思是,选举是一场武士特权阶层对平民的攻击。即使在今天,不管日本是不是已经改变了危险的侵略政策,选举在日本和在美国所包含的意义是不同的。情况一直都是如此。

有勇气承认以前的政策失败了,这是日本人重建和平国家的一股真正的力量,因为他们可以把全部精力投入新的方向了。日本人有善变的伦理。他们曾经想用战争的手段来改善在世界的地位。遭到失败之后,他们可以抛弃这种政策。他们所接受的训练,使他们能够改变方向。有的民族怀有某种绝对的伦理观念,认为自己是在为真理而战,一旦失败了,他们会对胜利者说:“我们失败了,正义死亡了。”自尊心要求他们不能放弃,要在下一次的行动中使正义获胜;除非出现另一种情形,他们发现自己是有罪的,并发自内心地进行忏悔。日本人完全不是这样的。在投降后的第五天,美军还未登陆日本,东京的报纸《每日新闻》就刊载文章,评论战争失败将给日本带来的政治变化。评论说:“无论如何,这对于拯救日本是非常有益的。”评论强调,每个日本人都不应该忘记日本彻底战败的事实。既然用战争来改变日本的命运走不通了,以后就必须走和平建国的道路。东京的另一家大报《朝日新闻》也同时发表文章,认为多年来“迷信军事力量”是日本对内对外政策的“重大错误”,“过去的态度使我们的惨败而一无所获,只能予以抛弃,采取新的与国际社会协调的和平政策”。

西方人会觉得这种转变没那么简单,因为与原则有关,因而满腹狐疑。在日本,这只是他们为人处世的一个方面,既表现在人际关系上,也表现在国际关系上。当他们以某种手段而不能达到其目的时,他们知道自己犯了错误,会马上抛弃失败的方针,不会固守失败的方针。日本人经常说:“后悔莫及”,在20世纪30年代,日本人普遍迷信军事力量,以为这是获得世界尊敬的有效手段。为此他们愿意付出一切牺牲。1945年8月14日,日本最神圣的天皇宣布日本投降。战败所包含的一切,他们全都接受了:美军要占领日本,他们就欢迎美军;帝国的对外侵略战略完全失败了,他们就主动考虑制定一部抛弃战争的和平宪法。在日本投降后的第十天,《读卖报知》发表题为《新艺术与新文化的起步》的社评,社评写道:"我们应该坚信,军事失败和民族的文化价值是两回事,应当把军事失败化作动力……因为,当全民族经历了惨重的牺牲,全体日本国民才能更新自己的思想,清醒地看清世界,对事物有一种客观准确的眼光。过去,日本人的思想被扭曲了,现在应该用坦率的分析来消除这些非理性的因素……需要勇气来正视战败这一残酷的事实。我们应该对日本文化的未来有信心。"也就是说,原来穷兵黩武的行动方针失败了,现在改行和平的处世艺术。日本所有报纸反复说:"日本应该赢得世界的尊敬。"每个日本国民的任务则是在新的行为准则的基础上,重新获得别人的尊敬。

这些报纸所表达的不仅仅是少数知识分子的想法。从东京街头到偏远的乡村,普通民众也在发生变化。美国占领军无法把如此友好的国民与曾经发誓要死战到底的民族联系在一起。美国人无法接受日本人的很多伦理观念,但占领日本获得的经验表明,其他民族的文化和伦理观念,也有值得赞美的。

日本人改变航程的能力得到了美国管理当局承认。麦克阿瑟将军没有采用可能使日本人感到屈辱的方法来阻碍这一进程。按西方的文化和伦理观念,是可以把这种屈辱加诸日本的。西方认为,对待有罪之人的最有效的手段,是使其受到侮辱和刑罚,这有助于他认识自己的罪孽。这是悔过自新的前提。前面我们讨论过,日本人不这么看。他们的伦理认为,每个人对自己的行为负责,错误的行为产生的后果就是对他的惩罚,可以使他不会再这么做。总体战争的失败,就是一个后果。这种失败本身在日本人看来并不是屈辱的。相反的,如果某人或某国诽谤、嘲笑、鄙视、侮辱另一人或另一国,揭露其不名誉的隐私,这才是侮辱。日本人认为,如果受到侮辱,进行复仇是符合道德的。不管西方的伦理观念如何谴责日本人的道德信条,美国的占领和管理能否成功,却取决于在这一点上如何把握好分寸。日本人憎恶嘲笑，认为这与投降，与解除军事力量、承担沉重的战争赔偿义务等是截然不同的。

日本曾经战胜过另一个强国。在敌国失败时，日本作为战胜国，小心地避免对失败的敌国加以侮辱，因为这个国家没有嘲笑过日本。在日本，有一张大家熟悉的照片，这是1905年俄军在旅顺口投降时照的。照片上，除了军服不同，分不出战胜者与战败者，俄国军人依然佩带军刀，没有被解除武器。在日本流传着这个故事，当俄军同意日军提出的投降条件时，日军的一位大尉和翻译带着食品来到俄军斯提塞尔将军的司令部。当时，除了斯提塞尔将军的坐骑，俄军宰吃了所有的战马。日本人带来五十只鸡和一百个生鸡蛋，因而受到了热烈的欢迎。第二天，斯提塞尔将军和乃木将军见面，两位将军握手，斯提塞尔将军称赞日本军队英勇……乃木将军赞扬俄国军队长久的顽强抵抗……乃木将军在这次战争中失去了两个儿子，对此斯提塞尔将军表示同情……斯提塞尔将军把一匹心爱的阿拉伯种白马送给乃木将军，乃木将军说，虽然他渴望得到这匹马，但他必须先把马献给天皇陛下。他相信天皇会把这匹马赐给他的，如果这样，他一定像爱护自己的宝马一样爱护这匹马。后来，乃木将军为斯提塞尔将军的爱马专门建了一所马棚，马棚在自己的住宅前面。据说，这所马棚比将军本人的住房还考究。将军死后，马棚成为乃木神社的一部分。

有人认为，俄国人投降之后，日本人的性格已经改变，全世界都知道他们在菲律宾的残暴和肆意破坏。日本是一个很容易在不同情况下改变道德标准的民族，所以很难根据某种情况做出必然的结论。在菲律宾，首先，巴丹战役后敌军并未投降，只有局部地区投降了；其次，在20世纪30年代，日本人认为美国的政策是蔑视日本的，或者叫“瞧不起日本”，而俄国人在上世纪初却没有侮辱过日本。美国排日的移民法，在《朴茨茅斯和约》以及第二次裁军条约中担当的角色，在远东经济中不断扩大的影响，美国国内对有色人种的种族歧视等等，都给日本人留下这样的印象。因此，日本对俄国的胜利和在菲律宾对美国的胜利，表现出日本人性格中对立的两面：一面是受过侮辱时的，和相反的另一面。

美国的胜利改变了日本的生存环境。日本人在失败之后改变方针，这与他们日常生活的做法是一样的。日本固有的伦理观念，使他们有自行洗涤革新的能力。美国的政策和麦克阿瑟的管理，没有给日本增添新的需要洗涤的屈辱，他们只要求日本接受作为战败国"理当接受"的那些结果。这种做法被证明是有效的。

保留天皇具有非同寻常的意义。这件事处理十分得当。天皇首先访问麦克阿瑟将军，而不是将军先访问天皇，这给日本人上了一课，西方人难以估计这件事背后的意义。当建议天皇出来否定自己的神赋身份时，据说天皇曾经感到为难，他说他无法抛弃自己本来就没有的东西。他真诚地说，他在日本人心目中的地位，和西方意义上的神是完全不同的。麦克阿瑟将军告诉他，西方普遍认为天皇仍在坚持自己具有神赋的身份，这会影响日本的国际声誉。天皇终于勉为其难，同意发表否定声明。元旦那天，声明发表了。天皇要求把全世界的评论翻译给他。读了这些评论后，天皇给麦克阿瑟将军写信，对此事的结果表示满意。外国人显然不理解，天皇对发表声明这件事是感到高兴的。

美国的对日政策满足了日本人的某种需求。国务院、陆军部、海军部在联合指令上写得很明确："应该鼓励在民主的基础上组织起来的劳动、工业、农业等各种团体，为它们的发展提供便利。"日本许多产业的工人组织起来了。在20世纪二三十年代曾经非常活跃的农民组织现在也重新抬头。可以按照主观愿望来改善自己的生活环境，这是战后日本人有所收获的证明。一个美国记者告诉我，在东京，一位罢工者高兴地对美国士兵说："日本'胜利'了，不是吗?"今天工人的罢工和战前农民的起义很像，当时农民经常因为每年的贡税太重、妨碍正常的生产而进行请愿。这些罢工和请愿与西方意义上的阶级斗争不同，他们并没有想改变国家的制度。现在日本的罢工不会降低产量。罢工者热衷于采取工人占领工厂，继续工作，增加生产，让老板难堪。有一家三井系统的煤矿，管理人员被"罢工"工人赶出矿井，结果每日的产量从250吨提高到620吨。足尾铜矿的"罢工者"也提高了产量，当然工资也提高了两倍。

当然，管理政策的出发点再好，战败国的行政管理还是困难重重。日本的粮食、住房、国民再教育等问题都十分突出。如果不利用日本政府的官员来管理,问题也会同样尖锐。战争结束前夕,军人遣散就是一个令人非常担忧的问题,但由于有日本官员参与,就大大减轻了其严重程度。问题本身很难解决,日本人深知这种困难。去年的秋天,日本报纸谈到了那些战败归来的士兵,报纸同情地写道,他们曾经历尽艰辛,现在还要咽下多么难喝的战败这一杯苦酒。报纸请求他们不要因为这些因素干扰自己的"判断"。总的来说,遣散的日本军人保持了正确的"判断",但也有一些人参与旧式的秘密帮会,失业和战败迫使他们追逐国家主义的目标。他们很容易对自己目前的状况感到愤怒,因为他们不再拥有以前的特权地位了。以前,伤残军人身穿白衣服从街上走过,旁边的行人都要行礼;村里在入伍时开欢送会,退役时开欢迎会,士兵坐在首席,有美酒佳肴,美女歌舞。现在退役军人得不到那种待遇了,只有家里的人接纳他们。不管城镇还是农村,他们到处受到冷遇。当你知道这种变化对于日本人来说有多痛苦,你就能想象得到,这些老军人多么沉缅于与往日袍泽的相聚,多么怀念自己作为军人曾经肩负着帝国荣誉的那个时代。他的战友可能告诉他,有些幸运的日本士兵已经在爪哇、山西和满洲与盟军开战了。他们会说:为什么要绝望?我们可以再赴战场!在日本,国家主义的秘密帮会早就存在。这些帮会想"洗刷日本污名"。那些有未了仇恨,因而觉得"世界失衡"的人很容易参加这种秘密帮会。这类帮会像黑龙会、玄洋社等,经常采取暴力行为,而这是得到日本道德许可的,因为这是一种"对名份的情义"。要消灭这类暴力行为,在以后的若干年里,日本政府还必须努力,以强调"义务"来取代"情义"。

因此,不能只是号召"判断"正确,还必须重建经济,使二三十岁的人有生活能力,能够"各安其所"。农民的状况也必须改善。只要经济状况恶化,日本人就回到农村老家。日本农村很多地方人多地少,加上繁重的债务,活命十分艰难。工业也应该发展。反对平分遗产的呼声很强烈,要求只有长子才可以继承遗产,这样,其他孩子就只能离家到城市发展了。

日本人还面临着漫长的艰难岁月。但是,只要国家预算无须负担军备开支,日本就有机会改善国民生活。珍珠港事件发生前,在十年的时间里,日本每年有一半的收入花在军费开支上面。这个国家一旦免除这项负担,并逐步减轻农民的税赋，是可以重建一个健康的经济基础的。前面说过，日本的农业收入分配，耕种者只得 60%，40% 要用于支付赋税和佃租。而同是水稻出产国的缅甸、暹罗，农业收入的 90% 归耕种者。说到底，日本农民所承担的巨额税赋是用来支付军备开支的。

在今后的十年里，在欧洲和亚洲，不扩充军费的国家一定会比扩充军费的国家有发展优势，因为这些国家的财富可以集中用来建设经济。美国在推行亚洲政策和欧洲政策的时候，没有重视这一点。在美国，不会因为巨额的国防开支使经济陷于困境，因为我国没有遭受过战争灾难。农业在我国不占主要地位，工业生产过剩是我们的主要问题。美国的机械设备和生产能力已经十分完善，只有依靠大规模的军备、奢侈品生产、福利事业和研究设施，才能保证充分的就业。投资者的盈利需求也很迫切。而其他国家，即使是西欧，情况也完全不一样。德国尽管要承担沉重的赔偿责任，但由于放弃了武装，在今后十年里，如果法国奉行扩充军备的政策，德国的经济就可能比法国更健康和繁荣。日本也将因为同样的优势超越中国。中国的野心是军事现代化，这一目标得到了美国的支持。只要国家预算中没有军事化这一项开支，日本将很快繁荣发展起来，并成为东方贸易的主角。新的日本经济体系将建立在和平利益的基础上，日本国民的生活水平也将得到提高。如果美国支持这一发展计划，对日本会有极大的帮助。一个和平的日本是能够在国际社会赢得声誉的。

美国无法用强制手段来创造自由民主的日本，别的国家也做不到。在任何一个被统治的国家，这种办法没有成功的先例。一个国家不可能被强迫着按照别国的生活习惯和观念模式生活。被选举出的人选，法律无法树立他们的权威，他们也无法越过等级制中的“各得其所”。美国那种自由随便的人际关系，美国人的自我独立的强烈倾向，以及自由选择职业、住宅、婚恋对象和各种义务的热情，也无法通过法律来规定。但日本人已经知道，必须往这个方向改变和努力。投降后的日本领导人说，日本应该鼓励每个国民主导自己的生活，按照自己的良心行事。每个日本人开始怀疑“耻”在日本社会的作用，尽管他们没有说出来。日本人希望能培养一种新的自由观念，使日本国民免于“社会”的谴责和追究，从这种恐惧中解脱出来。

不管是不是心甘情愿，在日本，社会对个人的压力总是太大太苛刻了。个人的感情、欲望都被要求隐藏抛弃，每个人只能以家族、团体或民族代表的身份进入社会。日本人证明了，他们所经受的训练，使他们可以忍受这种生活方式带来的一切。由于负担过重，抑制自己的强度必须不断增强，才能获得社会的认可。没有人敢于希望过轻松的生活，终于，他们被军国主义者带上了一条没有尽头的、以无数生命为代价的道路。昂贵的代价已经付出，他们就变得自以为是，以为可以看不起其他道德观念比较宽松的民族了。

承认侵略战争是“错误的”，承认战争失败了，这是日本人开始社会变革的起步。他们渴望在和平的世界里重新获得尊敬。以后几年里，如果美国和俄国因为军备扩张而发生冲突，日本将凭借其军事知识参与战争。这丝毫不影响日本成为和平国家的内在倾向。日本人的特点是随机应变，他们可以在和平的世界里谋求地位，如果时局变化，他们也会马上加入某个武装阵营。

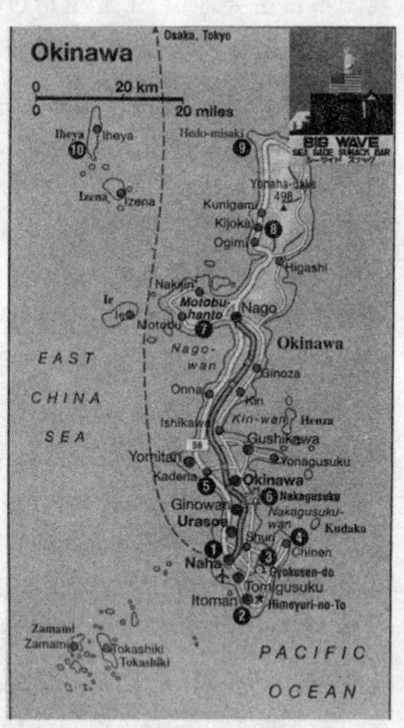

▲ 美国主导冲绳

日本人现在意识到军国主义失败了。他们将在世界范围里，关注其他国家军国主义的命运。假如没有失败，日本人可能重新燃起战争的热情，并期望再次为战争做出贡献。假如军国主义在所有国家都失败了，日本将证明他们吸取了这一教训：侵略扩张的帝国主义是无法走上荣誉之路的。

新渡户稻造
日本思想家、教育家
1862生，1933卒
日本最早留学生之一
与美国善良总统威尔逊同窗
为追求美国女友玛里而受洗
玛里父亲以日本乃蛮族阻止婚事未遂
他成了第一个跟美国姑娘结婚的日本人
1894
日本战胜中国
旅顺大屠杀、台湾大屠杀
西方仍视日本为一野蛮国
新渡户乃撰《武士道》
向世界解释
武士道类似骑士道
是高尚品德
切腹与复仇并非野蛮
武士参透死亡
先能“不要自己的命”
才能“要他人的命”
亡国朝鲜，打败中国
是孔武的祖先精神在子孙心中跳动
藉着优美英文，此书畅销欧美
1905，日俄战争
日本胜
涌现德、意、法、西译本

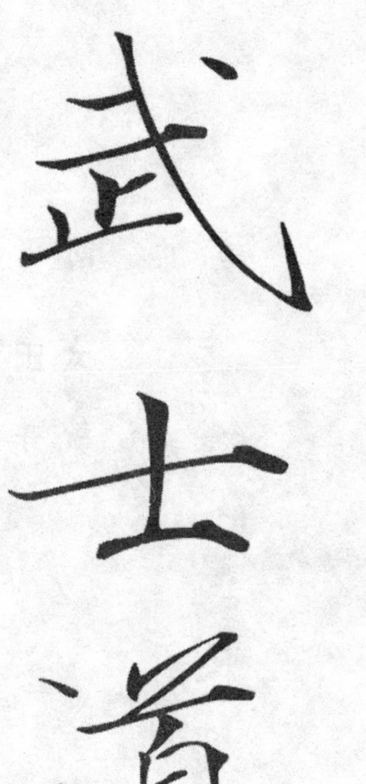

Four Books on Japan

新渡户稻造

献给我所敬爱的叔父——太田时敏，是他教导我尊重传统并仰慕武士的德行。

第一版序

大约10年前,承蒙已故的比利时杰出法学家门·德·拉维莱先生的热情款待,我在他那里度过了几天时光。有一天在散步时,我们的话题转到了宗教问题。"您的意思是说,贵国的学校里没有宗教指导的课程?"这位可敬的教授问道。听了我的否定回答,他马上怔住了,并用一种我永难忘记的声音继续说:"没有宗教!你们怎么实施道德教化呢?"他的问题一下子让我懵了。我不能给出现成的答案,因为我在少年时代所习得的道德规范并非来自学校。是哪些因素形成了我自己的善恶观念呢?通过对各种因素进行分析,我才发现,是武士道孕育了这些观念并使它们深入我的脑海之中。

我的妻子经常问我,为什么如此这般的思想和风俗在日本普遍流行?我对她的回答,便成为这本小书的直接起因。当我尝试着给德·拉维莱和我的妻子以满意回答的时候,我发现,如果不了解封建制度和武士道,那么,现代日本的道德观念依然是一团未解之谜。

由于长期患病,无所事事,我便利用这段时间,将我在家庭谈话中给妻子的回答整理出来,现在公之于众。书中的大部分内容,来自于我在年轻时候受到的教育和听闻所得,那时候封建制度还很盛行。

在拉夫卡迪奥·赫恩和休·弗雷泽夫人以及恩内斯特·萨托爵士和张伯伦教授之间,要用英语撰写任何关于日本人的东西,都是一件令人气馁的事。我唯一比他们有优势的是,那些杰出的作家充其量只能站在律师或法官的立场,而我却能够采用被告的立场。我常想,"假如拥有他们的语言天赋,我将以更富雄辩的方式陈述日本的立场。"然而,一个借用别人的语言说话的人,如果能使自己的意思明白易懂,那就该谢天谢地了。

在整部作品之中,我都力图用欧洲历史和文学中相似的例子来说明我要论证的任何观点,我相信这将有助于外国读者更接近他所要理解的主题。

如果有人认为,我在论及宗教问题或宗教人士时有怠慢之处,我深信,我对基督教本身的态度是毋庸置疑的。我所不能完全赞同的,是那些传教士的做法以及使基督教义变得令人费解的宗教形式,而不是基督教义本身。我深信主所教导的,《新约》中传下来的,以及铭刻于心的律法。而且,我深信,上帝与所有的民族和人民——不论是异邦人或犹太人,基督徒或异教徒——都缔结了"旧"约。至于我的其他神学观念,就不必赘述了。

在结束这篇序言的时候,我要对我的朋友安娜·C·哈茨霍恩所给予的许多有益的建议,表示谢意。

英文版导言

应出版社的要求，我很荣幸为世界各地的英语读者，作一篇关于新版《武士道》的介绍文章。我与该书作者新渡户稻造博士相识已超过15年，而对于本书论述的主题，在某种意义上我至少已有45年的关联。

1860年，我在费城(1847年，我曾在这里亲眼目睹佩里司令的旗舰萨斯克汉那号的下水典礼)，遇见从江户来的外交使节们，那是我第一次见到日本人。那些异国人给我留下了深刻的印象，他们所遵循的理想和行为准则，便是武士道。后来，在新泽西州新布朗斯威克市的拉特格斯学院，我与许多从日本来的青年学生共处了3年时间。我们的关系亦师亦友，经常在一起谈论武士道，我发现那是一件吸引人的事情。武士道精神，就体现在这些未来的领导者、外交官、海军将领、教育者和银行家的生活之中。他们当中有些人后来长眠在威洛格罗夫墓地，而在这些人临终之时，武士道精神同样得到显现，仿佛日本最芬芳的花香，在遥远的异域也一样甜美。我永远无法忘记，日下部武士临死的时候，有人劝他皈依最高贵和最伟大的基督福音，他的回答是："即使我认识你们的主耶稣，我也不会将生命中的任何东西献给他，哪怕是一点点渣滓。因为我的一切都归于武士道。"我们在老拉雷坦河的岸边，在田径运动会上，在晚餐的饭桌上，讨论道德和理想问题，将美国与日本进行比较，互相开着玩笑，我深深感到，不同民族间道德和礼貌规范的差异，并没有想象的那般大。一千年前，当一位日本诗人穿过沼泽，衣裳拂过带露的花儿，锦缎上沾满了闪光的露珠，他写道："为了它的芳香，我不会拂去衣袖上的水珠。”对于不同的文化，何尝不该如此？“攻其一点，不计其余”态度是不妥当的，我真的庆幸自己没有成为井底之蛙。科学与文化的生命力，不就在于相互比较吗？在语言、伦理、宗教、行为方式等等的研究中，略知其一者，不还是一无所知吗？

1870 年，为介绍美国公立学校制度的精神和教学法，我被派往日本工作。离开首都，来到越前国的福井，亲眼见证那儿正在实行的纯粹的封建制度，我是多么兴奋啊！我在那里看到的武士道，不再是异国情调的，而是原汁原味的。在日本人日常生活中，我了解到，武士道，连同它的茶道、柔道、切腹、在垫子上优雅地俯拜和在街道上鞠躬行礼、佩刀的规则、恬静的致意、高雅的言谈、技艺与动作的规范，以及保护妻子、奴婢、孩童的英雄之举等等，乃是城乡绅士阶层普遍的信条。武士道是一所生动的学校，少男少女在此受到思想和生活的训练。我见证了新渡户博士承自传统并已化为他的血脉的，并以如此优雅的有说服力的文笔和如此深广的洞察力所描述的一切。日本的封建制度，已在其最有力的解说者和最坚信的辩护者的“视野之外消失了”。对他来说，那是飘逝的芳香；而在我这里，它却是“闪光的树和花”。

因此，我可以作证，曾经在武士道的母体——封建制度下生活过并亲历了它的死亡的新渡户博士，他的描述在本质上是真实的，他的分析和总结也是可信的。他用生花妙笔再现了日本一千年文学曾经如此瑰丽地描绘过的灿烂画面。武士道经历了一千年的成长和进化，它照耀了几百万高贵的日本人的心灵之旅，本书的作者珍爱地记录了绽放于那旅程中的美丽花朵。［英文版导言的作者在此很过分地使用了过多的溢美之词，失去了应有的客观、公正的立场。］

书中的批判性研究反而使我更深地感受到武士道对于日本人的价值和力量。要想了解 20 世纪的日本人，就必须了解它在过去扎下的根。这种根，不仅外国人，就连日本人，现在也看不见它了。尽管如此，智慧的学者却可以从过去时代所蓄积的能量中，看到它在今日的影响。日本人从历史的岩层中挖掘出战争与和平的动力。在那些为武士道所涵养的人们身上，一切精神感受都是那么强烈，就像结晶体在甜杯中溶化了，它的美味依然馋人。一句话，武士道服从上帝所宣布的最高律法："一粒麦子如果不落在土中死了，它还是一粒；若是落在土中死了，便会结出许多麦粒。"作为武士道的辩护者，本书作者敬仰上帝并承认他为主人。

新渡户博士是否将武士道理想化了呢？我们倒是要问，他怎能不如此？他自称是"被告"。在所有的信仰、宗教和制度中，随着理想的改变，榜样和模范都会有变化，逐渐积累并慢慢达到和谐，这就是发展的规律。武士道从未抵达过它的最后目标，它曾经生机勃勃，临死的时候，辉煌而又勇敢。当所谓走向世界——我们如此称呼伴随佩里和哈里斯而来的事件及其影响——与日本的封建制度发生冲突时，武士道并不是一具涂上了防腐剂的木乃伊，而是一种富有生气的魂灵。它所遭遇的是人类飞速进步的精神。此时，弱者受强者赐福。日本人循着他们高贵的祖先的足迹，在没有放弃自己历史和文明中最美好的东西的同时，先是采纳继而同化了世界所提供的最好的东西。这样，日本赐福于亚洲和人类的机会是独一无二的，而且日本出色地把握了这一机会——越扩散越强大。今天，不仅我们的庭院、艺术、家居都因日本的花儿、图画以及各种美丽的日本物件而变得丰富多彩，而且在自然科学、公共卫生、和平与战争的经验等方面，日本都双手捧满礼品赠予我们。

本书作者不仅是作为被告的辩护人，而且作为预言家和历经世事的贤明的家长，有足够的能力教导我们。在日本，再没有任何人比作者更善于将武士道的训诫与实践，如此和谐地融入生活与辛苦、劳动与工作、手艺与文艺、耕作与教化之中。作为大日本过去的阐释者，新渡户博士乃是新日本的真正缔造者。在日本新占领下的台湾，在京都，他既是学者又是实践者，对于最新的科学和最古老的学术，他都一样精通。

这本论述武士道的小书，对于盎克鲁·萨克逊民族，其意义决不仅仅是提供了一种重要信息。对于解决这个世纪最大的问题——东西方的和解与统一而言，该书也是一个显著的贡献。人类曾经有过许多古老的文明，但在未来的更加美好的世界里，文明可能只有一个。"东方"和"西方"这些词，将伴随着相互之间的无知和侮辱一起成为过去。作为智慧型和集体主义的亚洲与力量型和个人主义的欧美之间的能干的中间人，日本人不屈不挠地做出了自己的努力。

博古通今又学贯东西的新渡户博士，确乎是堪当此任的不二人选。他是一个真正的解释者和调和者。长久以来，他忠贞地跟随着主，他无须也不曾为此致歉。他是这样一个学者，深知人类历史是由圣灵指引的，但又必须在各种宗教中将上帝的教诲与种族的、惟理的和教会的附会之言区别开来。难道不是吗？作者在序言中暗示过，旧约的精义，是基督的教义，他是要使它完美而不是要毁坏它。即使在日本，基督教也将脱下异域的外衣，不再是作为舶来品，而植根于武士道所生长的土壤之中，就像空气一样自然。

威廉·伊利亚特·格里普斯

1905年5月于伊萨卡

那条路
越过山峰,站在路上的人
怀疑它是不是一条路
然而,如果从荒野处来眺望
它的线路清晰
从山麓到山巅
毫无疑义。可是,为何有一两处缺口?
如果要传入新的哲理
难道不正是这些缺口?
终于知道
这是最完美的企图
锻炼了人们的眼睛
教导他什么是信仰

——罗伯特·勃朗宁《布劳格拉姆主教的辩护词》

有三个强有力的精灵,对于人类的道德情感和能量给予过显著的刺激。他们是自由、宗教和荣誉的精灵。

——哈勒姆《中世纪的欧洲》

骑士道是人生的诗。

——施勒格尔《历史哲学》

第一章

作为一种道德体系的武士道

武士道，就像它的象征物樱花一样，都是日本土地上固有的花朵；它不是保存在我国历史博物馆中的已经干枯的古代美德的标本，而是依然生动地体现于我们现实生活的力与美之中。武士道，虽然不具备可以用手触摸的形态，却使道德的空气散发芬芳，令我们意识到自己依然处在它强大的魅力之中。孕育它的社会条件已经消失很久，但是，正如那些如今已不复存在的遥远的星辰依然在我们头上放射光芒一样，作为封建制度之子的武士道，其光辉也在照耀着我们的道德之路。伯克曾经为欧洲骑士道的死亡发出过令人同情的著名颂词，我现在能以伯克的语言来阐述这个问题，确实愉快之至。

由于缺乏有关远东的信息，博学如乔治·米勒博士这样的学者，竟毫不犹豫地断言，骑士道或任何其他类似的制度，无论在古代各国或现代东方，都未曾存在过。不过，这种无知是完全可以原谅的，因为这位善良博士著作的第三版，正是与佩里司令的舰队打开日本排外锁国主义大门的同一年发行的。十多年后，正当我国的封建制度处于临终的痛苦之中，卡尔·马克思撰写的《资本论》使读者注意到，仅存于日本的活的形态，为研究封建制度的社会与政治结构提供了方便。我同样乐于向西方的历史和伦理研究者指出，可以通过当代的日本研究骑士道。

做一篇比较欧洲和日本的封建制度的历史论文是诱人的，但它不是本书的目的。我的尝试更想阐明：第一，武士道的起因及其来源；第二，它的

▲ 堂吉诃德携桑丘出征
武士道=骑士道？

特征及规范；第三，它对大众的影响；第四，它的影响的持续性及永久性。在这几点中，第一点将只作一些简单而粗略的讨论，否则我将把读者引入我国历史的蜿蜒小径之中；第二点将作略为详细的阐述，因为它会引起国际伦理学和比较民族学的学者们对于我们的思想与行动方式产生兴趣。其余各点将作为余论处理。

我粗糙地译为"骑士道"的那个日本词，在词源上要比骑士道更富有表现力。武士道在字义上意味着军人的、骑士的方式——那种战斗的贵族应该在日常生活和职业生涯中遵守的方式；一句话，就是"武士的训诫"，就是与武士阶层身份相称的义务与责任。解释了它的词义以后，我将使用该词的原义。我之所以使用原义，还因为一种如此具有地方性特色的教义，必须被标上特异的徽记。所以，有些具有鲜明的民族特色的词汇，最好的翻译家也只能做到相对准确，并且难免过度诠释或言不及义。谁能通过翻译完整地传达出德语"Gemüth"的意思？英语的 gentleman 和法语的 gentilhomme 在文字上是密切相联的，可是又有谁不能感觉到这个词之间的区别呢？

因此，武士道，乃是一种武士被要求或被指导必须遵循的道德律令。武士道不是一部成文法典，充其量只是一些口口相传的或者由一些著名的武士和学者记录下来的格言。通常情况下，它不是托之于空言而是见之于行事，因而更加有力，它是铭刻于心碑的律令。它既不是聪明头脑的发明，也不是名士显赫人生的结晶，它是几百上千年武士生涯自然结出的产品。也许武士道在道德史上的地位，就像英国宪法在政治史上的地位；然而，武士道仍然无法与大宪章或人身保障法相比较。事实上，17 世纪早期曾颁布过武人法令，但只有十三条简短的条文，而且主要内容是有关婚姻、城堡、结盟等方面，至于武士的训导规则，却很少涉及。因此，我们不能指出确定的时间或地点说："这便是武士道的源泉。"不过，由于武士道是在封建时代而臻于自觉的，所以在时间方面，也许可以认为它们的起源是一致的。但是，封建制度自身乃是多线交织而成的，武士道同样具有这种复杂性。英国的封建政治制度据说始于诺曼人征服时代，我们同样可以说，日本的封建制与源赖朝的称霸是在同一个时代。然而，就像在英国，我们发现许多封建制度的因素可以溯源到征服者威廉以前，日本封建制度的萌芽也在源赖朝称霸之前很久就已经存在了。

同样与欧洲相似的是，当封建制度在日本正式开始时，职业武士阶层自然而然地变得重要了。他们被称为 samurai，像古英语中的 cniht（武士），意思是卫兵或者侍从——像凯撒提到过的在阿奎塔尼亚的 soldurii（勇士），或者像塔西佗说的跟随日耳曼首领的 comitati（卫士），或者再往后些，像我们在中世纪欧洲史中读到过的 milites medii（斗士）。武士，通常还用汉字的"武师"或"剑客"来表示。他们是一个特权阶层，原本是以战争为职业的富有野性的家族出身。在长期的持续征战中，这个阶层自然是从最有男子气概并最富冒险精神的人中征募；而在整个屠戮过程之中，那些怯懦与孱弱之辈被淘汰出局。借用爱默生的话说，只有"粗野的、男性的、具有野蛮力量的种族"才能生存下来，并形成武士的家族和阶层。伴随着巨大的荣誉、特权以及与之相关的责任，武士们感觉到需要有一种共同的行为规范，加上他们经常处于交战的立场，并且属于不同的家族，这种需要就更加强烈。就像内科医生通过职业道德限制彼此之间的竞争，或者像律师如果违反行规就必须出席道德法庭，武士如果行为不轨，也必须得到

▲ 铁腕治者源赖朝

最终的判决。

公平地战斗！在这种野蛮人和儿童便有的原始意识中，包含了多么肥沃的道德胚芽啊！这不就是一切文武之德的根源么？英国小男孩汤姆·布朗有一个孩子气的愿望："愿成为一个这样的人：从不欺负小孩子，也不拒绝大孩子。"许多人会讥笑这种愿望，好像他们已经超过了抱有这种愿望的年龄。但是，谁不明白，正是这种愿望成为了我们道德大厦的奠基石呢？如果我说就连最温和最热爱和平的宗教也赞同这种愿望，不算过甚其辞吧！汤姆的愿望，构建了英国之伟大的基石；同样，我们很快就会发现，武士道所立于其上的基石，也不比它小。教友派教徒已正确地证明，不管是进攻性的还是防御性的，战争都是野蛮的和错误的，即便如此，我们还是要用莱辛的话说："我们知道，美德产生于恶行。"卑劣、懦弱，是对那些具有健全纯朴天性的人最恶劣的侮辱之词。儿童便是带着这种纯朴观念开始其生命历程的，武士也是。但是，随着生命的成长和社会关系的复杂化，早期的信念，便从权威和理性中寻求证实，并以此得到确认、满足和发展。如果仅有武力自行其道，没有更高的道德作为支持，武士将堕入失去武士道的境地。在欧洲，基督教以在解释上向骑士道妥协的方式，向骑士道注入了精神的元素。拉马丁说过："宗教、战争和光荣，是完美的基督徒骑士的三个灵魂。"日本的武士道也有几股精神的源泉。

第二章

武士道的源泉

我想从佛教说起。佛教带有一种平静地听凭命运的意识，对不可抗拒之物泰然服从，面对危险和灾难坚忍而沉着，亲死而轻生。有一个一流的剑术师，当他已将自己最精湛的剑术教给学生后，他对学生说："超乎此外，非我所能，只有让禅来教你了。"禅，是 Dhyana 一词的日译，它表示"通过沉思以抵达言语所能表达的境界之外的一种功夫。"它的方法就是冥思默想，而它的旨意，就我的理解而言，是要确认一切现象之下的真理，并且，如果可能的话，确认绝对体本身，使自己与绝对体和谐一致。如果"禅"的定义是这样，那么它就超越了某种宗教教派的教条。无论是谁，只要抵达了绝对体，就能使自己超脱于尘世之上，从而彻悟到一重"新的天地"。

佛教未能给予武士道的东西，神道却充分地提供了。对君主的忠贞、对祖先的崇敬、对孝的虔诚，都是其他宗教从未曾教导过的。神道谆谆教导这些，赋予傲慢的武士以服从的禀性。神道的理论中没有"原罪"的教义，相反，它相信人性本善。大家都看到过，神社里供奉的牌位很少，主要的道具只有一面镜子。镜子的用意很明显：当人的心灵平静而澄澈的时候，便反映出神的崇高形象。因此，当人们站在神龛前顶礼膜拜的时候，会看见自己在镜中的形象，这种礼拜的行为，就如古老的德尔斐神庙的告谕所说："认识你自己。"不过，无论是希腊还是日本的神谕，关于自我的知识并不是指人的肉体方面，即解剖学或心理学方面的知识，而是指一种道德知识，即道德内省。蒙森曾将希腊人和罗马人做比较，他说，希腊人在礼拜时抬眼望天，而罗马人则以纱蒙面，因为前者的祈祷是冥想式的，而后者的祈祷是内省式的。从本质上说，我们的宗教也是内省式的。这种内省是个人的，更是整个民族意识的。神道的自然崇拜，使国土深入我们内心的灵魂；而它的祖先崇拜，则使得皇室，从一个世系到另一个世系，成为整个民族的共同祖先。对我们而言，国土不仅仅是可以开采金矿或收获谷物的土地，它是我们祖先的神灵神圣的住所；天皇也不仅仅是法制国家的警察头目，或者文化国家的庇护人，他是昊天在地上的肉身代表，兼具上天的力量和仁慈。鲍特密曾经说过，英国皇室"不仅是权威的化身，也是民族统一的创立者和象征。"如果他的话没错，我相信他没错，那么日本皇室更是加倍如此。

神道教义包含了我们民族感情生活中两个最重要的特性：爱国与忠心。阿瑟·梅·克纳普很认真地说："在希伯莱文学中，很难讲清楚作者是在说神还是国家，是说上天还是耶路撒冷，是在说救世主还是民族自身。"在我们民族信仰的语汇中，存在着同样的混乱。一个讲究逻辑的人会认为那样用词含糊，但我国信仰中包含国家本能和民族情感的语汇，依然没有假定成系统的哲学或合理的神学。这种宗教（或者说这种宗教所表现的民族感情，可能更确切些）使武士道完全浸染了忠君爱国之情，这种情怀与其说是来自教义，不如说是成于躬行，因为日本神道不像中世纪基督教教会，它对信徒几乎不规定任何信条，而只是提供直截了当的简单的行为准则。

说到严格的道德教条，孔子的教诲是武士道最丰沛的源泉。早在孔子的著作被介绍到日本之前，我们民族就本能地认识到君臣、父子、夫妇、兄弟以及朋友间的五种伦常关系，孔子的论述只不过将它们确认下来而已。他的政治道德理论平和、仁慈，并富有处世智慧，这些特点特别适合作为统治阶级的武士。孔子贵族化的保守言论切合了武士政客们的要求。继孔子之后，孟子也对武士道产生了巨大的影响。孟子的学说，极具说服力，通常又相当平民化，很容易被富有同情心的人接受。因此，孟子的学说也被看成是危险的，对现存社会秩序具有颠覆性，他的著作曾经长期受到批判。不过，这位圣贤的言论却永远铭记在武士们的心中。

孔孟之书,是年轻人的主要教科书,也是成年人讨论问题时所依据的最高权威。仅仅精通这两位圣人的经典,还不足以获得人们崇高的敬意。光从知识层面理解孔子的人,被讥笑为“读了论语而不解论语”。有一位典型的武士称那些满腹经纶者为书蠹。另一位武士将学问比作酸臭的蔬菜,他说:读书少,酸味也少,读书多,臭味也多。这话的意思是,知识只有进入到学习者的内心,并能在他的气质中流露出来,方才成为真正的知识,而一个仅有知识的专家无异于一台机器。知识本身是从属于道德情操的,人类和宇宙一样具有灵性和道德。赫胥黎说,宇宙是没有道德的,武士道断然不能接受这种论断。

▲ 崇传和尚协助德川家康制订了武士道管理条令

武士道并不看重知识本身。它认为,知识本身不是目的,而是一种获得智慧的手段。因此,以知识本身为目的的人,被称作一台能按照要求吟诗题句的方便的机器。知识必须躬行践履,这条苏格拉底的格言,在中国哲学家王阳明那里得到最好的解释,王阳明谆谆教诲:“知行合一”。

谈到这个主题,我忍不住要多说几句。因为有许多最高尚的武士,都深受阳明哲学的影响。西方的读者很容易发现,王阳明的著作中有许多与《新约圣经》相似的地方。“先要寻找主的国和义,一切都将加给你们”,除了用语不一样,几乎在王阳明著作的每一页上都可以读到类似的意思。他的一位日本弟子曾说过:“天地万物之主宰,寓于人则为心。故心为活物,永放光辉。”还说:“其本体之灵明,永放光辉,其灵明不涉及人意,自然发现，照明善恶，谓之良知，乃天神之光明也。”这些话，听上去多么像伊萨卡·彭宁顿或其他神秘主义哲学家说的。我倾向于认为，日本人的心灵，就像神道教义的简单信条中所表现的那样，是特别迎合王阳明学说的。他将良知无谬说推向极端先验论，赋予良知以辨别正误和事实与现象的能力。他比贝克莱和费希特还要理想主义，根本否定人的认识之外还有他物存在。如果说，他的学说中包含了唯我论的一切逻辑谬误，那么，不能否认的是，它同样具有说服力，在锻造人的坚强个性和宁静气质方面影响着道德。

由此看来，无论是从哪一种源泉，武士道所吸收的根本的精髓并不多，也不复杂。但是，这些不多的滋补，却为武士们提供了可靠的行为指南，即便在我国历史上最不稳定的时期最不安全的日子里，也是如此。我们健全而纯朴的祖先们，通过各种途径，如饥似渴地汲取思想的营养，并顺应时代的需求，从中锻造出一种无与伦比的男子汉气概。一位敏锐的法国学者M·马泽里埃尔先生这样总结他对16世纪日本的印象：“16世纪中期，日本一片混乱，政府、社会、教堂都如此。内战、倒回到野蛮状态的行为方式、人人自求正义——就像16世纪的意大利人，丹纳称赞他们‘朝气蓬勃、善于创新、决断果敢、忘我工作、勇于实践、敢于担当’。在意大利，‘中世纪的野蛮’使人变成超等动物，‘彻底的好战与对抗’，日本也是如此。这便是为什么16世纪在最大程度上展现了日本民族主要特征的原因，这种特征就是日本民族在精神和气质上的复杂性。印度人和中国人相互间的差别，似乎主要表现在能力和知识上；而日本人除此之外，还在性格上也迥然不同。现在，个性是优等民族和文明发达的标志。借用尼采喜爱的说法，我们也许可以说，在亚洲，谈到人，就会论及平原；而在日本和欧洲，说起人，人们会首先谈到山脉。”

对于德·马泽里埃尔先生描述的日本人的性格，现在我们日本人自己要来讨论。我的讨论将从“义”开始。

第三章

义

我们来讨论武士道中最严格的规诫。武士唾弃卑劣与诡诈的行为。"义"这个词也许是错误的——也许是太狭隘了。一位著名的武士将"义"定义为一种决断力:"义,乃是一种毫不犹豫地据理而为的决断力,当死即死,该击则击。"另一种说法是:"就像如果没有脊骨,人不能站立;没有义的话,无论是凭天赋还是通过学习,一个人都不可能成为武士。而有了义的人,功名富贵于他不过浮云。"孟子说:"仁,人心也;义,人路也。舍其路而弗由,放其心而不知求,哀哉!人有鸡犬放,则知求之;有放心而不知求。"在孟子看来,义是一条引领人重新走向乐土的正途,很狭窄的正途。

封建时代末期,天下承平日久,武士阶层拥有大量闲暇时间,虚掷于各种艺术享受之中。但是,与学问和艺术头衔相比,人们更看重"义士"这一称号。在我国大众教育中广为人知的四十七忠臣,用普通的说法,就是四十七义士。

在一个诡计走俏、谎言流行的时代,直率、真诚等男子汉的美德,就像宝石一样闪亮,得到了人们的最高赞美。义与勇,是武士之德的一对孪生儿。在论述"勇"之前,我先要说一个"义"派生的词。这个词的意思一开始与"义"很接近,随后区别越来越大,最终变成众所周知的意思。我说的是义理这个词,其字面意思是"正义之道",但它带有一种模糊的义务感,那是一种公众舆论期望待着义不容辞地去履行的义务。从词源上看,它意味着义务，纯粹而简单的义务——因此，我们说对父母、长辈、晚辈、对社会等负有义理。在这里，义理是指义务，因为，除了“正义之道”要求我们去做的事，还有什么别的东西能成为义务？难道“正义之道”不能够成为我们的绝对律令么？

Gi－ri的主要含义就是义务。我敢说，这个词的出现源于这样的事实：在我们的社会行为中，比如对父母，爱应该是唯一的动机，可是，在没有爱的情况下，必须有别的权威来执行孝道，于是人们拈出了“正义之道”这个权威。如果没有爱注入德行，人们就不得不求助于理智，以使他确信正确行动的必要性。其他的道德义务也是如此。“正义之道”防止人们逃避繁重的义务。义理可以被理解为一个严厉的监督者，手里拿着鞭子，使怠惰之徒克尽本分。“正义之道”是道德的次要的动力，它当然比不上爱的基督教义，爱乃是“律法”。我认为，“正义之道”是虚伪社会的产物，那是这样一种社会：偶然的出身和无端的偏好决定人的阶层；家庭是社会的单元；年龄比才能更受到尊重；自然之爱不得不服从于专横之风。因为这种虚伪，“正义之道”逐渐变质为一种解释或认同某种行为的借口。比如，为什么一位母亲为了挽救他的长子，在必要的时候，必须牺牲她的其他儿子？为什么一位女儿为了负担她父亲的挥霍，必须出卖她的贞操？诸如此类。在我看来，“正义之道”始于正当的理由，却常常屈于诡辩。司各脱关于爱国主义的议论，我以为适用于“正义之道”：“它是最美的，也是最可疑的，是其他情感的假面具。”在“正当之道”的假面下，藏匿着各种诡辩和伪善。如果没有武士道的勇气和坚忍精神，“正义之道”很容易成为怯懦者的安乐窝。

第四章

勇

除非见义勇为，人们几乎不认为“勇”具有道德价值。孔子习惯于用否定的方式给事物下定义，在《论语》中，他这样解释勇：“见义不为，无勇也。”将这句话改成肯定的表述，则变成：“勇，就是行所当行。”迎危而上，不顾性命，涉险而为——这些行为也都被视为英勇；这些鲁莽之举——莎士比亚称之为“勇气的私生产”——受到了不恰当的赞美。在武士道的诫命之中，为一个不值得的理由而死，那是“其死如狗”。柏拉图认为，勇乃是“不当畏者不畏，畏所当畏者。”德川公曾说过：“投身战斗，横尸疆场，容易之至，匹夫可为。当生则生，当死即死，方为真勇。”德川公没有听说过柏拉图的名字，后者曾经将“勇”定义为：“知有所畏与有所不惧”。西方人有道德之勇与肉身之勇的区分，这一点在我国早就认识到了。每一位武士年轻的时候，都听说过“大勇”和“匹夫之勇”。

英勇、坚忍、果敢、无畏、勇气等这些品德，对青少年的心灵最具吸引力，而且可以通过操练和示范加以培训，因而很早就深受欢迎，并被年轻人竞相效法。婴儿还在母亲怀抱里的时候，就不断地给他讲军人冒险的故事。如果小孩子因为疼痛而哭泣，母亲就会这样责骂他：“怎么这么胆小！为这点痛就哭。如此胆怯，到了战场，你的手臂被砍断了怎么办？接到了切腹的命令，你又怎么办？”我们都熟悉那个哀婉动人的歌舞伎故事：极度饥饿而坚忍无比的小王子，如此念道：“看鸟巢中的小黄雀，他们黄色的小嘴张得多么开，看啊！母亲叼着虫儿来喂他们了。这些小家伙吃得多么急迫多么高兴啊！可是，对于一个武士来说，当他胃中空空的时候，如果感到饥饿，却是一件不荣誉的事。”幼儿园里有丰富的关于饥饿与勇气的故事，当然，向孩子们灌输胆量与无畏精神的办法决不只有这一种。严厉的父母有时还用近乎残酷的办法去锻炼孩子的胆量。“狮子便将幼崽扔入深谷”，他们说。武士的儿子们也被抛入困难的深渊，被迫像西西弗斯一样完成自己的任务。偶尔剥夺他们的食物，或者让他们暴露于寒冷之中，被认为是锻炼他们忍耐力的最有效的考验。幼小的儿童被派往完全陌生的人那边传递信件，或者在冬天的时候，要他们日出前起床，然后赤脚走到老师家中，参加早餐前的晨读；此外，还经常——一个月一两次——被分成小组，轮流朗诵，彻夜不眠。年轻人喜欢到各种神秘之所：刑场、墓地，以及凶宅。公开杀头的日子里，小孩子不仅被送去目击那恐怖的场景，到了寂黑的夜里，他们还要单独前往刑场，并在砍下的头颅上留下自己的记号。

▲ 日本武士顶着神伞在箭雨中前进

这种超过斯巴达式的“勇气训练”会使现代教育家们感到恐怖，并充满疑虑：这种方法是否会扼杀年幼者心中的柔情，而使人性变得太野蛮？在下一章中，我们将考察武士道勇气观的其他方面。

第五章

仁：不忍之心

爱，宽恕，喜爱，同情，怜悯，自古以来就被认为是至尊的美德，是人的心灵中最高尚的部分。仁慈比王冠更适合于国王，仁慈要比王杖更稳固。孔子和孟子不厌其烦地重复道，君主最高的需求就是仁慈。孔子说："是故君子先慎乎德，有德此有人，有人此有土，有土此有财，有财此有用。德者本也，财者末也。"又说："上好仁而下不好义者，未之有也。"孟子接着孔子的话说："天下不心服而王者，未之有也。"他们两人都将君主必不可少的需求说成是："仁者，人也。"

封建制度下的政治很容易变质为黩武主义，唯有仁能帮助我们摆脱那种困境。统治者为所欲为，被统治者牺牲一切，那样自然会发展为极权主义，它被称作"东方专制主义"，好像西方历史上从来没有过专制似的。

我当然不是任何一种专制形式的鼓吹者，但将封建制等同于专制是错误的。腓特烈大帝曾说过："国王乃国家的第一公仆"，这句话被法学家评论为自由发展到一个新时代的标志。巧合的是，在同一时期，日本的上杉山鹰山也说过类似的话，它表明封建制不全是暴政和压迫。一个封建君主，虽然可以不理会对臣下应负的责任，却对祖先和上苍怀有自觉的责任。他是黎民之父，受上苍委托照看子民。中国的《诗经》里说："殷之未丧师，克配上帝。"孔子在《大学》里也教导说："民之所好好之，民之所恶恶之，此之谓民之父母。"这样，公众的吁求与君主的意志，或者说民主与专制就融为一体了；武士道也就在某种意义上，接受了一种父权的——相对于"山姆大叔"（美国）而言——统治。专制统治与父权统治的区别在于，专制统治下，人民的服从是勉强的；而在父权统治下，对统治者的服从则是"自豪的归顺，有尊严的顺从，哪怕是奴役般的臣服，也不失去高贵的自由。"俗话说得好，英国国王是魔鬼之王，因为其臣民经常叛乱，篡夺其位；法国国王是笨驴之王，因为他的苛税总是没完没了；西班牙国王是庶民之王，因为人民对他甘于服从。

在盎克鲁·撒克逊人的心目中，德行和绝对权力是不可能一致的。俄国政治家波别多诺斯采夫曾比较过英国与其他欧洲社会，他认为，后者基于共同利益而建，而前者则以个人独立性见长。他指出，欧洲大陆国家，特

▲ 武士整装，头戴兽角，短剑悬左，长剑佩右。

别是斯拉夫民族各国,个性依存于社会共同体——归根结底,是依存于国家;波氏的分析,完全适用于日本。因此,对于君主权力的为所欲为,我们不仅没有像欧洲人一样感到不堪重压,而且,由于君臣间有一种父子般的感情,一切似乎都变得很温和。俾斯麦说过,"专制统治的首要条件是统治者公正、正直、具有奉献精神、精力充沛,并且内心谦和。"我想再引一段德皇科布伦茨的演说辞,他说:"王位,乃上帝所赐,其任重责大,非任何人可以为之推卸。"

仁之为德,其性如母。如果说刚毅和耿直为男性所特有,那么,慈爱则具有女性的温柔和感染力。仁慈须与正义同行,勿可沉腼于泛爱。仙台藩主伊达政宗引用过一句格言:"过义则固,过仁则懦。"幸而仁慈并非稀有之德,"至勇者柔,仁爱者勇"。侠骨柔情——武士的温柔之情——多么动人心扉!那不是因为武士之仁与其他人的不一样,而是因为,武士之仁并非盲目的冲动,而是为正义而施;也不仅仅是停在心里,而是附以生杀之权。就像经济学家将需求分为有效的与无效的一样,我们也可以说,武士之仁是有效的,因为它包含着将利害施诸对象的威力。

武士为自己拥有使用武力的特权而感到自豪,对孟子的仁者无敌之说也衷心感服。孟子说:"仁之胜不仁也,犹水之胜火。今之为仁者,犹以一杯水救一车薪之火也";又说:"恻隐之心,仁之端也"。孟子之后,亚当·斯密也以同情心作为他的道德哲学基础。

不同国家的武士的荣誉观原来如此相似!东方道德观念虽遭受曲解,欧洲文学最精美的篇章中却可以发现意义相近的格言。有这样一句著名的诗:

安慰败者,让那骄傲的胜利者低下头来
建立和平之道,是你的职责。

如果把这句诗拿给一位日本文人看,他也许会责备这位维吉尔剽窃日本文学。

武士们特别愿意仁慈地对待弱者、被践踏者和被战败者。喜欢日本艺术的人,一定熟悉那幅著名的画:画上是一个背向后面的骑牛的和尚。那位和尚曾经是一位名叫熊谷的武士,在他声名鼎盛时,他的名字就让人不寒而粟。1184 年须磨浦之战是我国历史上最具决定性的战役之一。在那场惨烈的战斗中，熊谷追赶一个敌人，与之格斗，以巨臂将其按倒。根据当时的战争规则，除非被按倒的一方身份高贵或者与赢的一方力量相当，否则就不应该被杀。这位冷酷的战士想知道是谁被他击倒在地，但对手拒绝透露自己的姓名；于是熊谷扯开那人的头盔，露出了一张年轻俊美的脸，他惊愕地松开了手，将少年扶了起来，并以慈父的口吻说道："年轻的公子，快回到你母亲身边。熊谷的刀不会沾上你的血，在你的敌人察觉你之前，快离开此地吧。"少年武士拒绝逃开，并请求熊谷为了双方的荣誉砍下他的头。熊谷白发苍苍，他的刀刃白光闪闪，曾经夺去许多人的性命；但是，熊谷勇猛的心变得有些沮丧，想象着自己的儿子，随着冲锋号声初上战场的情景，他双手哆嗦；熊谷再一次请求他的对手逃命，可是，恳求依然无效。自己一方的士兵越来越逼近了，熊谷无奈之下，高声叫道："与其让你死在无名之辈手中，莫如老夫我亲自结果你的性命。"说罢空中一闪，刀起头落，鲜血染红了白刃。战斗结束后，熊谷凯旋而归，但从此不念功名，削发为僧，一心向佛。

批评家或许会挑剔这个故事的纰漏，在细枝末节上的确如此。但是，这个故事展示的是，温柔、悲悯和仁爱装饰着武士血淋淋的武功。古谚云：倦鸟入怀，猎夫不杀。如此我们便容易理解，为什么红十字运动在日本很容易推广成功。在日内瓦国际红十字会条约签订前几十年，通过我国最伟大的小说家马琴，我们就知道对负伤者施以疗救。在以尚武精神著称的萨摩藩，青年人喜爱音乐蔚然成风。他们喜爱的，不是那种喧闹的鼓乐或号乐，那种音乐预示着鲜血与死亡，刺激人们像猛虎一样行动；而是那种忧伤而柔和的琵琶曲，那种音乐能抚慰我们烈火般的精神，让他们远离血腥和屠杀。波里比阿也曾告诉我们，阿卡迪亚宪法规定，30 岁以下的青年必须从事音乐，以柔化该地的强悍民风。阿卡迪亚山区看不到残忍成性的民风，他认为应该归功于音乐之风。

在日本，并非只有萨摩藩的武士培养温文尔雅之风。白河乐翁在他的遐想录中写下了这样的话："花儿的芬芳、遥远的钟声，霜夜的虫鸣，来扰清梦，良宵倍珍。"又说："落花之风，蔽月之云，挑剔之人，凡此三者，虽憎可宥。"

为了抒发美好的情感，勿宁说为了涵养美好的情感，武士们被鼓励作诗题句。我国诗歌中因而有一股悲壮而优雅之风。有一位乡村武士的佚事证明了这一点。他被教导作俳句，第一次试作的题目是“莺声”，他很不情愿，抛给主人如下的句子：

武士背过耳朵

不听黄莺的歌声

他的主人，对这种粗鲁的感情并不泄气，继续鼓励他，直到有一天，他心灵的音乐被唤醒，有感于黄莺美妙的声音，写下了如下的俳句：

武士伫立，身披铠甲

聆听莺鸣

森林也变得甜美

克尔纳受伤躺在战场上的时候，在草地上写下了那首著名的《告别生命》。我们敬仰他短暂一生中的英雄行为，但类似的行为在我国战争中亦非罕见。我国的简短而遒劲的诗歌，特别宜于即席表达个体的情感。任何受过教育的人，都能作和歌或俳句。常常可以见到这样的情景，奔驰在疆场的武士突然勒住战马，从腰间取出作诗的工具，创作出他的颂诗。当他战死之后，人们从他的头盔或胸甲内发现这些颂诗。

于战争的恐怖之中唤起同情，在欧洲由基督教担当此任，在日本则由音乐和文学。培埴柔情会衍生对他人痛苦的关心。由尊重他人情感而产生的谦逊和礼让，构成了礼的根本。

第六章

礼

每个到过日本的游客都会注意到，日本人最明显的特点就是多礼。如果“礼”只是为了避免举止不得体，那么它就算不上什么德行。然而，礼乃是善解人意，它意味着对合宜之事的尊重，因而也就意味着对社会地位的尊重，因为社会地位本非金钱权势之别，而是源于实际价值之分。

礼近乎仁。我们当以虔敬之心来讨论礼：宽为怀，好心肠，不妒忌，不自傲，不乖戾，不自私，不迁怒，不念恶。无怪乎迪安教授在讨论人性的六大因素时，将礼视为人类社交的最成熟的果实。

我如此推崇礼，却不是要将礼列为德之首。没有哪一种德行是可以单独存在的。只要稍加分析，我们就会发现，礼与其他更高的德行相关。如果将它抬高为武人所特有的美德，礼可能变成一种虚礼。

礼，被视为社交生活的普遍规范。为了训练年轻人正确的社交行为，制定了一套复杂的礼仪制度。与别人打招呼时，应该如何鞠躬？坐姿行态又当如何？均须用心揣摩。用餐时的仪规成为一门学问，饮茶更成为一种艺道。一个有教养的人，应当精通所有这些礼数。维布伦先生在那本饶有趣味的著作中说过：礼仪“是有闲阶级的产物和时尚。”

我曾经听到过欧洲人的一些微言。他们说，我国的礼节过于繁琐。我承认，我国礼仪中的某些细枝末节可能是不必要的，但是，我不能确定的是，它是否比西方人永远跟在不断变化的时尚之后，更加可笑？我并不认为欧洲人追求时尚是见异思迁、爱慕虚荣，我将它看作是人类对于美的无止境的追求。我更不会认为精巧的礼仪完全是微不足道的，因为长期的实践证明，它是达到某种效果的最适当的方式。我们若要做某事，必定有做成此事的最适当的方式；最适当的方式，既是最经济的，也是最得体的方式。斯宾塞先生认为，得体“就是最经济地完成一个动作”。茶道规定了使用茶碗、茶勺、茶巾等等的方式；初学者会感觉很乏味，但他不久就会发现，那套规定动作，毕竟是最节省时间和体力的方式；换句话说，是最经济的方式——因此，按照斯宾塞的定义，也是最得体的方式。

我已经说过，我国的礼仪巧构至于唯精唯微的地步，因此产生了各种不同的礼仪学派和体系。这些不同的学派与体系在本质上是统一的。最著名的礼仪流派、小笠原流宗将它们的本质表述为：“众礼之道，悉在修心，修养深的人，如礼端坐之时，虽最凶恶之徒，不能伤其身。”意思是说，持之以恒地按照正确的礼仪修炼下去，人就可以达到身心安泰、物我交融的境界。

▲“沏青茶之活水，汲自心井，其深如何无人晓……”

如果斯宾塞的话是对的，得体意味着用力适度，那么，持续的得体行为必然会保存和积蓄力量。当野蛮的高卢人洗劫罗马城的时候，冲进正在开会的元老院，竟敢揪住元老们的胡子——元老们威仪失尽，怎能不受到谴责？仪态与精神相关，此话不虚，果然是条条大路通罗马啊！

茶道便是一个例证：最简单的事情可以变成艺术，然后变成精神力量。饮茶居然变成一门艺术！为什么不可以呢？在沙滩上画画的儿童，或者在山洞里雕刻的野蛮人中，也许会成为未来的拉斐尔或米开朗基罗哩。茶道始于印度高僧的冥想之道，它首先要做到心平气定。幽静而素朴的小茶室，远离嘈杂人群，有助于引领人的思想超凡脱俗。茶道的目的是要培养高雅的品味。据说茶道诞生于战火连天的年代，是由一位隐士发明的，这一事实本身就表明，茶道决不是为了消遣。参加茶道的人在进入茶室之前，必须放下佩刀，连同战场上的残暴和政治中的忧虑也一起放下，在茶室中唯有和平与友谊。

茶道超出一般的礼仪——它是一门优雅的艺术，也是一种以有节奏的动作为韵律的诗，它是修身养性之道。最后一点，尤其是茶道的最大价值所在。尽管常有人更重视前两点，但茶道的本质，还在它的精神方面。

就算礼仪只使人举止优雅，那也嘉惠良多。但是，礼仪的功效决不止于此。它要求我们与哭泣者同哭泣，与喜悦者同喜悦。当这种教诲落实到点点滴滴的日常生活中，往往体现于一些微不足道的小事中，隐而不现；如果引起了人们的注意，它很可能就像20年前一位传教士曾经对我说的："很滑稽"。假如你在户外，烈日当空，没带任何遮阳工具，恰好遇到一位日本熟人，便与他打招呼，那位熟人脱下帽子——这当然很平常；可是，"很滑稽"的是，在与你交谈的过程中，他收起了遮阳伞，跟你一起站在烈日中。多么愚蠢！他这样做的理由是："你在烈日下，我很同情你。如果我的伞足够大，我可以和你一起遮阳；既然我不能替你遮阳，我愿意分担你的痛苦。"类似的琐事，甚至还有更"滑稽"之事，都不仅仅是一种姿态或习俗，而是对他人的幸福身同感受的一种体现。

再举一个"滑稽"的例子。许多肤浅的作家简单地将它说成是日本人莫名其妙。遇到这种情况的外国人都会感到尴尬，不知所措。美国人赠送礼物时都会赞美礼物，日本人却会贬低它。美国人的言下之意是："这是一件精美的礼物，如若不然，我不敢将它赠予你；因为，送你任何不好的礼品，都是一种侮辱。"与此不同，日本人的逻辑是："你是如此优秀，没有礼物可以配得上你。你不必接受我呈于你脚下的任何礼品，除非权当我的聊表心意；是的，你接受它并非因为它自身的价值，而是因为它代表我的心意。即使是最精美的礼物，如果被视为配你之物，对你都是一种侮辱。"对照这两种观念，我们发现最终的意思是一样的，两者都不"滑稽"。美国人谈到礼物，主要是说物质方面；而日本人论及礼物，主要指精神方面。

我国国民的礼仪之风体现于一切举止之中，因此，从中抽取一个最微小的行为，将它作为典型，并据此对礼仪的原则作出批判，是有违理性的。饮食与饮食之道，哪一个更重要呢？一位中国的智者回答说："取食之重者与礼之轻者而比之，奚翅食重？""金重于羽者，岂谓一钩金与一舆羽之谓哉。"讲真话，与遵守礼仪，哪一个更重要呢？日本人与美国人的回答可能是相反的。不过，在讨论诚实之前，我先不对此作出评论。

第七章

诚

如果没有信与诚，礼便成为一场闹剧和作秀。伊达政宗说："礼之过则谄"。一位古代的和歌作者告诫说："心诚则灵。"孔子在《中庸》中特别推崇诚，几乎将诚与神灵等同。他说："诚者，物之终始，不诚无物。"

谎言和遁词都被视为怯懦。崇高的社会地位，要求武士的诚信标准高于商人和农民。所谓"武士之言"，就是对一句话真实性的充分保证。武士一诺千金，无需纸约——那被视为有辱他的身份。有许多轶闻中都讲到武士因为食言而以死抵偿。

基督教导说："不要发誓。"一般的信徒总是违背主的教导。真正的武士极重视信誉，最好的武士将发誓视为对自己荣誉的损害。我当然知道武士对着不同的神或刀发誓，但是决不会作妄言或戏语。为了庄重其辞，常以血为印。读者只要读一读歌德的《浮士德》，就能明白这种行为。

最近，美国的皮里博士写了一本书，他在书中说："如果你问一个普通日本人，说谎和失礼，你愿意选择哪个？他会毫不犹豫地回答：'说谎'。"皮里博士的话，对错参半。他言重了，他将"客套话"等同于谎言。假如你问一个日本人，或者任何有教养的美国人，问他是否不喜欢你，或者他是否有胃病？他会毫不犹豫地以"客套话"作答："我非常喜欢你。""我很健康，谢谢。"

我知道，我在讨论武士道的诚信观。但是，稍微说几句有关我国商业道德的话,未必不当。因为,我从国外的著作和新闻中听到过许多这方面的抱怨。松懈的商业道德确实是我们民族声誉上最糟糕的污点。在各种职业中,商业与军人可能是相距最远的两种职业。士农工商,商人是地位最低的。武士靠土地获得收入,如果他愿意的话,他业余可以从事农业,但是柜台和算盘则遭到嫌弃。我们明白这种社会安排中包含的智慧。孟德斯鸠清楚地论述过,使贵族远离商业,是一项值得称赞的社会政策,它可以防止权贵们聚敛财富。权力与财富的分离可以使财富的分配趋于均衡。迪尔教授在他的《罗马帝国晚期的罗马社会》一书中,论证了罗马帝国衰亡的原因之一,就在于允许贵族从事贸易,结果财富和权力都被少数元老院家族垄断。

封建时代的日本,商业从未达到它在更自由的条件下可能达到的程度。“一个人被称为贼,他就会去偷。”当一种职业蒙受耻辱,那么从事该职业的人,其道德自律自然也不会太高。就像布莱克所说的,“正常的良心,好坏都不会超过社会对它的要求。”无论什么职业,商业也罢,其他职业也罢,没有道德规范都行不通,这一点不言而喻。封建时代,日本的商人互相之间也有道德准则。诸如行会、银行、交易所、保险、票据、汇兑等基本商业制度,如果毫无道德规范,这些制度是不会发展的;但是,在与同业之外的人的关系中,日本商人的道德名声确实不佳。

因此,在日本开放对外贸易之初,只有那些最勇于冒险、无所顾忌的商人才涌向港口;至于那些受人尊敬的商号,竟不顾当局的再三请求,拒绝到港口开设分公司。

武士道是否有能力洗刷商业的不名誉呢?

熟悉我国历史的人一定记得,日本开放外贸口岸仅仅几年,封建制度就被废除了。与此同时,武士的俸禄被取消了,作为补偿,给他们发行公债。他们可以自由地将公债投资于

▲ 窥

商业。读者也许会问："为什么他们没有将其自夸自擂的诚信带入新的商业关系之中，以此革除旧弊呢？"大家都会看到，并且不能不深表同情的是，有许多高贵而诚实的武士，投身新的完全不熟悉的工商业领域，由于缺乏精明，在与狡猾的平民对手竞争时，落得惨败的命运。当我们了解到，像美国这样工业化的国家，居然有百分之八十的实业家失败，那么，投身商贸的武士们，成功者寥寥，就毫不足怪了。要确定将武士道带到商业交易后毁灭了多少财产，尚需时日；不过，财富之道并非荣誉之道，这一点谁都会马上就弄明白。那么，两者究竟有何差别呢？

雷基曾列举导致诚信的三个诱因：产业的、政治的和哲学的。第一个诱因，是武士道完全缺乏的。第二个诱因，在封建制度下的政治社会中也未能获得多大发展。在第三个诱因也就是哲学的诱因，雷基认为那是最高的诱因中，诚实享有很高的地位。盎克鲁·撒克逊民族有着良好的商业道德，他们相信，正直是最好的策略；就是说，诚实是划算的。但是，德行的回报却是德行自身。如果说为人诚实只是因为它比虚伪能得到更多的现金回报，我想，武士们宁愿沉溺于谎言之中。

武士道拒绝互惠互利的经济原则，精明的商人却甘之如饴。雷基的说法是正确的，诚信的发展归功于工商业的发展。正如尼采所说，诚实是最年轻的德行，换句话说，它是现代产业的养子。没有现代产业，诚信就像一个出身高贵的孤儿，唯有最富涵养的心灵才能抚育他。武士道中普遍具有这样的心灵，但是，由于缺少更平民的讲究实利的养母，这个幼儿未能茁壮成长。随着产业的发展，诚信将会被证明是易行的，不，是有利可图的德行。试想想，俾斯麦曾警告德意志帝国的领事们说："德国的货物，品质低劣，又短斤少两，信用太差。"那是 1880 年 11 月间的事。然而，今天我们很少听说德国商人粗制滥造、缺少信用的事了。仅仅 20 年，德国商人就学会了诚实是划算的。如今，我国的商人也已经发现这一点了。

我常常想，武士道的诚信，是否出自比勇气更高的动机。由于缺少不得作伪证的戒律，说谎并不被判有罪，只是被当作怯懦，因此，是非常不荣誉的。事实上，诚实这个词，在拉丁语和德语中，与名誉都是同源的。至此，我应该考察一下武士道的荣誉观。

第八章

荣誉

荣誉感，意味着对个人尊严和价值的自觉。生来就看重自己特权和义务的武士阶层，是特别有荣誉感的。好的声名被视为"人体不朽的部分"；声名受到任何侵害都被视为一种羞耻。廉耻心，是青少年从教育中得到的最早的德性之一。对犯了过失的年轻人，最严厉的批评就是：人家会笑话你，有损体面，你不觉得羞耻吗？诉诸荣誉感，可谓打动了年轻人心灵中最敏感的部分，因为荣誉与强烈的家族感紧密相联，与生俱来。巴尔扎克说过："如果没有家庭的纽带，社会将失去孟德斯鸠称之为'荣誉'的基础力量。"确实如此。在我看来，羞耻感乃是人类道德感的最初预示。我认为，人类偷尝"禁果"后，所遭受的最严重的惩罚，既非怀胎的苦楚，亦非荆棘和蒺藜，而是羞耻感被唤醒。在荣誉观上力求一尘不染的武士是正确的，因为，"不荣誉就像树上的疤痕，不会随着时间而消失，相反，它会与时俱增。"

卡莱尔说："羞耻是一切德性之母。"孟子也说过："羞恶之心，义之端也。"

羞耻感，仿佛悬在武士头上的达摩克利斯之剑，令他们恐惧无比，近乎病态。许多行为假名誉之名而行。为了所谓的荣誉，一丁点小事就能让易怒的武士拨刀相向，白白送掉无辜生命。有这么一个故事：某位市民好心地提醒一个武士，告诉他背上有只跳蚤，结果市民被砍成两半。那位武士的理由简单而又离奇，他说，跳蚤本是寄生于畜牲身上的虫子，将一名高贵

▲ 武士出征。

▲ 阴郁的神龛。

的武士与昆虫相提并论，当然是不可原谅的侮辱。我认为，此类故事纯属无稽之谈，并不可信；不过，它们之所以流传，大概有三种含义：第一，为了赢得民众对武士的敬畏；第二，武士中确有滥用荣誉的；第三，武士有一种很强的羞耻感。拿一个不寻常的例子来指责武士道，就像依据狂热与虚伪的宗教徒来判断基督教，显然是不公正的。然而，宗教的偏执毕竟不同于醉汉的狂态，在武士对于名誉极端敏感之中，也潜藏着某种真正的德行。

有关名誉的训诫很容易让武士产生过火行为，不过，武士同时还被告诫须宽恕和忍耐。小事则怒，即为“急躁”。俗语说：“忍所不能忍，是为真忍。”伟大的德川家康，遗训中有这样的话：“人生如负重远行，勿急躁……莫怨天尤人，反求诸己。”他用一生所为证实了自己所说的话。有一位歌师曾经模仿我国三位著名历史人物的口吻，创作了一首和歌：

织田信长：“杜鹃，你再不啼叫，我就杀了你！”

丰臣秀吉：“杜鹃，你再不啼叫，我可要逼你了！”

德川家康：“杜鹃，你再不啼叫，我愿一直等候！”

从一些武士的言论中，我们可以了解到，武士道能达到何等的不怒自威，不战而和。小河立所武士说过：“对于别人的指责，切勿以恶相报，宁可以之为镜，无则加勉。”熊泽蕃山武士也说：“人可侮我，我不侮人；为而不有，其乐无穷。”高贵的西乡南州武士则说：“人法道，道法天。天施仁爱，众生平等，故爱人若爱己。不怨天，不尤人，求诸己而已。”

必须承认，只有很少的武士能够做到如此宽大为怀，如此坚忍不拨。遗憾的是，关于荣誉究竟由哪些成分构成，从来不曾有过清晰的和普遍认可的说明。只有少数卓越之士意识到，荣誉是“无须任何条件的”，只须各人尽自己的本分。许多人都学过孟子的语录：“欲贵者，人之同心也。人人有贵于己者，弗思耳。人之所贵者，非良贵也。赵孟所贵者，赵孟能贱之。”可是，到了真正行动的时候，却忘得一干二净。受了点小侮辱，即怒不可遏，拔刀报复，只不过为了虚荣或世俗的赞美。但是，惟有真正的荣誉，才是年轻人应当孜孜追求的目标，它是人生的至善，决非财富或者知识。有多少少年人在跨出父亲房间的门槛时，内心就立下誓愿：除非立身扬名，否则决不返回家门。许多功利的母亲也拒绝儿子回家，除非他们衣锦还乡。

在成名的道路上,年轻的武士们甘于贫困寂寞,愿意接受精神和肉体上最严酷的折磨。他们深知,少年时所赢得的名望将随着年龄的增加而不断升高。在值得纪念的围攻大阪的战役中,德川家的小儿子纪伊赖宣,万般恳求加入先锋队,可是仍被编入了后方部队。攻下城市后,他痛苦地哭出声来,一位老臣试图安慰他,对他说:"请公子放宽慰些,来日方长,未来会有许多让您建功显名的机会。"纪伊赖宣怒目注视着这位老臣说:"您的话多么愚蠢!难道我十四岁的美好年华还会重来吗?"在武士眼中,与荣誉相比,生命本身是没有价值的。

某些德性是如此宝贵,连生命都可为之牺牲。如果说各种封建德性共同筑起一座对称的拱门,那么,作为其拱心石的,也是各种德性中最可宝贵的一种,便是忠义。

第九章

忠

▲ 武士坐像

封建时代的各种道德，在其他时代或其它阶层中也同样存在；只有“忠”是它所特有的。个人的忠诚是联系各种各样团体的道德纽带；即使在小偷团体中，也不例外——就像《雾都孤儿》中，小偷们都要忠于他们的头目费金。但是，唯独在武士的道德诫条中，忠义有着至高无上的重要性。

黑格尔曾经批判封建社会里臣民们的忠，因为那种忠，是对君主个人的义务，而不是对国家的义务；是建立在不公平的原则之上的，是对臣民的一种束缚。黑格尔的同胞——伟大的俾斯麦却夸耀地说，忠诚是德国人的美德。俾斯麦的夸耀之词是有充分理由的。然而，俾斯麦赞美忠诚，并非因为它是德国的或任何一个民族独有的美德，而是将它视为封建社会骑士道中保存最久的德行。日本人所抱持的忠义，别的国家的人可能不会赞美它，这倒不是因为那种忠义观念是荒谬的，而是因为人们忘记了它，或者因为日本人将它抬得比其他国家都高。格里菲斯正确地指出，中国的儒家将对父母的服从视为人的首要义务，而日本人则将忠义放在第一位。

我想讲一个故事。故事的主人公菅原道真是我国历史上最伟大的人物之一。因为遭人妒忌，他成为谗言的牺牲品，被逐出京城。但他的仇家不愿就此罢休，想对他斩草除根，要杀死他的尚未成年的儿子。经过严密搜查后发现，孩子被菅原的旧臣源藏藏在了一间寺院私塾中。接到限期交出幼年犯首级的命令后，源藏首先想到的，是要找一个合适的替身。他按照私塾里的学生名册，将所有的学生，一个个打量过去。但是，那些出生于乡下的孩子中没有一个像他的幼主。不过，他的失望是暂时的。很快，有一位气度不凡的母亲，领着一个与他的幼主年龄相仿的漂亮儿童，来申请入学。

这位儿童长得酷似幼主。母子俩都知道这一点。来“申请入学”之前，他们已在自己的家中设了祭坛，儿童奉献了自己的生命，母亲则奉献了她的心。但表面上他们都不露声色。源藏当然不知道这些，他暗下了决心。

他找到了作为牺牲的山羊！

我还是简单地说一下故事的结局吧。那天，作为负责检验首级的官员，松王丸来到了源藏的私塾。替身的头颅能瞒得过他吗？可怜的源藏手握利刃，他随时准备着，一旦真相败露，便刺向检验官或者自杀。可是，松王丸转过死人的脸，平静地查验之后，以一副当差人惯有的腔调宣布，“是他。”

晚上，儿童的母亲在家里焦急地等待着。她热切地望着大门，他已经知道了儿子的命运，她不是期待儿子回来。她的公公，也就是孩子的爷爷，长期蒙受菅原道真的眷顾，菅原被流放远方之后，环境迫使她的丈夫松王丸去为恩人的仇家服务。松王丸自己不能不忠于冷酷的新主人，但他的儿子终于可以为祖父的主君效劳了。因为了解菅原道真的家族，他被委以查验幼主尸体的任务。回到家里，刚跨进门槛，他就招呼自己的妻子说："你高兴吧！我们可爱的儿子已经效忠于他的主人了！"

"多么残酷的故事！"我知道读者会这样喊道。"为了挽救另一个人的儿子，父母居然故意牺牲自己无辜的儿子。"可是，读者不要忘记，这个孩子是自觉自愿地成为牺牲品的。这个故事，和亚伯拉罕献上以撒作为牺牲的故事一样有意义。两者都是对于某种义务的召唤和某种来自上天的命令的完全服从。

西方的个人主义认为，父子夫妻，各人有各人自己的利益，因此相互间的义务明显减少。但是，武士道却将家族及其每个成员的利益视为密不可分的统一体，这种利益是与爱——自然的、本能的、不可抗拒的爱——捆在一起的；因此，如果我们凭自然之爱（连动物都有这种爱）去为我们所爱的人而死，有什么大不了呢？爱那些爱你的人，难道你需要什么报酬吗？

平安末期的平重盛将军，在他的父亲反叛的时候，内心曾有过激烈的斗争。赖山阳在他不朽的历史著作中这样写道："忠孝不能两全！"可怜的平重盛，只能祈求上苍赐他以死，让他摆脱忠孝不能两全的人世。

有多少人像平重盛一样，心灵被义务与情感的冲突撕扯着。无论是莎士比亚，或旧约圣经，西方人没有类似于日本"孝"的概念。武士们面临忠孝冲突时，会毫不犹豫地选择"忠"。女人们也鼓励丈夫或儿子为君主牺牲一切。

像亚里士多德以及近代几位社会学家一样，在武士道的观念中，国家是先于个人的，个人天生是国家的一分子，因此，他必须为国家，或者为国家的合法统治者，生死以赴，义不容辞。读过《克力同》的读者可能还记得，苏格拉底被关在狱中，当他的朋友劝他逃跑的时候，他以国家法律的口吻如此说道："好了，你既是我们所生、所养、所教，你能说你本身和你祖先不是我们的子息和奴才吗？"这种口吻，日本人觉得再正常不过了。很早以前，武士们就说过同样的话，只不过苏格拉底所指的法律，在日本是通过具体的人来表现罢了。忠义正是由这一政治原理产生的。

斯宾塞先生在他的《伦理学原理》一书中，将“忠”等同于政治服从，并认为它的职能非常有限。他的意思是，一朝天子一朝臣，政治服从不可能永远保持不变。但是，“一朝”也许是一段很长的时间。日本的国歌里就唱到：“直到弹丸小石成为布满苔藓的大岩石”。退一步说，就算朝代变换，可整个封建王朝仍有着神圣而永久的根基。

武士道并不要求我们的良心成为任何国王的奴隶。托马斯·莫雷的诗充分表达了我们的思想：

可畏的君王啊，我匍匐于你的脚下
我的生命唯君命是从；但我的羞耻感不是
牺牲生命是我的义务；但是，
刻在我墓碑上的我的英名
却不许被滥用。

那些为了迎合君王反复无常的意志和妄想邪念而牺牲自己良心的人，在武士道中是被鄙弃的。他们被蔑称为“佞臣”，即以阴险的阿谀奉承来讨好君王的奸臣；或者被戏称为“宠臣”，是一班靠奴颜媚骨讨得君王欢喜的贱臣，这两种臣子，和莎士比亚的《奥塞罗》中伊阿古所说的完全一样：一种人是“卑躬屈节，唯命是从，甘心套着那锁链，出卖自己的一生，活像他主人的驴子”；另一种人是“表面上装得忠心耿耿，骨子里却是处处替自己打算”。当与君王发生意见分歧时，为臣尽忠之道，应该是像肯特对李尔王一样，用尽各种方法去纠正君王。在这种情况下，武士常用的办法，就是以血死谏，以表忠贞，并以此对君王的明智与良心作最后的吁求。

将生命视为臣事君王的手段，其理想系于名誉。武士的全部教育与训练都依此施行。

第十章

武士的教育与训练

武士道教育的第一要点是培养品质,远见、知识、思辨倒在其次。如前所述,美学才艺在武士教育中扮演重要的角色,对于有教养的人而言,它是必不可少的。然而,在武士的训练中,美育不是核心的,只处于附属地位。智力超群自然受到重视,但是用来表示智力的"智"这个词,主要的涵义是智慧,知识的地位较之为低。支撑武士道的三个基点是:智、仁、勇。武士本质上是行动的人,行有余力则学文。哲学和文学构成武士智育的主要内容,但是,学习这些知识的目的,不是为了追求客观真理——学习文学主要是为了消遣娱乐;学习哲学则是为了阐明政治或政治的问题,或者就是为了它有助于品质的形成。

因此,不足为怪的是,武士道的教育课程主要由击剑、箭术、柔道、马术、矛术、兵法、书法、道德、文学以及历史等组成。关于柔道和书法,或许有必要作几句说明。之所以重视书法,是因为日本文字具有绘画的特点,具有艺术价值,同时,笔迹被认为能表现一个人的性格。至于柔道,可以简单地将它定义为,解剖学的知识在攻防中的应用。它不同于角力,不依赖于肌肉力量;也不同于其他攻击形式,不使用任何武器。其技艺包括抓住或打击敌人身体某个部位,使他麻痹而不能反抗。其目的不是要置人于死地,而是使对方暂时不能活动。

武士道教育中没有数学课。这很容易理解。一方面,封建时代的战争,其进行并不依赖科学的精确性;另外,武士的全部训练都不适于培养数字观念。

▲ 全副武装

武士道是没有经济概念的，它以贫困为自豪。莎士比亚在《雅典的泰门》中说："战士有雄心，宁可选择损失，而不愿有所得而丧失雄心。"与此相似，堂吉诃德不在乎黄金和领地，却为他的生了锈的矛和皮包骨的马感到自豪。日本的武士对此应该会心领意会。武士鄙视金钱，包括赚钱与蓄财之道。形容世风日下的常用语就有："文官爱钱，武官惜命。"吝啬黄金和生命的行为，常受到讥讽；而相反的行为，则受到赞扬。谚语云："莫要贪恋金银，富能伤智。"儿童便是在这种语境中被培养的。谈论钱财，被视为低级趣味，而不辨货色，则成为有教养的标志。有识之士都深知金钱是支持战争的力量，但从不教导尊重金钱。武士道教导人节俭，也不是出于经济的理由，而是为了训练人的节制。奢侈被当成对男子汉气概的最大威胁，因此，武士被要求过最简朴的生活，许多藩国也都严厉执行关于奢侈的禁令。

由于如此鄙视钱财，武士道得以避免了种种钱财之弊。这足以说明我国公务员长期保持清廉的原因。可惜，拜金主义，如今正来势汹涌！

现代人的智力训练主要是借助于数学研究，过去则是通过文学评注和伦理讨论。如前所述，武士道教育的主要目的在于培养品质，因此，学生很少为抽象的问题所困扰。博学之徒并不受人尊敬。培根说过，研究有三种目的：快乐、炫耀和能力；三者之中，武士道最重视能力。能力的运用在于"判断和处理事务。"无论教育是为了公务或者自我修养，所看重的都是其实际效果。

教师的任务，主要不是启发学生大脑，以增益其智力，而是塑造人的心灵，以培养其品质，如此施教，近乎神职。"生我者父母，成我者教师。"为人师表者受人尊敬。一个赢得年轻人如此信赖和敬重的人，必须是德才兼备的。他是失父者的父亲，是迷途者的引路人。俗语云："父母如天地，师君如日月。"

给每种工作付予报酬的现代工资制度，在武士道的信徒间，是行不通的。武士道相信，有些工作是没有收入的，

▲ 穿上大腿铠甲

▲ 穿上护身铠甲

▲ 戴上面罩、护喉

也是不能以金钱衡量的。像僧侣或者教师所从事的工作,是无法用金钱作为回报的;这不是因为他们所从事的精神工作没有价值,而是因为那种工作的价值无法估量。工资和薪水,只能付给那种其结果是具体的、能够把握、可以计量的工作,而教育所从事的引导灵魂的工作(包括僧侣的工作),却不是具体的、能够把握和可以计量的。因此,作为计量价值尺度的货币,是不适用于教师的。按照风俗习惯,弟子可以在一年中某个季节向教师送礼,但是,那不是报酬,而是献礼。因此,那些操守高洁,甘于清贫之人,也能乐于接受。那样的教师,不屈服于艰难困苦,被看作是高尚精神的完美典型,是所有学问目的的具体化身,是普遍要求于武士的、所谓戒律中的戒律——克制——的生动楷模。

第十一章

克制

如前所述，"勇"要求武士能忍受；"礼"要求武士们不可流露自己的痛苦与悲伤，以免影响他人的快乐与平静；这两者的结合便导致心灵转向禁欲，并逐渐形成了日本人的表面上的禁欲主义。我之所以说是表面的禁欲主义，因为我不相信真正的禁欲主义会成为一个国家全体国民的特性，而且我也不相信，在外国观察家看来，我国国民的行为方式和风俗习惯会是冷酷无情的。其实，日本人的柔情似水，恰似任何别的民族。

我认为，在某种意义上，我们比其他民族更多愁善感。对自然感情的压制往往会激发出双倍的感情。那是一个痛苦难熬的过程。试想想，少男少女们被告诫说，不要为了自己的感情舒适而流泪或呻吟。如此教育的结果，是使他们的感情更迟钝了，还是更敏锐了——从生理学上看，这是一个问题。

在武士道看来，喜怒形于色，非男子汉大丈夫所为。即使是最自然的感情，也要加以控制。父亲拥抱儿子是有失尊严的，丈夫也不能亲吻妻子——有其他人在场的时候是不能的，在私室中则另当别论。有人开玩笑说："美国人当着外人的面吻妻子，回到房间却打她；日本人则当着外人打妻子，回到房间吻她。"此话有几分道理。

武士道教人举止宜沉着，心情宜平和，不应受到任何激情的干扰。我想起了在甲午年同中国的战争中的一件事。当某军团离开城镇时，许多群众涌到车站为长官及其部队送行。有一位美国人想亲眼目睹动人的情景，就像他自己国家常常发生的那样。人流中有士兵的父母、妻子、情人，等等。然而，令那位美国人失望的是，当汽笛长鸣列车开动时，数千人只是默默地脱下帽子，恭敬地低下头来道别，没有挥舞的手帕，没有絮絮缠绵，唯有静默如海，侧耳倾听，才偶闻一两声微颤的啜泣。在家庭生活中也是如此。我知道有的父亲为了不让孩子察觉父母的软弱行为，竟然整夜站在拉门后面倾听病儿的呼吸！有的母亲在弥留之际，为了不影响儿子的学业，拒绝通知儿子。

日本的基督教会，很少出现信仰的狂热，也是由于日本人的克制。当男人女人们感到自己的心灵被触动时，他们第一个本能的反应就是，压抑住它，不让它表露在外。很少会发生精神失控而真情喷涌、雄辞滔滔的情景。对于日本人而言，在嘈杂的听众中，用最神圣的语言，讲述心灵中最秘密的体验，是一件极不舒服的事情。一位青年武士写道："感到心灵之土有律动么？那是思想的种子在萌动。勿以言语干扰它，让它静静地、秘密地、独自地活动吧。"

费尽口舌地讲述一个人的内心感受和思想——特别是有关宗教方面的——被当成是既不深刻也不真诚的。谚语说："开口见肠，只有石榴。"

感情内敛，吝于言表，不是东方人性格乖戾。就像法国人塔列朗说的，日本人认为，语言乃是"掩藏思想的艺术。"

处于巨大的痛苦之中的日本人，仍然会像往常一样笑吟吟地接待来客，虽然眼圈通红，脸颊上还有泪痕。你可能会以为他是痛苦过度，神智有些不清。可是，他会用"人生多苦"、"天下没有不散的宴席"等诸如此类的话来安慰你。每到人性遭遇到最严峻考验的时候，日本人经常微笑以待。长此以往，诗歌便成为感情渲泄的通道。10世纪一位诗人写道："在日本和中国，悲痛之极，情何以堪，诗以言之。"

有人认为，日本人能够忍人所不能忍，是由于神经迟钝。也许是吧。可是，果真如此的话，那么我要问："日本人为什么会神经迟钝？"是由于日本的气候，不像美国的那样刺激人？还是由于日本的君主制度，不像法国的共和制那样令人兴奋？我个人认为，正是由于我国民众特别易于激动和多愁善感，才使得厉行自我克制变得十分必要。但是，无论哪一种解释，如果不考虑长期的克制训练，都是不正确的。

克制，很容易矫枉过正。它可能会压抑心灵的活泼的生长；可能会扭曲自然率真的天性，使之变得偏狭畸形；它可能会导向顽固、偏执和冷漠。但是，无论多么高尚的德性，都有它的负面。我们必须认清每一种德性的积极面，并追求其理想的效果。克制的理想效果就是保持心灵的平静，或者借用希腊人的表述，就是达到德谟克里特所说的至高至善的 euthymi 的境界。

接下来我们将讨论自杀及复仇制度。在自杀制度中，克己达到了最高至善的境界。

第十二章

自杀及复仇的制度

关于这两种制度,前者被称为切腹,后者被称为复仇,许多外国作家已作过或多或少的讨论。

在讨论自杀之前,我想先申明,我的考察仅限于切腹或剖腹,即俗称的割肚子。它的意思是,用刺破腹部的方式自杀。初次听说的外国人可能会觉得它荒诞不经,可是,读过莎士比亚的学生们可能就不会有这种感觉。莎士比亚曾借布鲁图的口说道:"你的灵魂显现吧! 将我们的剑反刺进我们的腹部吧!"一位现代英国诗人在《亚洲之光》中也说到,剑洞穿了女王的腹部。可是,没有人指责他们用语不雅或有悖伦常。在日本人的心目中,这种死法是与最高尚的行为和最动人的哀伤联系在一起的;因此,切腹的理念中是不含任何可恶,更不用说可笑之处的。切腹者的德性、伟大与安详,赋予切腹之举以某种崇高性,并使之成为新生命的象征。就像钉死耶稣的十字架,在君士坦丁大帝眼里,成了征服世界的象征。

切腹之所以被日本人接受,还与古代的解剖学的观念有关。古人认为,腹部是爱情与灵魂安放之所。摩西曾写下"约瑟的腹部思念其兄弟";大卫向主祈祷说,别忘了他的腹部;以赛亚、耶利米以及其他古代的通灵者都提到过腹部的"声音"或"麻烦"。这些例子都印证了流行于日本人中的一种信仰:灵魂寓于腹部。这种信仰并不单纯是迷信,它比一般人将心脏作为感情中枢的观念更为科学。现代的神经学家谈论所谓腹脑、腰脑(abdominal and pelvic brains),意味着任何对这些部位的刺激,都将会引起中

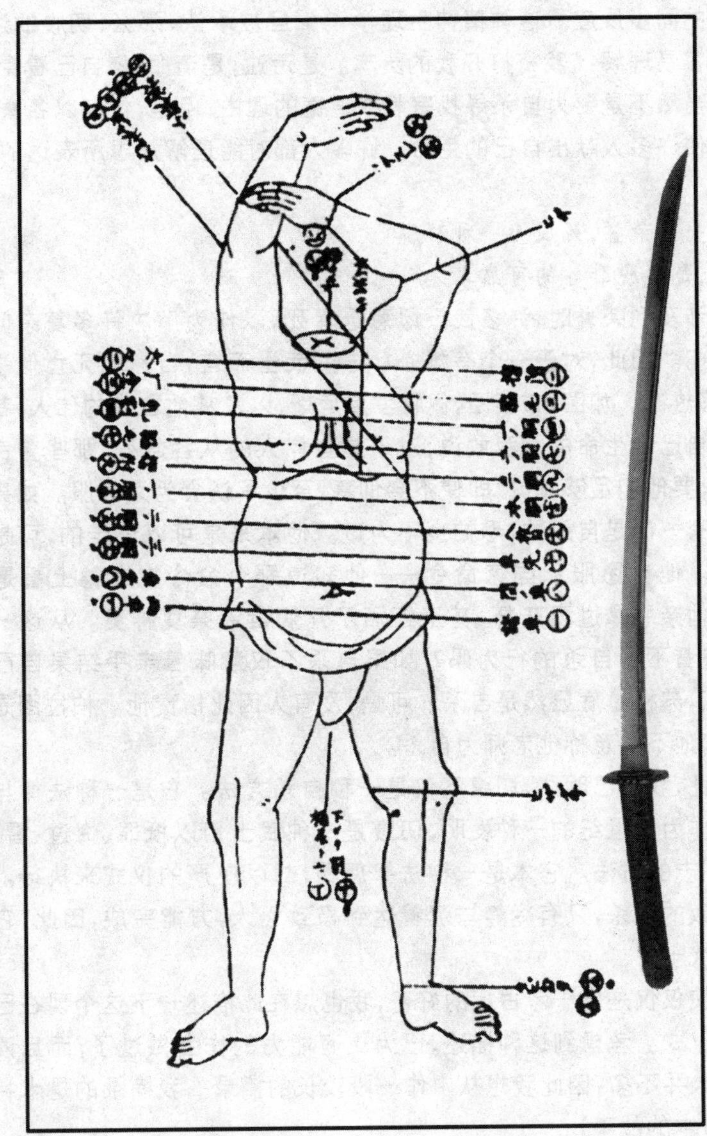

▲ 这幅人体解剖图标明人体不同部位砍刺的难易程度

枢神经的同步反应。这种精神生理学说一旦被承认，那么，切腹的逻辑就变得很容易理解："我将打开我的灵魂。是污浊，是清白，您自己看看。"

我当然不是要为自杀寻找宗教或道德的理由；但是，仅仅以名誉为重，就足以使许多人献出自己的生命。许多人都对能理解加思所表达的感情，他说：

丧失了荣誉，死成为一种解脱

死，是摆脱耻辱的可靠之途

在涉及到荣誉时，许多武士愿意选择死，以作为解决许多复杂问题的方便之门。因此，对于一个有雄心壮志的武士而言，自然的死亡似乎很平庸，不够热诚。加图，布图图，佩特罗尼厄斯，以及其他古代的伟人，都是自己结束自己的生命的。我敢说，对于这些伟人的从容赴死，那些善良的基督徒，只要他们足够真诚，即使不会仰慕，至少承认会为之折服。如果说苏格拉底有一半是自杀的，恐怕也不为过。他本来是可以逃走的，可是他留了下来。他自愿服从国家命令——他知道那个命令在道德上看是错误的——他亲手拿过毒药杯，甚至还洒了几滴毒液祭奠神灵。从这一过程中，难道看不到自杀的行为吗？如果自杀不仅意味着亲手结果自己的生命，那么，苏格拉底显然是自杀。可是，没有人因此指责他。柏拉图是反对自杀的，他不愿意称他老师为自杀。

至此，我们已明白，切腹不仅是一种自杀方法。它是一种法律与礼仪制度。作为中世纪的一种发明，切腹是一种武士用以抵罪、悔过、雪耻、赎友、和明志的方法。它本是一种法律惩罚，却以庄严的仪式来执行。那是一种精致的自杀，只有冷静与沉着达到极致之人，方能完成，因此，它特别适合于武士。

即使仅仅是出于考古上的好奇，我也想在此描述一下这个现在已被废除了的仪式。考虑到这种描述，已为更有能力的作者做过了，而且读过那本书的人并不多，因此我想从中作一段较长的摘录。我摘录的是米特福德的《旧日本的故事》：

我们（七个外国代表）由日本验尸官引导进入了一间寺院的正殿，仪式将在此举行。景象森严。巨殿的穹顶由黑色的木柱支撑着。从屋顶上悬挂着金光闪闪的巨灯和其他寺院特有的装饰物。高高的祭坛前,地板上覆盖着几块漂亮的白色垫席,高约三四寸,上面铺着毛毯。差不多间隔相同的地方摆着高高的烛台,烛台放出幽暗而神秘的光,借此可以看清整个行刑的过程。七个日本验尸官高高地坐在左边,七个外国人坐在右边。此外别无他人。

在不安的紧张中等了几分钟,泷善三郎,一个32岁的强壮男人,气宇轩昂地穿着麻布礼服走进了正殿。一个"介错"和三个身穿金色刺绣无袖罩衣的官员陪着他。"介错"是帮助切腹者割下他的头颅的人,他不是刽子手,他的任务是高尚的,通常由罪人的亲属或友人来执行。两者的关系,与其说是刽子手与犯人的关系,不如说是助手与当事人的关系。这一次,担任"介错"的是泷善三郎的一位弟子,因为剑术高明,从几位友人中被挑选出来。

泷善三郎,左边跟着"介错",慢慢地走到日本验尸官那边,两人一起向验尸官鞠躬行礼,然后走到外国人这边,以同样的方式行礼,或许更为庄重;对方也都庄重答礼。慢慢地,泷善三郎登上了高台,朝祭坛跪下,拜了两拜。然后背向祭坛端坐在毛毯上,"介错"则蹲在他的左侧。一位陪侍官走上前来,将白纸包着的"胁差"放在贡放祭品的木盘上。"胁差"就是日本人佩带的短刀,长九寸五分,刀尖和刀刃像剃刀一样锋利。陪侍人行过礼后,将"胁差"递给罪人。泷善三郎恭敬地接过,用双手将它一直举到头顶上,然后放到自己面前。

泷善三郎再次庄重行礼。然后,用一种含着痛苦认罪者应有的犹豫和情感的声音,但神情举止泰然自若,说了下面的话:

"当神户的外国人试图逃跑时,我,仅我一人,莽撞地下达了向他们开枪的命令。为承担此罪之责,我愿切腹。请各位验证。有劳了。"

重新跪拜下去。泷善三郎将上衣脱至腰带,裸露上身。为了防止向后倒下,他按照习惯,小心翼翼地将两个袖子掖到膝盖下面。高贵的日本武士死后必须向前倒下。他沉思了一会儿,坚定地拿起了放在面前的"胁差",充满爱意地注视着它,似乎在为临终集中念头,然后深深地刺入左腹。他慢慢地将刀拉向右腹,然后转动短刀,稍稍往上一挑。在这一非常痛苦的动作过程中,他的脸部肌肉一动不动,直到他拔出短刀,身子向前屈倒,脖子伸长,痛苦的表情才掠过他的脸,但他一声不吭。就在这时,一直蹲在他旁边、纹丝不动地注视着他的一举一动的"介错",不慌不忙地站了起来,转瞬间高高地挥起大刀,刀光一闪,一声沉闷的响声之后,泷善三郎便身首异处了。

全场是死一般的寂静,只听见血从尸体内汩汩涌出的声音。多么恐怖!刚才还是一个如此勇猛的武士,转瞬就身首异处!

"介错"深深地跪了下去,用预先准备好的纸将刀擦干净,从高台上走了下来。那把血染的"胁差"作为证据,被取走了。

于是,两个侍官离开他们的座位,来请外国人验证,泷善三郎的死刑已被执行了。仪式结束了,我们离开了寺院。

我可以从日本的文学作品或目击者的叙述中,举出无数的关于切腹的例子。但是,我只须再举一例就够了。

左近和内记是两兄弟,一个24岁,一个17岁,为了替父亲报仇,他们试图杀死德川家康。可是,刚一潜入军营,他们就被捕了。老将军很欣赏两位年轻人敢来军营行刺的勇气,命令允许他们以荣誉方式死去,全家男人也都被处以同样的刑罚,包括他们年仅8岁的弟弟八磨。弟兄三人被带到一座寺院,死刑就在那里执行。从一位在场医生的日记中,我们可以想象当时的场景:

当他们并排坐在最后的座席上时,左近面向小弟说:"八磨,你先切腹吧,让我看看你的动作对不对。"八磨回答说,他从未见过切腹,想看哥哥如何做,然后自己照样做。哥哥含泪微笑着说:"你说得好,小家伙!不愧是父亲的好儿子。"八磨被安排坐在两个哥哥中间,左近将刀扎进左腹,说:"弟弟,看明白了吗?不要切得太深,以免会向后倒。要向前倾,尤其是,双膝要跪好。"内记也边切边对弟弟说:"眼睛要睁开,不要像要死的女人。如果刀尖停住了,或力气不够了,一定要鼓足劲将刀拉回来。"八磨看着哥哥,等他们都咽气之后,他镇静地脱去上衣,照着两位哥哥的样子,也完成了切腹。

切腹成为荣誉之举,自然也会有"滥切"的情况。为了一些毫无道理的事，或者一些根本不值得的理由，头脑发热的青年就像飞蛾扑火似的，争相切腹。然而，对于真正的武士来说，仓促赴死或以死求荣，都是卑怯的。武士道的教导是：以韧性与冷竣忍受一切灾难和厄运。就像孟子所说的："故天将降大任于斯人也，必先苦其心志，劳其筋骨，饿其体肤，空乏其身，行拂乱其所为，所以动心忍性，曾益其所不能。"真正的名誉是听从天命，虽死不辞；相反，为了回避天命而死，实足懦夫所为。在托马斯·布朗先生的奇书《宗教医学》中有一段话，与我国武士道的教导完全一致。他说："蔑视死是勇敢的行为，然而在生比死更可怕的情况下，敢于活下去才是真正的勇敢。"

至此我们可以看出，武士道的自杀制度，并不像对它的滥用那样不合理和野蛮。现在，我们要来看一看从它派生的复仇制度。我想可以用简单几句话说说。因为同样的制度，或者说是风俗，曾经在所有民族中流行，而且至今没有完全废除。在没有法庭的时代，谋杀并非犯罪；因此，社会秩序的维持，端赖于被害人亲属的复仇。

在复仇的行为中，包含着满足人们正义感的动机。复仇者的逻辑是："我的善良的父亲是不应该死的。杀害他的人犯了滔天大罪。如果我的父亲还活着，决不会宽恕这样的行为。上天也憎恨作恶者。使作恶者停止作恶，是我父亲的意愿，也是上天的意愿，此意愿须由我来实现。他让我父亲流血，我也必让他流血，因为我是父亲的骨肉，与仇家不共戴天。"这个逻辑是简单而幼稚的，但它展示了人类生来具有的平等正义感："以眼还眼，以牙还牙。"

犹太教相信有嫉妒之神，希腊神话中有复仇女神涅墨西斯，复仇的任务，在他们那里被托付给神灵。但是，常识却授予武士道以复仇制度作为一种主持公正的伦理法庭，那些无法在普通法庭起诉的案件，可以带到这里审判。

老子说，以德报怨；但孔子以直报怨的说法影响更大。不过，只有那些为长者或恩人而行的复仇才被认为是正当的。武士道认为，自己遭遇冤屈，包括妻子或孩子受到伤害，都应该忍受并宽宥。

随着刑法法典的颁布，切腹和复仇这两种制度，都失去了存在的理由。

我们再也听不到那种浪漫的冒险故事了——美丽的少女乔装打扮去追杀父母仇人；再也看不见家族仇杀的悲剧故事上演了。纪律严明的警察为被害方搜寻犯人，法律将满足正义的要求。整个国家和社会都在匡正非法行为。正义得到伸张，复仇也就没有必要了。

至于切腹，虽然在制度上已不复存在，但仍不时能听到这种行为。世界上信奉自杀的人正在以惊人的速度增加，没有痛苦的、节省时间的自杀方法也许会流行开来。然而，在种种自杀的方式中，切腹应享有某种高贵的地位。正规的切腹，其成功完成需要极致的冷静。

无论是通过这些血腥的制度，或是从武士道的一般作派之中，我们都可以容易看出，刀在社会生活中扮演了一个重要的角色。有一句格言是这样说的："刀是武士道之魂。"

▲ 一名武士勒住敌酋之首，欲以短刀断其咽喉

第十三章

刀：武士道之魂

武士道视刀为力量与英勇的象征。武士很小就开始学习使刀。年满5岁后，将举行重要的授刀仪式：穿上正式的武士服，立于棋盘上，将真刀佩到腰间，以取代以前的玩具刀——他就这样被赋予参加军人职业的权利。从此之后，如果出门，他就不能不佩带着那把表示武士身份的小刀。虽然平常多以一把普通的木刀代替，但是，年满15岁，被允许独立行动后，他就能自豪地拥有一柄足以胜任任何工作的刀了。拥有这样的凶器，带给他一种自尊和责任感。"佩刀可不是闹着玩的。"佩带腰间的刀，乃是佩带于心中的忠义和名誉的象征。两柄刀，一柄长刀，一柄短刀（被称为"胁差"），永远不能离开身边。在家的时候，将它安放在书房或客厅最显眼的地方，晚上则置于伸手可及之处，守护着他的枕头。主人珍爱着刀，并给它取合适的昵称，因为刀是他的伴侣。日本的许多神社和家庭都对珍藏的刀，进行顶礼膜拜。对于最常见的小刀，也必须给予适当的尊敬。对刀的侮辱被视为对它主人的侮辱。谁要是不小心跨过一柄躺在地上的刀，就有可能灾祸临头。

如此贵重的物品，不能不引来工艺家的关注；工艺家们对刀精雕细刻，以满足刀的主人的虚荣心。尤其是在和平时代，除了像主教的权杖和国王的权笏，刀别无它用。刀柄上被缠上鲛皮、丝绢，护手上镶嵌金银饰品，刀鞘涂上各种颜色的漆，这样一来，刀变得像是一件玩具，不再有那可怕的威胁力。

刀匠并非单纯的工匠,他们是有灵感的艺术家。刀匠的作坊就像一座圣殿。每天都要沐浴斋戒,然后才开始工作。有道是,他以灵魂和精诚锻冶,抡锤、淬火、研磨,每一道工序都俨如宗教仪式。日本人的刀剑为何带有萧杀之气,是否因为刀匠的灵魂或者刀的守护神附于其中?作为完美的艺术品,欧洲的名剑都比不上日本的刀;可是,日本的刀是超乎艺术的。刀身冰森森的,一出鞘,大气中的水蒸气就凝聚在它的表面;它那光洁无瑕的纹理,寒光闪闪。它那无与伦比的刀刃和弧线,是纯美与至勇的结合,令人既敬畏又恐怖。如果只是一件美丽与悦人的艺术品,刀是无害的;然而,它常常就放在伸手可及的地方,很容易就被滥用。这种事频繁发生。滥用之极,就是用无辜者的头作为新刀的实验品。

不过,武士道是不允许武士随意用刀的。在不适当的场合使刀的人,被视同懦夫。沉稳持重的人明白用刀的正确时机,并且明白这样的时机不多。胜海舟是经历过日本历史上最动乱时期之一的人,那时,暗杀、自杀和其他杀戮事件频频发生。他曾经拥有近乎独裁的权力,多次成为暗杀的对象,但是鲜血从未曾染红过他的刀。他曾对一位朋友回忆自己的往事,他说:“我极其厌恶杀人,从未杀过一个人。就算应该杀头的,也都放跑了。有一位武士对我说:‘你不杀人,那怎么成。南瓜茄子,你都得吃。那些人就像南瓜茄子。’那家伙可厉害啦,可是却被杀死了。我之所以没被杀死,可能正因为我不杀无辜吧!刀要牢握在手,但决不轻易拔出。我发誓,即使别人想杀我,我也不会杀人。我就当那些想杀我的人是跳蚤和虱子好了,他们爬到我肩上,不过咬上几口,还能怎么样?”这番话,乃是一个历经胜败考验之后的武士的肺腑之言。谚语说,败者即胜者,它意味着真正的胜利不在于与强敌对抗,真正的胜利是不战而胜。这些谚语说明,武士道的最终理想乃是和平。

可惜的是,崇高的和平理想,单独留给了僧侣和道德家去宣讲,而武士自己则专注于习武之道。武士们在这条道上走得如此之远,以至他们理想中的女性,也带有勇妇的性格。接下来,我们将谈谈妇女的教育及其地位问题。

第十四章

妇女的教育及其地位

占人类一半的女性，往往被称为矛盾的典型。因为女性内心的直觉活动，超出了男性的理解力。由“少”和“女”两个字组成的“妙”这个汉字，就意味着神秘或不可知。

武士道的理想女性，却没有神秘之处，她是勇敢的妇女。“妇”这个汉字是妻子的意思，她是一个手持笤帚的女人，是一个做家务的女人。这与英语中从纺织者（weaver）演变而来的妻子，以及从挤牛奶的人（duhitar）发展而来的女儿，是同样的起源，即源于家庭。德国皇帝说，妇女活动范围无非是厨房、教堂和孩子（Kŭche，Kirche，Kinder），武士道的女性理想未必如此，却也是非常家庭性的。家庭与勇敢似乎是矛盾的，但武士道并不这么认为。

武士道主要是男人的教条，并不适用于女性。温克尔曼说：“希腊艺术与其说是女性的，不如说是男性的。”莱金补充说，希腊道德也是如此。武士同样赞美那样一种女性：“从性的脆弱中解放出来，并使自己拥有与最勇敢强大的男人同样的刚毅不屈。”武士道训练少女学会抑制感情，磨砺意志，使用武器，特别是使用长柄刀，遇意外事故时能保护自己。这种习武的主要目的不是让他们上战场，而是出于个人和家庭两种动机。女子并没有自己的主君，但她需要保护自己的贞操，就像她的丈夫保护其主君。至于家庭方面的运用，主要是教育孩子。这一点，下面将会谈到。

女子的刀术和类似武艺，事实上很少派上用场，除非在需要的时候。

女孩子成年后，便授给她一柄短刀，以刺进袭击她的人的胸膛，或者在必要的时候，刺进自己的胸膛。后一种情况经常发生。情急之下的女人，如果不懂得正确的自杀方式，被认为是丢人的。比方说，她虽然没学过解剖学，但她必须懂得刺进咽喉的精确部位，必须懂得如何用绳子绑好自己的双膝，以确保无论死亡时多么痛苦，她的尸体都将端庄如仪。有人根据我们男女同浴的习俗和其他一些细节，判断日本人缺乏贞操观念。完全相反，武士道将贞洁视为妇女最主要的德行，比生命还要看重。曾经有一位被俘虏的少女，意识到自己将遭到强暴；她假装答应满足敌人的兽欲，条件是让她给失散的姐妹们写一封信。信写完后，她立即奔向最近的井边，纵身跃入，以卫护自己的名节。那封信的结句是这样的：

为了不让乌云遮住她的光辉

月儿飞到更高处

不要以为，男人的事业，才是日本女人的最高目标。事实远非如此。她们拥有自己的艺术和优雅生活。音乐，舞蹈，文学，一样都不少。日本文学作品中有一些最优美的诗篇就是表现女性感情的；事实上，妇女在日本文学史上扮演了重要的角色。武士道教女孩跳舞，是为了使她们动作协调；教给她们音乐，是为了在父亲和丈夫疲乏时帮他们解闷。因此，音乐教育并不是为了艺术本身；其最终目的是为了净化心灵。据说，心不和，则音不齐。如同训练青年武士，在妇女的训练中，道德比技艺同样更为重要。音乐和舞蹈能增添生活的雅致和明快，仅此而已；绝对不能养成虚荣与奢靡之风。

日本女人学习技艺，不是为了公开表演，也不是为了获得某种社会地位；只是为了家庭娱乐。如果在社交场合表演，也只能由女主人表演，换句话说，表演只是作为主人待客之道的一个部分。为家庭服务，是妇女教育的指导思想。可以说，日本女人学习技艺，无论武艺还是文艺，主要目的都是为了家庭。为了家庭的荣誉和尊严，日本的女人任劳任怨，含辛茹苦，甚至舍身亡命。她们以坚定又温柔、英勇又哀婉的曲调，不辞昼夜地为家庭歌唱。作为女儿，她们为父亲作出牺牲；作为妻子，她们为丈夫作出牺牲；作为母亲，她们为儿子作出牺牲。从很小的时候起，她就被教导要牺牲自己。她的生命不是独立的，而是依赖于男人。作为男人的助手，如果能帮上忙，她就与丈夫一起站在前台；如果帮不上忙，她就退至幕后，以免妨碍丈夫的工作。常常有这样的情况：青年爱上了少女，少女也热恋着青年，可当她发现青年沉缅于爱情之中，而忘记了男人的责任时，少女就会自毁花容，以使自己不再有魅力。武士的妻子，发现丈夫的仇人爱上了自己，于是将计就计，摸黑躺到丈夫的位置上，让刺客的刀落到他所爱的人的头上。下面的一封信，是一位年轻武士的妻子在自杀前写下的：

我听说，没有无缘无故之事，万事皆有缘。共栖一树之荫，同饮一河之水，都是前生的缘分。自从两年前与你永结连理，我与你便如影随身，心心相印。闻知即将到来的战斗，将是你最后一战。永别吾爱。我知道古代中国武士项羽，在战败之后，却不舍他最心爱的虞姬。我已绝望。我将在黄泉路上恭候您。愿勿忘秀赖公待我等之恩，我们对他的感激之忱，如山高海深！

▲ 浅井长政夫人被誉为天下最美的女人，其夫受到德川家康攻击时战败，她以自杀表示对丈夫的爱和忠诚。

女子为了丈夫、家庭、家族而牺牲，其自愿与荣耀，一如男人为了主君和国家而牺牲。女人的自我牺牲，就像男人的忠义。女子不是丈夫的奴隶，正如她的丈夫不是他的主君的奴隶；女人扮演的是"贤内助"的角色。女人为男人奉献；男人为主君奉献；主君依此顺天承命。与基督教相比，武士道的这种等级奉献观有其弱点。基督教承认每个人可直接向造物主负责。但是，在要求为更高的使命奉献自己这一点上，武士道与基督教又是相通的。

我当然不会赞成奴隶般的服从。我只是同意黑格尔所说的，"历史无非是自由的展示与实现"。我想强调的是，自我牺牲精神浸润于武士道的全部教义之中，对男人女人都一视同仁。因此，尽管武士道的训诫已不复存在，日本社会仍然无法理喻美国人粗暴的呼吁："日本的女子们，快起来反抗那些古老的陋习吧！"这种反抗能成功吗？它真的能提高日本女性的社会地位吗？也许妇女们会由此获得一些权利，却也会因此而失去她们从历史中秉承的甜美个性和温柔举止。她们是否会得不偿失呢？古罗马的女性，从家庭中解放出来后，结果不是走向道德败坏了吗？反抗是日本女性历史发展的必由之路，美国的改革家们能确定这一点吗？这些都是严重的问题。变化必须而且必定会产生，但恐怕不是经由反抗。且看看，在武士道制度下，日本女性的地位是否真的低下到非反抗不可的程度。

日本的军人只限定于武士阶层，人数大约有 200 万人。武士之上的公卿贵族阶层，只是名义上的战士；武士之下的农工商阶层，所从事的也是和平事业。在所有社会阶层中，武士阶层中的妇女最少有自由。奇怪的是，在越低的社会阶层中，比如在手艺人中间，男女的地位就越平等。同样，在较高的社会阶层中，两性之间的差别也没有那么明显，这主要是因为悠闲的公卿贵族已经完全女性化了。

当我们想到男人们之间的平等也不过是在法庭或者选举投票等场合才较为受到尊重，那么，为讨论性别平等而烦恼似乎显得有些无聊。美国《独立宣言》宣称"人是生而平等的"，并不是指男女的精神或身体方面的秉赋；它只不过是重复了"在法律面前人人平等"这句老话。法律权利在此成为衡量人的品质的尺度。如果法律是衡量妇女在社会上地位高低的惟一天平，那么很容易知道她的地位，就像用磅和盎斯来告知她的体重。可问题是，有没有一种比较两性相对社会地位的正确标准？如果用比较金子和银子的价值的方法，来比较男子和妇女的社会地位，并算出他们的比率，这种方法正确吗？这种比较够不够呢？这种计算方法，是将人类最重要的价值，即内在价值，排除在外了。男人女人，为了完成各自性别在世上的使命，需要各种各样不同的品质，只要考虑到这一点，那么，用以衡量他们相对社会地位的标准就必须是复合的，或者借用经济学的语言，它必须是复本位的。武士道有它自己的标准，它的标准是双本位的：它试图在战场和炉边两处测量妇女的价值——前一处所占分量甚微，后一处则几乎囊括了全部。社会也据此双重标准评价妇女：作为社会政治的一分子，社会评价不高；而作为一位妻子和母亲，她赢得了最高的尊敬与最深的爱。当父亲们和丈夫们在战场或军营中时，家务便完全落到母亲们和妻子们的手中；对孩子的教育和保护，同样也委托给了她们。

▲ 卖书的女人

在一知半解的外国人中，流行着一种相当肤浅的观点。这种观点认为，日本男人称自己的妻子为“拙荆”，表明日本妇女不受尊重。如果这些外国人还听到过“犬子”、“鄙人”诸如此类的表述，也许就不会再那样认为了。

对于我而言，我国的婚姻观在某些方面要比所谓的基督徒走得更远。“男女应结为一体。”盎克鲁·撒克逊的个人主义总是不能放弃丈夫和妻子是两个人的观念。因此，当夫妻失和时，就各自讲“个人权利”；而当他们和好时，互相就用尽各种肉麻的嗲称。在我们听来，做丈夫或妻子的，对别人说起他的另一半时，口口声声称什么“聪明”“可爱”“善良”之类，是极为不近情理的。如果自称“聪明的我”、“我可爱的个性”，那是一种好的品味吗？我们认为，称赞一个人的爱人，也就是称赞一个人自己的一个部分，而自我美化，在我们看来，至少是一种坏的品味。我真的希望，基督教徒也这么看。

武士道的德性和教育，并不仅仅是约束武士阶层的。下面，我将从整体上考察武士道对日本国民的影响。

第十五章

武士道的影响

武士的美德远高于一般国民，我们只不过考察了其中最为显著的几个方面。如同太阳升起时，它的光辉总是先照到最高的山峰，然后投向下面的山谷；道德之光，也是从武士开始，然后沐浴大众。民主社会从平民中自然产生道德领袖；贵族社会，则由道德精英引导平民。美德和罪恶一样可以传染。见贤思齐，没有一个社会阶层能抗拒道德感化之力。

自由在英国的胜利，与其说得益于大众的推动，不如说它是绅士们之功。民主主义者可能会反驳说："亚当夏娃时代，哪里来的绅士？"我认为，绅士的缺席，完全是一场悲剧：人类的祖先深感苦恼，并为此付出了高昂的代价。假如伊甸园里有绅士，不仅可以增加园中的乐趣，人类的祖先也不会犯下"原罪"，因为绅士会教他懂得：不服从耶和华，就是不忠不义，就是谋反和叛逆。

日本之为日本，完全是拜武士道所赐。上天恩惠，假武士道而行。武士道，不只是日本之花，亦为日本之根。武士阶层，位于民众之上，为他们立下道德准则，垂范引导。[作者完全高看了武士道德。]武士道的教义有内外两个方面：对外为公众求安宁与幸福；对内则为自己求德性圆满。

一部日本文化史，几乎就是一部描述武士道的历史。无数的民众娱乐和民众教育，戏台、曲艺场、布道台、音乐会、小说——无不从武士道中寻找故事的主题。农夫们在茅屋里围着火炉，一遍遍地传颂着源义经和他的忠臣辨庆，或者勇敢的曾我兄弟的故事，皮肤黝黑的顽童张大着嘴巴听得入了迷，直到薪尽火熄，惟有英雄的行为仍在内心燃烧不已；商店的掌柜和伙计们，结束了一天的工作后，关好商店的雨窗，便坐在一起演绎织田长信和丰臣秀吉的故事，直到深宵长夜，人困眼乏，但梦中的他们已从辛苦的柜台奔赴立功扬名的战场上；连刚刚学步的幼儿也会嘤嘤其语地讲述桃太郎征讨鬼岛的冒险故事；女孩们内心里也深深爱慕武士的英勇与德行，如饥似渴地沉醉于武士的种种浪漫故事。

武士成为了整个民族的崇高理想。民谣唱道："樱花花中后；武士人中王。"武士阶层被禁止从事商业，所以不曾直接促进商业；但是，几乎没有一种商业之外的行为和思想，不曾在某种程度上得益于武士阶层的推动。日本的知识与道德，直接或间接地，都是武士道的产物。

马罗克先生在他的非常富于启发性的著作《贵族主义与进化》中，雄辩地告诉我们："社会的进化，就其不同于生物进化而言，可以定义为：伟大的人物，其意志不经意的产物"；而且，历史的进步是由竞争产生，但"不是普通大众为了生存的竞争，而是由少数人引导、指挥、率领大众以最好的方式去从事的竞争"。姑且不论马罗克先生的论述是否有道理，但以上这些话，确已为武士在日本帝国的进步中所起到的作用充分证明了。

武士道的精神是怎样渗透到所有社会阶层中的，从侠客这个特定阶层的发展中可以看清这一点。侠客是自然而然地成为民主领袖的。他们是一群强大的家伙，浑身上下都充满着男子汉的气概。作为平民权利的代言人和捍卫者，每个侠客背后都有成千上万的支持者，这些支持者愿意为他奉献"身体、生命、财产以及世上的名誉"，就像武士愿意为主君奉献一切。这些以庞大数量的劳动阶层为靠山的侠客，对武士阶层的专横构成了难以对付的挑战。

武士道从最初产生它的社会阶层中，以各种方式向下渗透，像酵母一样，为全体日本人民催生了道德规范。武士道，原本属于精英阶层的光荣，随着时间的推移，逐渐变成全体国民的抱负和滋养品。尽管平民不可能达到武士的道德高度，但是，"大和魂"，最后成为岛屿帝国民族精神的表征。如果宗教就像阿尔多诺所说，它是"情感触发的道德"，那么，很少有别的伦理体系比武士道更能成为宗教了。本居宣长曾经唱出了日本人的心里话：

若问何为日本宝岛的大和魂

那就是旭日中飘香的山樱花

▲ 樱花：灿烂的飘零

是的，樱花自古以来就是日本人民喜爱的花，是我们国民性格的象征。

大和魂不是人工培养的，因此也不是驯服的和柔弱的，它是野性的自然成长的。樱花是日本国土上固有的：也许它的偶然的性征，与其他岛屿上的花儿相同，它的本性却为此岛所特别赋予。樱花产自日本，并非我们喜爱它的唯一理由，樱花以其无与伦比的美吸引着我们的审美感。我们无法分享欧洲人对玫瑰的赞美。玫瑰不像樱花那么纯洁；而且，玫瑰在甜美的外表之下隐藏着藜刺，玫瑰顽强地执着于生命，宁肯枯留在枝上，也不甘零落于地，玫瑰的色彩是那样艳丽，芳香是那样浓郁——所有这些都与樱花不同。樱花，在美丽之下没有藏带刺刀和毒液，樱花随时准备听从自然的召唤，捐弃生命，樱花的颜色并不艳丽，香味幽淡，也不呛人。色彩与形态之美，仅是外表之美，而且固定不变，芳香则是浮动的，轻灵如生命的气息。因此，在宗教仪式中，香味承担着显著的角色——香味中有某种属于灵魂的东西。当美味的樱花的芳香充溢在清晨的空气中，初升的太阳照在远东的岛屿之上，再没有比吸入这美好日子的气息更清新爽快的感觉了。

《创世纪》中写道，造物主闻到新香时，决定创造新的生命。在樱花飘香的美好季节里，日本人倾巢而出，在那馨香之中，忘却了劳累和悲伤；短暂的快乐之后，他们会以新的力量和新的决心，投入到日常工作之中。

那么，这种美丽易逝之花，就是大和魂的典型么？日本魂，就如此虚弱易碎么？

第十六章

武士道还活着吗?

西方文明正在日本高歌猛进,它是否已经席卷了一切古老的痕迹?如果一个民族之魂如此迅速地死亡,如此轻易地臣服于外来的影响,那是可悲的贫弱之魂。

就像鱼的鳍,鸟的喙,食肉动物的牙齿,其功能离不开其种属的属性;构成一个民族性格的各种心理因素,与其合成体也是不可分离的。道德品质也是一个合成体,爱默生将它描述为:"每种伟大的力量作为一分子加入其中共同形成的复合体"。

武士道所赋予日本民族特别是武士身上的性格,虽然不能说是构成"种属的不可分离的因素",但是,毫无疑问,这些性格由于附着于武士和日本民族之身,而得以保有其活力。即便武士道仅仅是一种物理力量,它在过去700年中获得的能量也决不可能嘎然中止。武士道作为一种无意识的和不可抗拒的力量,推动着日本民族及其国民。现代日本最智慧的先驱者之一吉田松阴临刑前,曾经如此坦承:

明知要死亡
大和魂却激励我
如此而为

武士道过去是,现在也依然是生机勃勃,武士道是日本国的动力之源。[“力”可以推动文明,也可以践踏正义。]

兰姆先生说:"今天并存着三个各不相同的日本——老日本,尚未完全死亡;新日本,仅仅在精神上刚刚出生;转型中的日本,正在经历着最危急的剧痛。"在许多方面,尤其是在有形的具体制度方面,此话不假;但是,如果用它来指称基本的伦理观念,则需要若干修正。因为实践已证明,作为老日本的产物,同时也是老日本缔造者的武士道,现在仍然是转型日本的指导原则,而且未来也必将成为新日本的建设力量。

无论是在王政复古的风暴还是国民维新的漩涡中,为日本民族掌舵的那些政治家们,用以引领航向的,都唯有武士道。无论好坏,推动日本民族的是纯而又纯的武士道。读一读现代日本的建立者——佐久间象山、西乡隆盛、大久保利通、木户孝允的传记,更不要说那些尚健在的人——像伊藤博文、大隈重信、板垣退助等的回忆录,就会发现,他们的思想和行为都是在武士道的指导下进行的。诺曼先生在观察和研究过远东各国之后,宣称日本与其他东方主义国家唯一不同之处在于:"支配日本人的,是人类发明过的最严格、最崇高、最一丝不苟的荣誉观。"此话触及到了造就今日日本并决定未来日本的原动力。

日本的转型,乃是全世界众所周知的事。在如此巨大的变迁中,自然有许多不同的动力。如果要举出最主要的一种动力,任何人都会毫不犹豫地举出武士道。当我们全国都向外开放贸易的时候,当我们在生活的每个方面都引入最新改良的时候,当我们开始学习西方的政治和科学的时候,引导我们的原动力不是物质资源的开发和财富的增加,更不是对西方的盲目模仿。

对东方制度及其人民作过深入观察的汤森先生写道:"我们经常听说欧洲是如何影响日本的,却忘记了那些岛屿上的变化完全是自发的。欧洲并没有教导日本,但是,日本人自己选择学习欧洲的那些至今被证明是成功的组织方法和文武之道。日本引进欧洲的机械科学,就像土耳其人几年前从欧洲引进大炮。严格说,那不是影响,除非将英国从中国引进茶叶,说成是英国受到了中国的影响。"汤森问道:"那些改造过日本的欧洲使徒、哲学家、政治家或宣传家,都在哪儿呢?"

汤森先生正确地指出了,导致日本变化的原动力完全存在于我们自身中。如果他再深入到日本人的心理之中,他敏锐的洞察力将使他确信:这一原动力不是别的，正是武士道。荣誉感使日本人无法容忍自己作为劣等民族而遭人蔑视——这是最强的原动力。金钱和产业方面的考虑倒是在之后的改革过程中才觉悟到的。

武士道的影响，如此显而易见，即便走马观花，也能一目了然。只要瞥一眼日本人的生活，就再清楚不过了。民众普遍好礼，便是武士道的遗存；“小日本”人的韧性、不屈不挠和勇敢顽强，在甲午中日战争中已得到充分的证明。许多人都想知道：“有没有比日本人更忠贞爱国的？”我们完全可以自豪地回答说：“没有。”而这，同样是武士道所赐。

另一方面，必须公允地承认，我们国民性格中的缺点和短处，武士道也难辞其咎。我们缺少深刻的哲学，应追究到武士道教育制度下对形而上学的忽视。尽管我们有些年轻人在科学研究方面已经赢得国际声誉，但尚未有人在哲学领域取得过什么成绩。对于我国国民过于重感情和易于激动，武士道的荣誉感也应负部分责任。另外，有外国人批评日本人妄自尊大，同样是荣誉感的病态的产物。

到日本旅行的人，会见到许多蓬头垢面、衣衫褴褛的年轻人，手持一根手杖或一本书，以一幅与世无涉的表情在大街上昂首阔步。那是一些书生。对他们来说，地球太小了，天空也不够高远，他对宇宙和人生有自己的见解。他住在空中楼阁，咀嚼着智慧的妙言。他的眼睛里射出雄心的光芒，内心里对知识如饥似渴，贫穷只能刺激他更加上进。世间的财宝在他看来，都是对他品格的桎梏。他是忠君爱国的宝物，是民族荣誉自封的卫兵。带有这些德性和缺点，他是武士道最后的遗民。

看来，武士道的日子已经是屈指可数了。空中已出现预示其未来的不祥之兆。不仅仅是预兆，各种强大的力量正在威胁着它。

第十七章

武士道的未来

像欧洲的骑士道和日本的武士道这样可以进行比较的历史现象，是不多的。假如历史可以重演，后者的命运必定是前者的重演。

欧洲与日本的一个显著差别是，欧洲的骑士道从封建制度“断奶”后，又被基督教“领养”了，从而获得了新的生命；而在日本，没有一个足够强的宗教养育它。因此，当封建制度消失后，武士道成为一个孤儿，不得不自找出路。也许现代复杂的军队组织可以将它纳入保护之下，不过，我们知道，现代战争给武士道的成长不会留下多少余地；神道倒是曾经哺育过武士道，可它自己也已经老朽了；中国古代的圣贤，已经被边沁、穆勒式的知识暴发户所取代。人们提出了各种享乐主义的道德理论，向沙文主义献媚，迎合现代人类的需要；不过，日本人至今只是在黄色报刊中听到那些理论尖叫的回声罢了。

各种各样的权威都摆开阵势来对抗武士道。像维布伦说的：“原先产业阶级间的礼仪的衰微，换句话说，就是生活的通俗化，在那些感受力敏锐的人看来，已成为当今文明最主要的暴行之一。”单单是不可抗拒、节节胜利的民主大潮，就有足够的力量吞没武士道的残余。民主是不能容忍任何垄断的，而武士道正是一种由少数掌控着知识和文化、决定道德品质的等级与价值的人结成的垄断组织。现代社会是对抗阶层精神的，而武士道正是一种阶层精神。现代社会，即使它假装要任何统一，也不能容忍“为任何特权阶层的利益而设计出的纯个人的义务。”加上教育普及、产业技术、财富和城市生活的进步——我们很容易明白,无论是武士最锋利的刀或是他最强劲的弓,都不再有用武之地。靠名誉建立并以名誉捍卫的国家,正落入到诡辩的法学家和胡说八道的政治家的掌中。

可悲的武士的德行!可叹的武士的骄傲!

如果历史能教给我们什么的话,那就是建立在武德之上的国家——无论是斯巴达那样的城邦国家,还是像罗马那样的帝国——都不可能是永存的。虽然男人的战斗本能普遍存在,而且自然而然,并且曾产生过高贵的情感和男子汉的德行,但它并没有包含全部的人性。在战斗的本能之下,潜伏着更为神圣的本能。那就是爱。神道、孟子和王阳明都曾经清楚地教导过它,但武士道以及其他军事型的伦理,却耽于实务,而疏于言爱。今天的时代要求我们的,是比武士吁求我们的更高更远的使命。随着民主的发展和有关个人与民族的知识的增进,人已不再是臣民,而是已经成长为公民。虽然战争的乌云依然停在我们的地平线上,但我们相信,和平天使的翅膀将驱散它们。

社会状态已经变化到反对甚至敌视武士道的今天,我们应为武士道准备好荣耀的葬礼。要指出武士道的死亡时间,正如确定它的起源一样困难。米勒博士说,骑士道是在 1559 年因法国亨利二世在比武中被杀而废除的;在日本,1870 年的废藩置县的诏令是敲响武士道丧钟的信号。此后 5 年发布了废刀令。男子汉与英雄的旧时代结束了,诡辩家和政客的新时代开始了。

有人预言,封建日本的道德体系会像城堡一样崩溃,化为尘土,而新的道德将像涅槃的凤凰那样,引领日本前进的道路。这一预言已为过去半个世纪的历史所证实。实现这样的预言是值得高兴的,但是不能忘记,凤凰是从它自己的灰烬中涅槃的;它不是候鸟,也不会借别的鸟儿的翅膀飞翔。上帝之城在你心中,它不是从山上滚下来,也不是从海里飘过来。天国的种子,曾在武士道上绽放出花朵,可惜,未等它完全成熟,武士道的日子就要结束。我们转向别处寻求甜蜜与光明、力量与慰藉,可是我们没有发现有任何东西能够替代它。

基督教和唯物主义(包括功利主义)将瓜分世界。较小的道德体系为了自身的存在，不得不与他们中的一方进行联合。武士道将联合哪一方呢？由于没有教条可资依据，武士道作为整体，只能任其消亡；就像樱花，愿意在清晨的第一阵和风中谢去。然而武士道决不会完全灭绝。谁能说斯多噶主义已经灭亡了呢？作为一种道德体系，它已经死了；可是作为一种活着的德性，它的能量和活力，依然通过许多渠道可以感觉到，包括通过西方各国的哲学，以及所有文明世界的法律。不止如此，当人类试图超越自己，当他通过自己的努力使灵魂支配肉体时，我们就能看到芝诺不朽的教导在起作用。

武士道作为一种独立的道德诫条也许会消失，但是它的力量不会从地球上消亡；它的武艺和名誉教育可能会被取消，但是，它的光辉与荣耀将从废墟中升起，永远长存。如同象征它的樱花，在风中吹落之后，仍然用它的芬芳来滋润人的生活。当武士道的习俗已被埋藏，连它的名字也被人遗忘之时，它的芳香也会从那遥远的看不见的山上飘来，在空气中洋溢弥漫，就像那位教友派诗人用美丽的语言所吟唱的那样：

旅人怀着感激的情怀
对身边不知来自何处的芳香
停下脚步，脱下帽子
去接受那空中的祝福

▲ 日军在河北省对中国守军使用毒气

戴季陶

民国元老

1891年出生于四川广汉

1949年自杀于广东广州

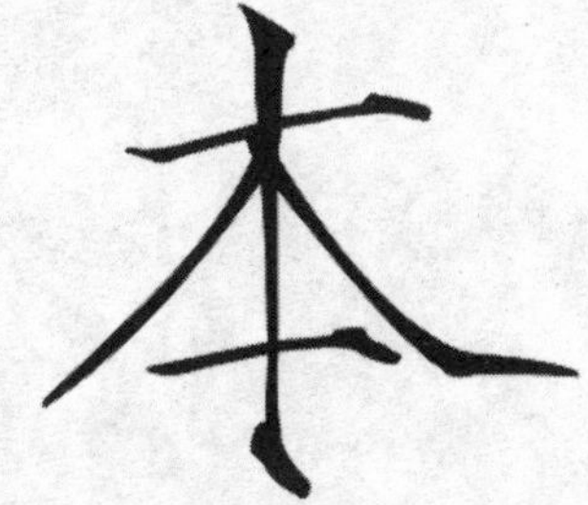

Four

Books

on

Japan

第一章

中国人研究日本问题的必要

中国到日本去留学的人也就不少了,准确的数目虽然不晓得,大概至少总应该有十万人。这十万留学生,他们对于"日本"这个题目有怎么样的研究,除了三十年前黄公度先生著了一部《日本国志》而外,我没有看见有什么专论日本的书籍。我自己对于日本,也没有作过什么系统的研究,没有较为成器的著作。民国六年,在《民国日报》上面登过一篇连载四十天的文章,也不过是批评当时的政局,和十年来日本所倡的"亲善政策",离"日本"这个题目还是很远。但是我十几年来总抱着一个希望,想要把"日本"这一个题目从历史的研究上,把他的哲学、文学、宗教、政治、风俗以及构成这种东西的动力材料,用我的思索评判的能力,在中国人的面前清清楚楚的解剖开来,再一丝不乱的装置起来,却是我心有余而力不足。讲古代的研究呢,读过日本书既然不多,对于东方民族的语言学毫无所知,中国的历史尚且一些没有用过工夫,研究日本古籍的力量自然是不够。讲近代的研究呢,我也不曾切切实实的钻到他社会里面去,用过体察的工夫。所以要做一部有价值批评日本的书,决不是现在的我所做得到的。不过十多年来,在直觉上也多多少少有一点支离破碎的观察。在目前大家注意日本问题的时候,姑且略略的讲一讲,或者是大家所愿意听的。

你们试跑到日本书坊店里去看,日本所做关于中国的书籍有多少?哲学、文学、艺术、政治、经济、社会、地理、历史、各种方面,分门别类的,有几千种。每一个月杂志上所登载讲“中国问题”的文章有几百篇。参谋部、陆军省、海军军令部、海军省、农商务省、外务省、各团体、各公司，派来中国长住调查或是旅行视察的人员，每年有几千个。单是近年出版的丛书，每册在五百页以上每部在十册以上的，总有好几种。一千页以上的大著，也有百余卷。“中国”这个题目，日本人也不晓得放在解剖台上解剖了几千百次，装在试验管里化验了几千百次，我们中国人却只是一味的排斥反对，再不肯做研究工夫，几乎连日本字都不愿意看，日本话都不愿意听，日本人都不愿意见，这真叫做“思想上闭关自守”，“智识上的义和团”了。

我记得从前在日本读书的时候，有好些个同学，大家都不愿意研究日本文日本话。问他们为什么？他们答应我的大约有两种话。一种说日本文日本话没有用处，不比得英国话，回了国还是有用的。一种是说日本的本身没有什么研究价值，他除了由中国、印度、欧洲输入的文明而外，一点什么都没有，所以值不得研究。这两种意思，我以为前者是受了“实利主义”的害，后者是受了“自大思想”的害。最近十年来日本留学生比以前少了些，速成学生没有了。在大学文科的人，有几个稍为欢喜和日本书籍亲近些，所以偶尔还看见有介绍日本文学思想的文字，但只是限于近代的著述，而且很简单。整个批评日本的历史，足以供觇国者参考的，依然不多见。

我劝中国人，从今以后要切切实实的下一个研究日本的工夫。他们的性格怎么样？他们的思想怎么样？他们风俗习惯怎么样？他们国家和社会的基础在哪里？他们生活根据在哪里？都要切实做过研究的工夫。要晓得他的过去如何，方才晓得他的现在是从哪里来的。晓得他现在的真相，方才能够推测他将来的趋向是怎样的。拿句旧话来说，“知己知彼，百战百胜”。无论是怎样反对他攻击他，总而言之，非晓得他不可。何况在学术上、思想上、种族上，日本这一个民族，在远东地方除了中国而外，要算是一个顶大的民族。他的历史关系着中国、印度、波斯、马来，以及朝鲜、满洲、蒙古。近代三百多年来，在世界文化史上的地位更是重要。我们单就学问本身说，也有从各种方面作专门研究的价值和必要，决不可淡然置之的。

我观察日本错不错，是另外一个问题，但是我很希望多数人批评我的错，倘若因为批评我的错而引出有价值的著作来，那么我这一篇小著也就不为无益了。

第二章

神权的迷信与日本国体

▲ 靖国神社

各个民族都有许多特殊的神话，在历史上是很有价值的。日本人向来也有一个迷信，以为他们的国体，他们的民族，是世界上哪里都找不出来的，是神造的。皇帝就是神的直系子孙，所以能够“万世一系天壤无穷”。自从欧洲的科学思想输进了日本以后，那些科学家应该渐渐和迷信离开，把这种神话用科学的研究法来从新整理了，却是学者里面现在还有几个靠迷信过日子的人，把这些神话照样认为一点不错的事实。从前我有一个先生是个国法学专家，名叫做笕克彦。论他的学问呢，的确是渊博精深，而且从前他和我讲宪法学的时候，他的思想确是很进步。我个人思想上受他的启发不少。那时他的法理学在重法文而轻理论的当时日本法律学界，有很彰著的革命色彩。后来一点一点的向迷信一边走，近年来的著作差不多完全是神话。而他对于这些神话，绝对不用实证的考古学上的研究，只一味用自己的思索，在上古传来的神话上加些自己的哲学理论，使那些神话更加神秘些。听说在法科大学上讲堂的时候，开讲前要闭着眼合着手，对他幻想中的"祖神"表一番敬意，讲完了的时候亦复如此。细细考察起来，原来他的祖父是神社里的神官，他这迷信系统就是从那里来的。还有一个专门主张侵略满蒙并吞中国的内田良平，他的父亲也是神官。此外陆海军军人里面，迷信"神权"和"神造国家"这些自尊自囿的传说的，不晓得有多少。

就表面上看来，日本最盛的宗教是佛教，其实日本治者阶级的宗教却是神教。神教的信徒很多极力排斥佛教不遗余力的人，他们的理论大概和韩退之一类，以排斥外来思想为主要目的。然而佛教的僧侣绝没有敢否认神教的，有些附会穿凿的调和者，不是说某神即是某佛，便是说某佛即是某神。这也是表现宗教之政治地位和关系，各国都常有类似的事实的。日本人迷信他们的国家是世界无比的国家，他们的皇室是世界无比的统治者，他们的民族是世界最优秀的"神选民族"。这种思想都从神教的信仰产生出来，其实也不过是宗法社会里面崇敬祖宗的道理。笕克彦博士说："日本的国体是万邦无比的模范国体，无论到什么时候决不会有人来破坏国体的。日本国体的精华就是古来的神道，日本国家的权力就是神道唯一信仰的表现，天皇就是最高的神的表现。爱神，敬神，皈依于神。以神表现的力量就是天皇的大权。"这些思想本来也不是笕博士秘书所发明，不过新式的法学家里面要算他是一个专讲国粹的人罢了。

上面所讲的那些传说，不用说是发生在日本有文字以前的。自从中国文化、印度文化输入日本以后，外来的制度文物成了日本文化的基础。日本的国民，不是皈依释迦，便是尊崇孔子。后来渐渐文明发达，组织进步，国家的力量也就强大起来。丰臣秀吉打平了国内群雄，战败朝鲜，日本的武功已经到了极盛时代。德川氏承续丰臣氏的霸权以后，政治文物灿然大备，传入日本千余年的印度、中国的思想已经和日本人的生活融成一片，于是日本民族自尊的思想遂勃然发生。有一个有名的学者叫做山鹿素行，在这民族自尊心的鼓荡里面，创起一个日本古学派。这一个日本古学派之学术的内容完全是中国的学问，并且标榜他的学问是直承孔子。对于中国儒学的学说，连曾子以下都不认为满意。对于汉唐宋诸家，尤其对于宋儒，更抨击无遗，以为宋儒的思想是破坏孔子之道的异端。但是他却借了中国的学问来造成日本民族的中心思想。我们看他的著作，就晓得在方法上、理论上都没有一点不是从中国学问得来，没有一处不推崇孔子之道，而精神却绝对两样。他是鼓吹"神造国家""君主神权"。山鹿氏所著《中朝事实》一本书里面，把他的思想根据也就发挥尽致了。再从另一方面看，日本民间的信神思想一方面受着中国思想的影响，一方面受着佛教思想的感化，随日本统一的国力发展渐渐脱却了地方色彩，生出国家的色彩。而这一种新国家色彩又由宗教出的信仰和文学美术陶融，赋与以较为优美高尚而有力的世界性和社会性。后来日本种种进步，都要算是这一个时代的产儿，那些传说是什么东西呢？不用说，就是中国子不语的"盘古开天地""女娲氏炼石补天"。我且把日本《古事说》里面开天辟地的一段译了出来，别种传说的内容也就可以即此类推了。

天神下了一个诏书给依邪那岐命、伊邪那美命两位尊神，要他把那个漂荡的国土修理坚固。又赐他一根"天沼矛"。这两个尊神领了诏书，站在天浮桥的上面，把"天沼矛"往下面海水里一搅，抽起来的时候矛尖上的海水滴了下去，积了起来便成了一个岛，这就叫做淤能棋吕岛。

这一种传说，我们从他的象征研究起来，很容易明白是由男女生殖观念发生出来的，天沼矛就是男子生殖器的象征，而这一篇故事无非是表现"男女构精，万物化生"。在古代思想里面，几乎没有一个民族没有这一类的信仰，而在男系家族制度扩大起来的日本统治组织上面，更是很自然的事实，绝不足奇的。

第三章

皇权神授思想与神授思想的时代化

中国在孔子的时代封建制度渐渐破裂。交通的发达,工商业的进步,一方面打破了旧国家观念,一方面产生出人类同胞的世界思想。这时已经打破了许多传说的迷信,抛弃了君主神权,而平民思想和平天下的思想就从此刻兴盛起来。日本到了现代还没有完全脱离君主神权的迷信。就近代科学文明看来,日本的学问固然较中国进步了许多,这不过是最近五六十年的事实。除却了欧洲传来科学文明和中国印度所输进的哲学宗教思想而外,日本固有的思想不能不说是幼稚。然而这件事不能算是日本的耻辱。并且他幼稚的地方正是他蓬蓬勃勃,富有进取精神发展余地的地方,绝没有一些衰老颓唐的气象。他是一个岛国,而且在文化历史上年代比较短些。他的部落生活到武家政治出现才渐渐打破,直到德川时代造成了统一的封建制度,才算是造成了现代统一的民族国家基础。如果从社会的发展历史上看来,日本的维新刚和秦汉的统一足以相比。

这一个神权的思想差不多支配住日本的治者阶级,以为皇帝的大权宝位是天神传授下来的,和德国凯撒说他自己是天使,德国民族是天的选民一样荒唐。那些军人和贵族,他们的地位既由传统而来,当然也一样迷信部落时代的传说。或者有些理想上知识上已经打破了这种观念的人,为维持阶级特权,也决不敢说这些神话是假的。今天还活着的封建时代遗留下来的七八十岁的老人们，本来脑根里面所装的只有一些封建时代的故事，不用说除了这种迷信之外再也没有他自己的个性精神，这也是毫不足怪的。不过当此刻这样一个时代，日本政治的支配权还脱不了这一种人的手，不能不说是危险万状了。

神秘思想成为日本人上古时代国家观念的根源，这是毫不足怪的。到了中古时代，中国的儒家思想和印度的佛教思想占了势力，那一种狭隘的宗族国家观念已经渐渐消沉下去。后来日本人咀嚼消化中国文明的力量增加起来，把中国和印度的文明化合成一种日本自己的文明。这时日本自己统一的民族文化已经具备了一个规模，当然要求独立的思想，于是神权说又重新勃兴起来。我们看山鹿素行讲到中国的学说只推尊孔子，把汉以后的学说看作异端邪说，就可以晓得他们复古情绪中所含的创造精神了。此时他的范围已经扩大了许多，从前只是在日本岛国里面主张神的权力，到得山鹿素行时代更进一步，居然对于世界主张起日本的神权来了。日本的明治维新就是神权思想的时代化，所以他们自称是王政复古。那些倡王政复古的学者虽然是各方面都有，汉学家的力量尤其大，然而推动的主力还是要算山鹿素行一系的古学家。且把素行学派中后起的吉田松阴的著作详详细细的看起来，就晓得日本维新史的"心理的意义"在哪里了。《坐狱日录》里面有一节说：

皇统绵绵，传之千万世而不能易，此决非偶然，"皇道"之基本就是在此。当初天照皇大神传授三种神器给琼琼杵尊之时，曾发过一个誓，说是"皇统的兴隆，可以有和天地一样长的寿"。中国和印度那样的国家，他们的皇族怎么样，我是不晓得，却是日本皇统的运命就是和天地一样长寿的。

和吉田松阴同时的一个有名的学者，叫做藤田东湖，他也是以神权为日本民族思想的中心。他说是"天地的发源，人类的根本，就是天神"。德川末代有名的历史家汉文学家，叫赖山阳，著《日本政记》《日本外史》。他的思想系统学问系统比较的是纯正的儒家，所以纪史断自神武。但是到底还要列一个什么神什么命的表，放在卷首，不敢竟把这些荒诞无稽的事实抹杀，也没有对于这些记载下过一点批评。日本维新得力于山阳的文字甚多。而藤田东湖又是维新前期从思想学术上鼓舞群伦的大学者，而他们的思想只是如此。

以上所讲的，是关于日本民族思想的一种观察，日本人的国体观念大都由这一种神权的民族思想而来。日本自从乌羽帝的时代（宋徽宗时候）全国兵权归了平源二氏以来，逐渐把部落纷然并存，组织散漫，文化落后武功不立的日本诸岛造成了一个雄藩并列的封建世界，又经过三数百年，到了丰臣削平国内争乱，德川继之造成以武力为重心的文治，日本的制度文物遂渐渐规模完备了。“国”的这一个字，在此时只是作藩国的意思解，和今天之所谓国家的迥殊。社会的阶级也就随着封建制度的完成，造成一种很清楚的横的分段，用这横的分段来支配纵的分工。这个制度一直继续到西历一千八百六十九年的明治时代方才废了。在这一个封建时代，讲文明呢，的确是日本一个很进步的时期。在维新以后，一切学术思想，政治能力，经济能力，种种基础都是在此时造起。日本人之所以有今日，全靠这四五百年的努力。因为那些藩国不但是在武功上竞争，并且努力在文治上竞争。有文学武艺的学者，各藩主争先恐后，或是招来做自己的家臣，或是请了去做自己的客卿。在自己的藩里呢，务必要使自己家臣子弟能够造成文武两套全才，给他藩里做永久的护卫。那些武士也巴不得他的藩主权力膨胀，土地拓张，他们自己收入也可以加增多少石。因为藩主是极大的地主，农夫是大地主的农奴，武士是给大地主个人管理家务防御外侮的仆人。“萨木来”这个字的意思就是明明白白一个“侍者”的意思，俗话叫做家来，也是为此。就这些事实看来，“武士道”这一种主义要是用今天我们的思想来批评，他的最初的事实不用说只是一种“奴道”，武士道的观念就是封建制度下面的食禄报恩主义。至于山鹿素行、大道寺友山那些讲“士道”、“武道”内容的书籍，乃是在武士的关系加重，地位增高，已经形成了统治阶级的时候，在武士道的上面穿上了儒家道德的衣服。

▲ 吉田松阴

其实“武士道”的最初本质并不是出于怎样精微高远的理想，更当然不是一种特殊进步的制度，不过是封建制度下面必然发生的当然习性罢了。

我们要注意的，就是由制度论的武士道一进而为道德论的武士道，再进而为信仰论的武士道。到了明治时代，更由旧道德论旧信仰论的武士道加上一种维新革命的精神，把欧洲思想融合其中，造成一种维新时期中的政治道德的基础。这当中种种内容扩大和变迁，是很值得我们研究的。在封建制度的下面，武士阶级是社会组织的中坚。上而公卿大名，下而百姓町人，在整个的社会体系当中，武士负维持全体社会之适宜的存在发展的职责。一个方面包含着名教宗法的特色，然而单是名教宗法决不能保持社会生活的安定和发扬社会生活的情趣，所以在另一个方面，更不能不具备一种人情世态的要素。所以高尚的武士生活可以叫作“血泪生活”。血是对主家的牺牲，泪是对百姓的怜爱。我们见到德川时代的武士道之富于生活的情趣时，才可以了解武士阶级所以能成为维新主要动力的缘故，这是研究日本的人所最宜留意的。

第四章

封建制度与佛教思想

日本六十年前封建时代的社会阶级制度,差不多是现代的中国人所梦想不到的。古代中国的儒家思想和印度的佛教思想宣传了许久,但是极平和的佛教到了日本以后,顺应着封建时代的人心,也变成了一个"强性的宗教。"或者是为宗派打仗,或者是为拥护一派的护法大名打仗,僧侣的本身都带着"萨木来"的臭味,佛教爱人爱物无抵抗的精神,在日本封建时代一变而为牺牲的争斗精神。把"罗汉道"杀内贼的工夫和在杀外敌的上面,也就和武士道没有冲突。把天龙八部人非人的观念应用在阶级的制度上面,也就觉得阶级的存在没有什么不应该。所以我们可以晓得,一个宗教的制度思想的变迁完全适着社会生活的要求。同是一个宗教,他所行的地方不同,所支配的阶级不同,他那一个宗教的思想和制度也就完全跟着变易的。在日本语言里面,有很多话是从前佛经的用语来的,然而和佛的本义完全两样。譬如两人相打的时候常用的"畜牲! 觉悟罢!"就是一个很明显的证据。

我们要在日本的纯文学里面去看佛教的感化材料是多得极了,本来日本吸收中国文化,一大部分是由佛教来的。最初的留学生十个九个都是僧侣,他们借用中国文字记述日本语言,造出一种所谓"假名"来。"假名"这两个字的意义已经是很深长的了。而最初所制的"伊吕波歌"就是很纯正的佛教诸行无常的思想。文字排列之巧妙,实在是很值得称赞的。我们再看日本人的饮食,他们能吸收去的中国食品制法实在都是僧侣的常食品,如像豆腐、豆腐皮、豆腐衣、豆豉、咸菜、麦麸种种。现在的日本人忘记了,以为是日本的特产。中国人到日本的,也不觉得这些东西有什么来历,然而我们可以确实晓得，这是完全由僧侣吸收去的文化。

在民间的文学里面，在贵族的文学里面，我们都看得出很多的佛教关系来。就是日本最古的一种“能乐”，这是和“神教”有密切关系的，而他们后起的谣曲，有许多题材是采诸佛教里面的故事传说。可是我们在任何方面，都看得出日本人的佛教思想绝对和中国的两样。他们的佛教，在贵族里面确是含着不少积极的牺牲的精神，而在民间方面，又含得有不少的人情世态的趣味。比起中国艰苦而枯寂的佛教来，的确是大不相同。

印度的佛教经过中国传入日本以后，我们看得出，明明白白分出三个时期。第一个时期是神佛对立的时期。本来日本人是崇拜神教的。神教是什么东西呢？就是宗法社会里面必然应有之义的祖先崇拜。这一种拜神思想本来是很幼稚的，然而部落的权力渐渐扩大，到得诸部落统一于一族的时候，当然要生出一种调和的理论、组织的体制来。日本的文化是在中国文化传入之后才有统一和组织的工具，于是中国敬天敬神敬鬼的思想，给他们的神教充实了不少的内容。然而这个时代，中国的佛教文化与中国的道德文化同时输入进去了，并且佛教的输入更占了很重要的地位。这两种不同的思想，在政治上，在社会上，当然不是容易调和的。一个是世界无差别，一个是九族分亲疏；一个是冤亲平等，一个是正名定分严礼重刑。此时神佛两教，在输出国的中国已经是最大的冲突期，在输入国的日本，更不是容易调和的了。

然而久而久之，应于他那社会的必要，不能不想出种种的调和方法来。“历史上的后进文化上的先进的佛教”便运用着很微妙的经义，造出一种“本地垂迹说”来。在实际的势力上要把幼稚的拜神信徒拉到佛寺里来，便先在理论上把佛教的信仰投降到“神”的威力下去。某神就是某菩萨的体现，这一种的混合信仰便由此而生了。这是第二个时期。

日本人如果是弱者，如果四围有了强固的信佛威力，这神教的信仰或者就会绝灭了，然而四围的情况不是如此，日本国内的情况也不是如此。所以随着汉学的进步，封建制度的完成与武家势力的膨胀，日本古学派哲学突然创兴起来。直到日本维新的时代，日本民族一方面抛弃了“日本三岛的封建制”，而加入“地球的民族封建制”下去活动，一方面就是严密地定出神佛的区分。这是第三个时期。由对立而混合，再由混合而对立，这是两个很大的变动，我们应该从里面学得许多的教训罢！

第五章

封建制度与社会阶级

农民没有土地所有权，一切土地都是藩主的。不能有“姓”，不能带刀。这种现象还是中国三千年前的制度，除了皇帝公卿藩主武士治者阶级而外，其余的人都不承认有完全的人格。此外还有一种第四五层阶级的最苦人民，叫“秽多”、“非人”，是完全驱逐到人类生活以外的。那些武士往往制了一把新刀，要试验刀的利钝，可以随便去找了一个“非人”杀。而最奇妙的，就是连这特殊的阶级制也借用着佛经中的用语。此中残酷的社会组织，和治者阶级的残酷习惯，可以证明日本的文化年代之浅与程度之低了。秽多、非人这一个阶级，至今还是存在。近年来日本社会运动当中最重要的一个运动，叫作“水平运动”，就是这一种特殊部落的民众争自由的运动。将来日本革命的烽火，恐怕是这一种民众做最先头的部队了。

有一个贵族院议员叫杉田定一，他是从前自由党的名士。民国五六年时，有一天我去访他，看见他的书房里供着一个孔子像。他对我说，这个孔子像是很有来历的。他家里本来是农民，他的父亲是很慈善的，想到智识这样东西人人都应该要有，就请了一个有学问的汉学先生，在他家里教村中那些农民念书。被藩里的武士们晓得了，说他们读书是僭越，就把他家抄了，教书先生也赶走了，种田的权利也没收了。这孔子像还是在那时候拼命夺出来的。那个时代欧美的民权思想已经渐渐输入了进来，汉学思想和欧美思想融和，就有许多的人，觉得这一种非人道的封建制度非打破不可。这实在是由种种环境发生出来的自觉运动。他这个议论我以为很的确。明治维新,一面是反对幕府政治的王政统一运动,一面是民间要求人权平等自由的运动。倡尊王讨幕的人,和倡民权自由的人,虽说两种都出自“公卿”和“武士”两阶级,但是这民权运动纯是一个思想的革命,是人类固有的同情互助的本能的发展,而欧洲自由思想做了他们的模范,和萨长两藩专靠强力来占据政治地位不同。且看民权运动最有力的领袖板垣退助,他的思想完全是受法国卢骚《民约论》的感化。近来日本的文化制度虽然大半由德国学来,却是唤起日本人“同胞观念”,使日本人能够从封建时代的阶级统治观念里觉醒起来,打破阶级专横的宗法制度,法国民权思想的功绩真是不少。而我们更可以得到一个重要材料,来证明唯物主义者的阶级斗争的理论并不合革命史上的全部事实。譬如日本维新的结果解放了农民阶级,使农民得到土地所有权和政治上法律上的地位,这个运动并不是起自农民自动,而仍旧是武士阶级当中许多仁人志士鼓吹起来的。

第六章

日本人与日本文明

日本自从平源执政以后，争权杀伐，没有一天休息。战争的事越多，武士的权力越是强大。到了德川氏的时代，幕府的权势非常巩固，各国诸侯势力又能够保持均衡，所以大家都是注意保守自己的地盘，不愿从事战争，文学、哲学当然随着平和的幸福发达起来。一种是古学派神权思想的复兴，一种是荷兰学问的输入，一种是汉学的发达。古学派神权思想的根源，前两段已经大略讲过了。荷兰学问的输入，在日本文明上，除了天文、数学、筑城、造兵、医药等知识而外，在精神科学方面简直看不出什么进步。只是德川时代汉学发达，在思想上，在统一的制度文物上，的确是日本近代文明的基础。就是纯日本学派的神权主义者，在思想的组织方面，也完全是从汉学里面去学得来的。所以中国哲学思想，在德川时代可以叫作全盛时期。他们在中国哲学思想里面得的最大益处是什么呢？就是“仁爱观念”和“天下观念”。如阳明学派的中江藤树，朱子学派的藤原惺窝、中村惕斋，都是努力鼓吹“仁爱”的。从制度上看来，这种由日本社会进化自然程序发生出来的种种阶级制度和治者阶级的性格，可以证明日本在部落斗争的时代最

▲ 日本人向荷兰人学习西医

大缺点是“仁爱观念”和“天下观念”的薄弱。德川氏时代统一的政治使全部日本达到了车同轨、书同文、行同伦的时期。我们从儒家思想的发达和明治初年民权思想的发达看来，就可以晓得，日本近代文明的进步恰恰和“仁爱观念”的进步成正比例。而这仁爱观念发展的原因全在于政治的统一和物质文明的进步、社会组织的整理。现在日本的治者阶级系统都由封建时代的“萨木来”直传下来的。明治时代的教育主义标榜一个武士道，更是因袭封建时代的食禄报恩主义。一部明治维新史，如果只把表面的事实作为研究的材料，或者只注意他最近几十年的事实，忘却德川时代三百年的治迹，是不对的。因为一个时代的革命，种种破坏和建设的完成，一定不能超出那一个民族的社会生活之外。倘若那一个社会里面没有预备起改造的材料，没有养成一种改造的能力，单靠少数人做运动，决计不会成功。即使四围的环境去逼迫他，也不容易在很短的期间造成他的能力。所以我说，欧洲和美国势力的压迫只是成为日本动摇的原因，成为起革命的原因，而其革命所以能在短期间内成功，则完全是历史所养成的种种能力的表现，而决不是从外面输入去的。

日本有许多自大自尊的学者，往往欢喜把“日本化”三个字放在脑筋里，不肯放弃，动辄喜欢讲日本的特殊文明。这种观念当然不脱“日本的迷信”。日本的文明是什么东西？日本的学者虽然有许多的附会，许多的粉饰，但是如果从日本史籍里面把中国的、印度的、欧美的文化通同取了出来，赤裸裸的留下一个日本固有的本质，我想会和南洋土番差不多。文明本是人类公有的，如果不是明白认定一个人类，认定一个世界，在世界人类的普遍性上去立足，结果一定要落到神权迷信上去的。但是我们也要晓得，这一种自尊心也是民族存在发展的基础。如果一个民族没有文明的同化性，不能吸收世界的文明，一定不能进步，不能在文化的生活上面立足。但是如果没有一种自己保存、自己发展的能力，只能被人同化而不能同化人，也是不能立足的。在这种地方，我们很看得出日本民族的优越处来。他们本是赤条条一无所有的，照他们自己的神话来说，只有“剑”“镜”“玉”三样神器，也就大生问题。这三样神器是什么时代，由什么地方来的，究竟有没有这三样东西，也都尚待考证。然而他们赤条条一无所有的民族，由海上流到日本岛，居然能够滋生发展，平定土番，造成一个强大的部落，支配许多土著和外来的民族，而且同化了他们。更从高丽、中国、印度输入各种物质的精神的文明，而且能够通通消化起来，适应于自己的生活，造出一种特性，完成他的国家组织。更把这个力量来做基础，迎着欧力东侵的时代趋向，接受由西方传来的科学文明，造成现代的势力。民族的数量，现在居然足以和德法相比。在东方各民族中，取得一个先进的地位。这些都是证明他的优点。我们看见日本人许多小气的地方，觉得总脱不了岛国的狭隘性。看见他们许多贪得无厌，崇拜欧美而鄙弃中国的种种言行，又觉得他们总没有公道的精神。可是我们在客观的地位细细研究，实在日本这一个民族他的自信心和向上心都要算是十分可敬。总理说，一个民族的存在和发展要以自信的能力作基础，这的确是非常要紧。所以日本人那一种"日本迷"也是未可厚非，不过从今天以后，是再也行不通的了。

第七章

武士生活与武士道

封建时代"武士"的生活条件可以用极简单的话概括起来：一是击剑，二是读书，三是交友。击剑读书，是武士一定要有的本事，不会击剑的人当然没有做武士的资格。没有学问，便不能够在武士阶级里面求生活的向上。至于交友这一层，是封建时代武士阶级"社会性"的表现。在这个时代，一切经济关系、社会关系都是极单调的。武士的责任，第一是拥护他们主人的家，第二就是拥护他们自己的家和他自己的生存。所以武士们自己认定自己的主要目的就是"为主家"。这句话的真意，就是为主人和自己的家系家名而奋斗。解剖开来说，武士的家系是藩主的家系的从属，武士自身，又为藩主本身或藩主家系和自己家系的从属。这家系的观念和宗法的神权迷信当然有密切关系，所以那些武士为藩主的本身或藩主的家系而奋斗的精神，不但是由物质上的社会关系经济关系结合成的，并且渊源于历史的因袭，含有不少的神秘气氛。"轻生死"、"重然诺"、"尚意气"这种武士独有的特性，固然由于武士阶级的生活必要，但就精神方面看来，许多年遗传下来的生活意识所造成的道德和信仰，也是使他们肯于牺牲自己的生命和家族的生命而为主家奋斗的最要紧的因素。［不管有什么高尚的理由，殉死都是与文明社会不相容的。］

在封建时代，这一种为保存家系而努力的事实和奋斗的精神，是他们的社会所最赞美的，以为这是道德的极致，人生的真意，宇宙的大法。能够如此，就是最高人格，可以和神同体，与佛同化，与宇宙长存。越是神秘，越是悲哀,社会越是赞美。他们举国所赞美的武士道的精华,就事实上说明起来可以举出两件事,一件是“仇讨”,一件是“切腹”。“仇讨”是杀人,“切腹”就是自杀。

“仇讨”就是中国所谓复仇,本来是没有法治的野蛮社会里面的普通习惯。日本封建时代,这一种事实不但是社会上赞美他,并且国里的藩主还特别许可。日本从前那些文学家,往往把复仇的事实当作最好的题材,或是用小说描写复仇者的性格,或是用诗歌去赞美他的行为。近代还有许多人,以为这复仇的事实是日本人最高尚的精神,是日本人最优美的性格。其实这也是一种“民族的自画自赞”,如果这种行为可以成为人类道德标准,那么非洲澳洲的土人也就很有自负的资格了。不过这种行为也是“生的奋斗”的精神。而他所以能具备一种力量,刺激后来的人,使人感觉他的优美和高尚,完全由于当时社会一般的文化思想已经很进步,在单调而严格的封建制度下面,这两件事又最是一种破除成例的行为,值得一些文学家的歌咏。维新以后,日本人在民族生存竞争场里能够占到优者位置,也有许多由这种遗传的道德观念来的。

复仇者的精神和身体完全是受“种族保存”的原则支配。如像有名的曾我兄弟的复仇,是为自己的家事;大石良雄等所谓“元禄义举”,是为他们藩主的家事。此外为自己受人欺侮直接采取复仇手段的更是多极了,赤穗事件最初的原因就是为此。这种观察,都是就复仇者的本身着眼。完全和复仇事件没有利害关系的人,也往往有帮他人复仇的,日本话叫做“助大刀”。社会上对于这种为正义出力的人也很赞美。武士道的精神,我以为在这“助大刀”上面,确实看得出许多正义的精神。比“复仇”本身,道德的意义还是多一点。这种正义的同情心,不只在男子中如此,女子里面也很有这种美德。武士家女子,直接为君、父、夫复仇,或是为他人表同情,帮助他人复仇事业成功的事件,历史上很不少。这一种社会同情的热诚确是封建时代日本女子的美德,直到今天,这种特色还是极彰著的。再看日本维新历史的背后有很多女性的活动,尤其是在苦海中的妓女,对于维新志士的同情扶助非常之大。维新元勋的夫人,多半出自青楼,就是从这一种关系来的。

把这一种性格，从思想上学问上去奖励他完成他，是德川时代哲学思想的特色，而且是日本古学派哲学思想的特色。赤穗藩里所以能够生出大石良雄一般人，完全因为受了山鹿素行教育的结果。当时德川幕府所最奖励的朱子学派的学者，在整理日本的制度文物上面，确是很有功劳，然而精神却注重在汉和一体，不像素行一派，专事鼓吹日本主义。素行说："大八洲的生成，出自于琼矛，形状和琼矛相似，所以叫细千足国。日本的雄武真是应该的了。那天地开辟的时候，有多少的灵物，都不用他，偏要这天琼矛来开创，就是尊重武德，表扬雄义的缘故。"天琼矛是男子阳具的象征，这一种创世思想渊源于男性崇拜，是很明白的。就这思想和历史的系统看来，也可以晓得日本的尚武思想军国主义并不是由于中国思想，印度思想，纯是由日本宗法社会的神权迷信来的。近代德国军国主义的政治哲学很受日本人的欢迎。自日俄战后到欧战终结十几年当中，日本思想界最受感动的就是普拉邱克一流的武力主义和尼采一派的超人哲学。最近一转而为马克思的斗争主义，都有同类的因缘。我们看得到日本人的风气和中国最大不同的地方，就是日本人在任何方面都没有中国晋朝人清谈而不负责和六朝人软弱颓丧的堕落毛病。连最消极的"浮世派文学艺术"当中，都含着不少杀伐气。这都是最值得我们研究，最值得我们注意的。

第八章

封建时代“町人”和“百姓”的品性

封建时代的政权、兵权、土地所有权，是藩主和武士阶级专有的，学问也是武士阶级专有的。教育的机关，除了藩学而外，私立的学塾也是为武士而设。商人、工人、农夫，不但是在社会阶级上被武士压服，连知识上也是被武士阶级压服了的。日本从前叫商人作“町人”，因为他们是住在街坊上的；叫农夫作“百姓”，这大约是把中国的熟语用错了。这两种人的品性很可研究。农夫完全是靠务农生活，虽是一生一世没有知识，没有学问，又没有社会上的荣誉地位，但是一生和自然做朋友，所以性格是很纯朴的。兼之那个时代政治思想是重农主义，藩主武士们脑筋里受着中国民以农为本的感化，至少对于百姓们的人格不会有很大的轻侮，所以还过得去。唯有商人，在社会阶级上既然处于被治的阶级，住的地方又和治者阶级接近，所营的生业又要依赖治者阶级，只在一种极鄙陋暧昧的空气里面作世袭的守财虏，性格上自然发生出很龌龊的卑鄙习惯来。人格上毫无地位的商人当然不会有高尚的德性，因为高尚的德性不但不能够帮助他的生活，反而可以妨害他的生活的。有名的实业家涩泽荣一，他有一篇论封建时代商人性格的文章，讲得很清楚。看他这一段话，就可以明白六十年前的商人气质了。

从前国家的租税，为主的就是米，也有征收蜡、沙糖、蓝、盐各种货物

➤明治天皇：改变日本历史第一人。

▲ 日本料理看上去很美。

的。幕府及各藩邦,把自己所征收的货物,用他们的官船装到江户(就是现在的东京)、大坂去,用投标的方法卖给大商人,大商人再卖给门庄的小店家。此外虽然也有直接向农家收买米粮等类来贩卖的商人,不过大宗买卖却是由官府出来的。所以那个时代的商人不过是一种小卖店。这大一点的商人,所谓藏宿(是代官府卖货兼做货栈的商人)、“御用达”(是专替官府做买卖的大掮客),都是历代相传的大家。主人只要在屋子里面招呼一点年节计算,就可以了,其余生意的事都交给经理的人。到各藩府里出入,年节非送礼不可,对那些官吏非请他们吃酒嫖妓不可。只要这种事做得周到,生意就大可以发达了。

▲ 町人的晚餐

这个时代,商人和官吏的社会阶级相差得很远,绝对是不能够同席谈话的。极端的讲,简直就是没有把商人当人。江户那样大都会比较好一点,小藩地方尤其利害。小小一个代官出门,商人农夫都要跪在地下。商人见武士,无论什么事,都是绝不能够辩论是非曲直。如果武士们出了一个难题,实在不能应承,也不过只敢说:“贵意是一点不错的,请许我详详细细的想过之后,再来回明就是。”总而言之,当时商人对武士,实在卑污到极点的了。

商人既处于插贱的地位,当然养成了一种卑劣的性格。从前那些武士们,对于商人是很鄙屑的,他们所读的中国书也都是充满了贱商主义的文字,以为这是下贱人天生的习性,叫这种性质做“町人根性”。骂人的时候,

▲ 涩泽荣一

▲ 大仓喜八郎

也就把这一句话用作顶恶劣卑贱的意义。一直到现在,上流社会里面的人平常还拿这句话来骂人。就这一点看来,就可以晓得日本的封建的制度,一面是养成一部分食禄报恩主义的武士,一面也造成下贱卑劣的商人。武士的性格是轻生死,重然诺;商人的性格是轻信义,重金钱。一面是回教式的神秘道德,一面犹太式的现金主义。所以承继武士道气质的武人虽然专制,却是许多年来的历史把他造就成一种意志坚强,自尊心丰富;能够不怕强权,同时也就不欺弱小;在战阵上能够奋勇杀敌,而在自己失败的时候,也就能够为惜名而自杀。我们要晓得欧洲尊重女子的风俗是出于骑士怜爱女子,就可以推想所谓武士道的特质了。我常常想,何以欧洲人对于美洲土人那残酷,竟忍心动辄坑杀数十万的土人,原来这种行径绝不是出于纯粹的战士,而是出于拿了刀的商人和流犯。日本封建时代的所谓"町人根性",一方面是阴柔,而一方面是残酷。以政治上的弱者而争生活上的优胜,当然会产生这样的性格。现在日本的实业家里面,除了明治时代受过新教育的人而外,那些八十岁级的老人里面,我们试把一个武士出身的涩泽和町人出身的大仓比较研究起来:一个是诚信的君子,一个是狡猾的市侩;一个高尚,一个卑陋;一个讲修养,一个讲势利。这两种极不同的性格,就可以明明白白地看出武士与町人的差别了。

第九章

“尊王攘夷”与“开国进取”

日本推翻幕府，恢复王室的原因，大约可以下列几件事概括一切。是不是武断，大家且去研究日本维新的历史，便可以明白了。

（一）德川幕府本身的腐败。

（二）幕府和各藩的财政难；幕藩武士的生活难。

（三）外国势力压迫渐烈，于是引起国民“攘夷倒幕”的感情。

（四）有力的雄藩如长萨等，向来不满于幕府，久存待时而动的念头，又兼地理上和海外及京都的交通接近，所以成了“尊王攘夷”的重心。

（五）德川执政以后，古学派的神权王权思想普及和汉学发达的影响。

以上所述的五个原因，如果一一叙述起来，决非这一篇小论文所能尽。总之，当时日本幕府和各藩的情形已经到了穷极必变的时代，即使没有外来的种种原因，幕府的权力和各藩的地位已经要动摇起来了。恰好这时欧美的势力很猛烈地压迫了来，青年的武士们只要看见外国人拔扈，幕府退让，恨得了不得，就标榜一个“尊王攘夷”的旗号去反对幕府。我们试看几十年欧美人记日本当时情形的书，就可以晓得当时倒幕原动力的浪人差不多很像是义和团一流人物。在这个时代，各国强迫日本通商的行动也一天比一天激烈，“黑船”的威力也决不是日本人的力量所能抗拒的。而且荷兰的兵学输入日本很久，日本人已经晓得外国是有学问有力量的。一面尽管说“攘夷”，事实上哪里攘得来，于是在积极图强的必要上，当然更一面欢迎欧洲的学问。当时所谓“英学”“佛学”，英吉利法兰西的学问的价值，渐渐的为一般人所认识。所以幕府一倒,"尊王攘夷"四个字的目标就变成了"开国进取"。攘夷和开国,是两个矛盾的倾向,而这两个矛盾的倾向都是造成日本今日绝盛的基础。如果没有义和团的精神,决不能造成独立的文化,这是我们所应当要晓得的。

倒幕府的事业是什么人做的?就是那受神权思想感化的武士。京都来的几个公卿,本来就不过是装门面的,什么三条实美、岩仓具视,不过是一般武士穿的号衣。这些武士们,平时脑筋里面装满了英雄思想。幻想中的模范人格,不过是日本战国时代的所谓七雄八将。什么丰臣秀吉的雄图、加藤清正的战功,塞满一头。在这一种思想下面来标榜起"开国进取",这开国进取的意思也就不问可知了。从前丰臣秀吉征朝鲜,他的目的,从答朝鲜国王书里面可以看得出许多。我且把赖山阳《日本外史》所记的抄出来。

日本丰臣秀吉谨答朝鲜国王足下:吾邦诸道,久处分离,废乱纲纪,格阻帝命。秀吉为之愤激,披坚执锐,西讨东伐,以数年之间,而定六十余国。秀吉鄙人也,然当其在胎,母梦日入怀,占者曰:"日光所临,莫不透澈,壮岁必耀武八表。"是故战必胜,攻必取。今海内既治,民富财足,帝京之盛,前古无比。夫人之居世,自古不满百岁,安能郁郁久居此乎?吾欲假道贵国,超越山海,直入于明,使其四百州尽化我俗,以施王政于亿万斯年,是秀吉宿志也。凡海外诸藩,后至者皆在所不释。贵国先修使币,帝甚嘉之。秀吉入明之日,其率士卒,会军营,以为我前导。

▲ 丰臣秀吉

由这一篇拟史汉体的文章里面,我们不单可以看出秀吉的怀抱,也可以看出那时一般人的思想。我们可以断言,这一种气魄,这一种怀抱,是武家时代以前的人所决不会有的。而且当丰臣秀吉以前,日本国内统一之基未立,民族独立思想未成,中国的失败未著,都不会刺激出这种"问鼎之意"来。无论一种什么思想,似乎是先时代而生，实则也都是后时代而起。精神物质，是一物的两面；过去未来，是一时的两端。时代的生活要求产生思想，思想又促进新时代的要求，如是推移，乃成历史。然而就我们中国民族想来，以这样大的一个国家，这样古的文化，不能吸收近邻的小民族，反使四围的小民族个个都生出"是可取而代也"的观念，这是何等的可耻呵！

在日本维新前的"攘夷"思想，是外力的压迫逼出来的，前面已经说过了。外力的压迫，大体可分为两个方面，一是北方俄国的政治压迫，一是南方欧美各国商船的来航。这两件事所引起来的对抗思想，内容和方面都有不同。由对抗俄国而起的攘夷思想是激越的，武力的；由对抗欧美诸国之航船而起的思想是打算的，经济的。这两个不同的事实所引起的不同的倾向，其后在开国进取思想上的影响也是不同。直至明治时代，支配日本国防政策、外交政策的北进南进两个潮流，也都和这两个倾向成很密切的连带，是我们所不能不注意的。

那时候的攘夷论是什么内容呢？我们也可以举几条文献来看看。

（一）肥后国细川山城守的上书中一节说：

本朝自有大法，交易云者不外通信，此外则一切皆当谢绝。

（二）佐贺藩主锅岛肥前守的上书中有一节说：

幕府之职，世号征夷大将军，此征夷二字实为万世不易的眼目。当今太平日久，士气偷惰，正宜乘时奋发，耀威国外，乃足以挽回末运，奠定国基。

（三）川越藩主松平太和守的上书中有一节说：

凡诸外夷，对于皇国有敢为不敬者，允宜施以皇国武力，悉加诛罚，以光国威。

只此区区数节，也就可以揣测当时人的思想和知识了。在这样一种空气下面，最有力的刺激文字就是宋明亡国的历史，蒙古满洲蹂躏中国的事实。一般有志气的人，时时把这一种事实来鼓舞全国国民团结抵抗的士气。而鸦片战争和英法联军战争两件大事，更把日本全国的武士的热血沸腾起来。一面以亡国的危险警告国民，一面也学习不少的国际情形。所以中国在十九世纪初中叶所受外国的压迫，也是日本维新的大兴奋剂。梁川星岩《咏鸦片战史》云：

赤县神州殆一空，可怜无个半英雄。

台湾流鬼无人岛，切恐余波及大东。

山内容堂《咏英法联军陷北京诗》云：

谁教丑虏入燕城，八百八街膻气腥。

开帙独诵淡庵集，失声欲骂小朝廷。

这两首咏中国的诗，不用说是处处都对着日本当时的国情说话，想要激动全国士气的。幕府外受逼于外国的威力，内受逼于志士的责备，其非倒不可实在已成了必然的事实。所以攘夷和倒幕成了一桩事情，正和中国排满和排外成为一个时代倾向，是完全一样的。

大家以为明治初年的征韩论是萨藩西乡一派鼓吹出来的，其实不然，长藩里面的人主张征韩并不在萨藩之后。木户孝允、大木乔任，并且是最初顶热心主张征韩的人。大木乔任有一篇文章，论日本国是，说："世界各国，唯有俄国是顶可怕的，是顶能够妨害日本大陆发展的。日本如果要在大陆发展，应该要和俄国同盟，中国的领土就可以由日俄两国平分。"这个意见，木户孝允极力赞成，以为是日本建国唯一的良策。他这主张还在西乡隆盛之前。不过是后来大家虽是理想一样，政策上打算就不同。主张征韩的，以为"国里面的封建制度废了，不赶快向外面发展，那些没了米吃的武士们怕要闹乱子。"反对的人说："日本国里面的政治还没有改良，力量还没有充足，赶快要整理内政。"相差的地方不过如此，并不是根本上有什么两样。

在这个时代，还有一般受了欧洲民权思想感化的人，晓得世界潮流，不是继续日本的法律政治，可以图国家发展，所以民权思想就同"开国进取"的思想同时并进。力量最大的就是英法的思想。据明治四年统计看来，东京一个地方，教授英法文字的学塾已经十有一所。合了兰学通算起来，有十九所。就学的学生有二千多名。可见明治初年时代外国文化输入的势力了。

我们将日本从封建时代变成统一时代的历史看来，有什么感想呢？简单讲来，就是日本的改革并不是由大多数农民或者工商业者的思想行动而起，完全是武士一个阶级发动出来的事业。开国进取的思想固不用说，就是"民权"主义,也是由武士这一个阶级里面鼓吹出来的。还有一个最要点,就是"世界的人类同胞思想",在前期和后期,都是由外来思想的感化而起。前期的"世界的人类同胞思想",是由中国儒家思想给与一种政治和道德的世界大同理论,由佛教的众生平等思想,给与以世界大同的信仰。然而这一个观念,在武家时代渐渐被日本民族优越的统治思想压伏了下去,连奉中国文化为正宗,认中国为中国的意义,都被《中朝事实》那一种日本正统的神权历史学说压伏了。王道的政治理论,在乱时胜不过霸道的武力,也是必然的现象。这日本式的自尊思想,到得幕末时代被欧美侵来的势力又压迫出一个新体态来,民权思想和欧化主义就是维新后的特产。这一种新的民权思想,自由平等博爱的思想,可以说是日本后期的"世界人类同胞观念"。一个闭关的岛国,他的思想的变动,当然离不了外来的感化。在他自己本身,绝不容易创造世界的特殊文明,而接受世界的文明却是岛国的特长。我们观察日本的历史应该不要遗漏这一点。

第十章

“军阀”与“财阀”的渊源

明治维新的政治思想前两段已经讲明。还有一个极大的变化，就是商工业发达。现在日本已经由武士专制时代进到资本家专制时代了，要观察日本真相，不能不晓得他商工业发达的渊源。因为今天左右日本政局的力量，并不只是几个军阀的领袖，几个垂死的官僚，实在是生龙活虎的富豪，和富豪支配下的工商业组织。现代日本的上流阶级中流阶级的气质，完全是在“町人根性”的骨子上面穿了一件“武士道”的外套。这种气质，虽不能说上中流阶级全部都是如此，但顶少都有一大半。军阀和官僚，不用说是“武士阶级”的直系，那最有势力的资本家和工商业的支配者，不用说就是“武士”“町人”的混合体。政党就是介居军阀官阀财阀之间的大掮客。因为多数人的权利并不是自己要求得来，是由少数人自己让出来给他们的。而且从祖宗以来，几百年遗传下来的被治性，决不是短期间里面可以除得了的。

现在乡下的农夫和藩主武士，已经很早脱离了主从关系。但是老一辈的人，听见藩主的名，还是崇敬得和鬼神一样。前几年间，旧藩主从东京回到他以前所统治的地方去，那些老百姓们依旧是“伏道郊迎”。旧治下的武士们依旧执臣僚礼节。现在老藩主渐渐死了，袭爵的人和旧藩属地方毫无关系，地方上中年的人都没有直接受过封建制度的压制束缚，也没有受过他的恩惠，青年人更不用说。到这个时候，封建的观念方渐渐的淡薄下来，可见“因袭”是颇不容易除去的。

明治初年废藩置县以后，武士的世袭财产被中央剥夺了，武士职务上的特权被征兵令打消了，知识上的特权被教育普及制度消去了。那些武士既失了世袭的财产，又失了世袭的职业，这时产业革命风潮已经渐渐萌芽，失势的武士要想得生活上的安全，也只好放弃了"武士道"的门面，向商业上去讨生活。但是向来不惯拿算盘，不惯说诳话，不惯向人低头的武人，一旦和那些"町人"去竞争，没有不失败的。维新后的武士，有许许多多陷入沦落的悲境，都是这个缘故。

中央政权，由幕府的手里归了皇室，确定了统治的中心。这统治权的运用，既不是皇室独揽，更不是明治帝的专制，而实在是归了萨长两藩的武士手里，虽然有一两个"随龙入关"的旧公卿，如三条实美、岩仓具视之流，实在不过是替皇帝装门面，替飞扬跋扈的武士出身的新公卿做一个傀儡，同时也在政治舞台当中，运用一种较为温和而高明的手腕，往来组织于各藩士的势力之间，做一个调和者。萨藩的势力，因征韩论的失败，完全驱出中央政府，执政大权便是长藩武士独占了。这些执权的武士，也和失势的武士一样，晓得今后武士阶级是没有了，要发财一定非做生意不可。他们的位置很高，有政权做保护，有国家岁入的金钱帮助他们的活动。只要检定几种大事业，垄断起来，发财的方法就够了，用不着自己打算盘，用不着自己筹资本。

在第八节我已讲过，从前日本的商业都操在各藩手里，维新以后，对外贸易的趋势一天增长一天。政府标榜出"殖产兴业"四个字做政治的大方针，国内的工商业和对外贸易如潮似水地发达起来，"武士"和"町人"的结纳——政府和商人的结纳——也就从这里面越加密切。大家如果把明治工商业发达史，详详细细的里面外面去研究一番，这中间的情景便都可以明白了。举几个例说，现在几个大资本团，三井、岩崎、大仓，哪一家不是靠做"御用商人"膨胀起来的？三井、岩崎这两家，还算是封建时代以来的老御用商人。大仓喜八郎本是一个极穷的"素町人"，忽然发起几百兆的财来，这是靠什么？不用说就是靠做政府的买办发财的了。

第十一章

维新事业成功之主力何在

一个时代的创造,有很多历史的因缘,决不是靠一两个人的力量创得起来,不过领袖的人格和本领也是创造时代的一个最大要素。创造时代的领袖人物,不一定是在事功上。有的是以思想鼓舞群伦,有的是以知识觉醒民众,有的是靠他优美的道德性给民众作一个信仰依赖的目标,有的是靠他坚强的意志,一面威压着民众,同时作民众努力奋斗的统帅者。至于智仁勇兼备的圣哲,不是轻易得来,并且在很多政治改造的时期当中,这一种智仁勇兼备的圣哲往往作了前期的牺牲,再供后代人的瞻仰,而不得躬与成功之盛。日本的明治维新,在思想上、社会上、国际上的种种背境前面已经大概讲过了。我们看他,虽然是千头万绪,异常复杂,到底作民众活动意识中心的政治思想只有很简单的几种趋势。而这各种趋势,却是像百川归海一样,顺着德川氏以来的民族统一国家独立的伟大要求,把日本人历史传说的王权神授思想作了中心。明治维新当时几个大的运动,一方面有生活的切实要求作他的分因,一方面有一个共同的信仰作他的归宿。我们试把日本维新前后的历史整个的通起来看,简直没法晓得,当时最有力量的领袖到底是哪一个?如果要在活动的人才当中去寻吗,活动的人才当中只有寻得出干部,不能寻得出领袖。维新史形式上的开篇,当然要从明治前一年十二月发布王政复古的诏书算起。当时在京都参与这大运动的一般人,正好像一个乱蜂窝。宫中的一些公卿的旧臣,外藩的一些藩士,拉拉杂杂,塞满了一城。当然，那时候主张一切的人，并不是后来尊为维新大帝的小孩子。公卿当中，算为顶能干的是岩仓具视，然而讲起实际力量来，依然不过是长袖中的破落户。就第一批发表的人物表里看看，“议定”十几人，参与几十人，究竟谁是中心人物，谁是掌权的领袖呢？藩兵的势力以萨藩为最，当然萨州藩士领袖人物的西乡隆盛占了纠合群雄的地位，然而在名分上，还是一个陪臣。所以我对于日本维新成功的历史，认为主要的成功原因完全在于两点。一是有时代的切实要求，一是有人民共同的信仰。而这两个原因，又通通归结在历史上“日本民族统一的发展能力已经确实具备”的一点。“民族的统一思想，统一信仰，统一的力量”，这就是日本维新成功的最大元素。

▲ 西乡隆盛：以人格支配日本历史50年

如果我们把这一个基本的要点看差了，单纯在一二领袖人才上去寻他的成功原因，当然是寻不出，而且要拿人才的比较去寻幕府所以倒的原因，更寻不出。至若兵力财力等的讨论，更是无用了。最奇妙不可思议的事，就是王政之所以复兴，各藩势力之所以能结合，幕府之所以能倒，封建制之所以能废，主力既在萨藩，而人物的伟大亦不能不推西乡隆盛。至于他下面的人才济济，更不用说了。此外四大藩当中的土肥两藩的人才也不算差，而且思想上的代表人物都被土藩占尽。偏偏在征韩论破裂之后，萨土肥三藩的势力，倒得干干净净。当日一般维新功臣，到得后来都弄到杀的杀，逃的逃。而掌握了中枢的兵财两权，直造出后来军财两阀势力的，却是不干不净几个长阀贪官，这不是很奇怪吗？说到这里，我们更可晓得一代历史的创造不是简单的东西，成功失败不是绝对的问题，人才的良否，力量的大小不是可以做绝对的凭据。在全时代的历史当中,一代革命的成败,民族势力的兴衰,文化的隆污,是整个的东西。个人事功上失败的,倒往往是时代成功的原动力,而个人事功上成功的,往往是享失败者的福。我们试把日本这几十年的历史通看起来,西乡隆盛失败了,然而他的人格化成了日本民族最近五十年的绝对支配者,各种事业的进行都靠他的人格来推进。当时随着他失败了的土肥两藩的势力,一化而为后来民权运动的中心,直到今天,他的余荫还是支配着日本全部的既成政党。那事功上成功的长藩,一方面既不能不拜倒在西乡的人格下面,一方面也不能不随着民论的推移定他的政策。即以事业说,西乡的征韩论,直到死后十八年依然成为事实,到死后三十年公然达到了目的。假使明治四年西乡的征韩论通过了,也许是闯了一场大祸,日本的维新事业完全付之东流,而西乡的人格也都埋没干净。所以我们如果要读一代的历史,千万不可被事实迷住,不可被道德迷住,不可被理论迷住,我们要看得透全部的历史,然后读书才是有用的。我们相信中山先生所主张的三民主义的确是现代唯一的革命理论,他不但在事业上指导我们的将来,他的理论自自然然的替我们解释了一切的历史。日本自丰臣以来,直至条约改正,这三百年间的努力,民族主义的确是在无形中成了一个指导原则。从废藩置县解放农民直到今天,是一部民权斗争的历史。现在已进入民生问题要求直接的普遍的组织的解决时代了。再把他横溯上去,推论将来,不外是一部为"人民的生活,社会的生存,国民的生计,群众的生命"而努力的历史。这经过当中的是是非非,都不可执一而论的。

第十二章

现代统治阶级形成的起点

现在我想把明治维新历史背面藏着的几件事实写了出来，从政治史背面的残酷和非道的当中，探讨日本现在现代治者阶级的来路。

(一)山城屋事件

有一个长州藩的武士，名叫做野村三千三，在维新讨幕的时候，和山县有朋一样都是做骑兵队队长。野村看见时代的趋向，渐渐从"刀"的势力变成"金钱"的势力，于是弃官不做，想在商业上占势力。当时山县有朋正做陆做大辅，因为同乡同僚的关系，把国库里面的款子借了六十多万元给野村，野村便改了"町人式姓名"，叫做山城屋和助，和外国人贸易。后来折了本，不得了，山县没有法子，只好再借款子给他，希望他翻本。和助说："要翻本，除非自己到外国去，实在调查，直接和消费市场发生关系不可。"亲自带了大宗款子，跑到巴黎去。到了之后，这位和助先生被巴黎的女优迷住了，于是忘乎其形地大阔大用起来，弄成了新闻纸上的材料。巴黎的日本公使莫名其妙，打了电报回日本来，请政府调查和助的来历。这个当口，刚巧做司法大辅的是一个著名硬骨头江藤新平，陆军省里也有许多很恨长州人的萨派军官。种种方面的力量凑起来，流用公款的事就发觉了。还算这个时候西乡隆盛出来调解，仅仅把一个管会计名叫船越卫的革职，完了这段公案。后来山县知恩报恩，把船越提拔起来做枢密顾问官，又把他的女儿嫁给船越的儿子。

（二）尾去泽铜山事件

日本东北有一个藩国叫做南部。南部藩里的豪商，尾去泽铜山矿权所有者，名村井茂兵卫，因为一桩借款的事替藩主垫了二万五千两金款。他们藩的里的规矩，藩主借民间的钱不写借字，要贷款人写一个凭据给藩主。字据写法也很奇怪，是"奉内借"的字样。直译出来，就是"奉内府所借"的意思。究竟是借藩主的呢，还是借给藩主的呢？照文字上，当然也可以说是借藩主的。废藩置县以后，各藩的债权债务都由中央政府继承。这时候井上馨做大藏大辅，就指定说这笔款是村井茂兵卫所负的债务，要他筹还。村井哀诉苦辩，官府哪里肯听。村井没法子，只得承认分五年偿还，政府仍旧还是不理。过了多少日子，忽然政府把村井所有的尾去泽铜山标卖，井上指定自己的部下冈田平藏买了去。后来村井不服，起了诉讼。这件案子也落在江藤新平手里，一定要彻底根究，办井上馨这般人的罪。三条木户极力袒护着，办不下去，江藤新平为此辞职。后来仅轻轻地罚了几个属员，就算完了。尾去泽铜山依旧是井上的东西，由井上卖给了三菱公司，发一笔财。又和冈田平藏、益田孝这一般人，做起大生意来，造成功财阀元老的基础。这铜山是日本有名的铜矿，留心日本事情的人就可以晓得他的价值，在三菱公司不用说是一件大宝贝了。

这两件事不过是已发觉的最著名事件罢了，此外没有发觉的事件不知有多少。江藤新平因此非常不平，那抱升官发财主义武士身的新公卿更恨江藤入骨髓。后来江藤新平在明治九年起兵反抗政府，被政府军打败，捉来枭首，传示各县，江藤的子孙至今沦落，都是由这种私恨发生的结果。

大正三年的海军受贿案，受有罪宣告的人岂不是海军部内的重要当局和三井株式会社的重要当局吗？为这一件事，三井费了许多钱，费了许多力量，运动减轻被告的罪名。海军的财部，三井的山本，到底得了执行犹豫。这一件案子正是证明"武士出身的堕落官僚"和"町人出身的奸商"狼狈为奸的好资料。日本的大商家可以说没有一个不和陆海军当局结托，没有一个不和元老有密切关系，陆海军机关上的人物和一般的官僚也没有不联络商家的。固然，这种官商的结纳，绝不尽都营私舞弊的，他的正面的历史就是国力的充实和文化的进步。不过在努力向上的方面看，"军国主义""资本主义""官僚政治"这几件事，也一样是互相关联，互相维持。没有资本主义不维持军国主义的，也没有军国主义能永远避免官僚主义之发生的。就前面所举这几个重要案件看来，我们就可以晓得，当日本初发起维新运动的时代，那时腰插双刀的武士里面，确是迎着蓬蓬勃勃的民气出了不少的英杰。而一到了统一完成，国力巩固的时代，从前的志士仁人或死或退，或另开新路投入民权运动，握权的都不是道德高尚的人。然而他的国力依旧蒸蒸日上的缘故，全在历史所造成之社会力和民族力全部的效用。不过因为这一种重大缺陷，第二革命的因又早种下了。“武士”和“町人”的结纳，就前面所说的事情已经可以明白了。由民权运动而起之议会政治下面的政党，他的前因后果如何呢？这个问题，也是研究日本问题的人不能不留心的。

第十三章

政党的产生

同是一样的“武士”，受了“王政复古”“废藩置县”的洗礼以后，也有得意的，也有倒霉的，也有间接做生意发财的，也有直接做生意折本的。十六年前，我旅居大连，有一天无聊的时候，同了几个朋友到一个日本酒馆喝酒，遇着一个气度很好而知识也很丰富的歌妓，举止言谈，都不似流落在海外的普通妓女。问起他的家世来，原来是一个士族，他的父亲乃是从前尊王倒幕时代的有名战士，在十年之乱的时候，随着西乡战死的。可见“武士”阶级的当中，也就命运太不齐了。

那些武士靠废藩时候分得一点最后俸禄的公债，哪里能够维持生活呢？一般得意的变做新时代的阔人去了，而大多数的武士们坐吃山空，既不能新式的洋文，又不通新式的操典。要想巴结着做官呢，也不是容易人人能够的。有些打不来算盘，而又跑去做生意，于是折本倒霉，倒十有八九，这种人不用去说他了。那一些能干有势力得了地位的志士们，当中也有许多因为机会不好，或是自己力量不够，或是脾气不好，或是派别不合，或是思想不同，虽掌了权而又掌不了全权，和占了地位重新被人家挤了下来的，又不晓得有多少。得意的武士固然是飞扬跋扈，出将入相，那失意的武士而又硬骨棱棱不甘落伍的人，也就免不了要做草大王了。

江藤新平举兵，西乡隆盛举兵，这两件是最大的事。“神风连”的举兵，前原一诚、越智彦四郎等在福冈的举兵，这几件算是小事。在社会的全部关系上，都是有很重大的背景。但是从直发的原因看来，得意的志士与失意的武士冲突,失意的武士想要取得意武士的位置自代是种种问题的因子。可是大势所趋,社会的历史的因果律支配着,得意的终是得意定了,失意的也算失意定了。失意的武士受人讴歌。得意的武士便受人唾骂。这些讴歌唾骂,一大半固然也有真正的是非在当中存在着,然而普通的原因还是在同情于失败者的社会心理。如果目户、大久保失败,江藤、西乡这一般人战胜,就大势上看,如前面所说的,日本的维新事业或者倒因此不能成功。至于在主义上说,依然是二五等一十,军国主义,资本主义,官僚政治,这几个必须运命所产生的结果,决计不会有两样的。

这些举兵的,算他们是勇敢,算他们是洁白,却总不能不说他们蠢,不能不说他们不识时务。为什么呢?因为他们在一方面既然看不见国际政局的关系,一方面又不晓得有立宪政治民权运动这一条最适当的新路。不晓得把藩阀的团结变成民众的团结去组织政党,顺应时代的需要,造就自己的新生命。江藤新平是晓得一点的,但是热衷政权之心太切,一点不肯忍耐,大部分又被意气鼓动着,被历史的习惯支配着,一到失败便去举兵。西乡的举兵,固然不是出自本怀。(江藤举兵的原因也有一大半是被部下逼着干的)然而大多数的武士们的观念,总以为天下大事只有兵力是最利害的,是能够夺取政权,达到快意的目的,而忘却了武力成功的前提是在民众的需要,在时代的要求。古人论“兵”,以“道”为先,道就是主义,主义就是支配民众利害的理论。背道而驰,就是背时而行,结果没有不失败的。因为征韩论辞职的参议西乡隆盛死在败军里面,江藤新平又被捕枭首,一个气盖群豪的伟大英雄,一个高风亮节的廉洁学者,都落得如此悲惨的结果,寄与日本维新历史上一大段的泪痕诗意,作后人追怀感咏之资。此外,征韩论时代活动得最健的板垣退助、副岛种臣、后藤象二郎这三个名士到哪里去了呢?想起这一件事来,我们就要研究日本政党的发生史了。

五参议辞职之后,西乡隆盛回鹿儿岛办学去了,到底西乡的伟大,在这一件事上面也可以看得出来,可惜后来被一般暴燥的小孩子硬断送了。五参议里面,最有新思想,在明治时代之前就主张四民平等的板垣退助,联合了后藤、副岛、江藤,主张开设民选议院,发起爱国公党。后来江藤遭了横死,板垣恨得了不得。他说:“这样没有耐性的孺子,万万干不了大事。”提起半部《民约论》，唱着“板垣不死自由不死”的口号，回到土佐藩里组织立志社，大倡民权自由主义。西乡隆盛举兵失败之后，单想用武力改业的无效已经是证明了，差不多的武士们也不敢再举兵了。迎着板垣的民权论，东也发起一个政社，西也发起一个政社。武士丢了刀，变做了论客文人。板垣的爱国社成了政治运动的中心，一变为“国会期成同盟”，再变为自由党。不附和五参议辞职的大隈重信也组织了改进党。这一普遍而深切的民众运动，在一方面促进了日本的民权政治，一方面促成了废除不平等条约的事业，一方面促进了一般青年智识，为后来科学发达的基础，而现在的社会运动也种因于此时。我们细细从种种方面考察起来，就晓得不单日本的立宪政治由此而生，连一切劳动运动，妇女运动，乃至今天最猛烈的水平运动，直接间接，都脱不了此时的关系，失意的武士和得意的武士，官僚与革命党，军阀与商人，保守与进步，每一个伟大的时代转换，必然是两面分化着，适合于当时人们生存的需要和能力，不断地进步，读历史的人，如果不懂保守主义者在建设上的功绩，也就不懂得革命主义者在建设上的恩惠。

既然有了政党，有了议院，和议院占在相对地位的政府当然要想操纵议会，操纵政党。操纵的办法只有两个，一个是压迫，一个是收买。再从经营工商业的人一方面看，没有政党，没有议院，一切运动只要对政府一方面便得了，既然有了议院和政党，他们拿着立法权，所以无论什么问题都非联络议员，买通政党不可。从政党本身看，政党的目的就是掌握政权，不能够完全掌握，也得接近政权。要掌握政权接近政权，先要扩充党势，金钱这样东西当然缺不了。所以政府既然有利用政党的必要，商人也有利用政党的必要，政党有利用官僚的必要，同时也有利用商人的必要。洁白的领袖和党员用不来卑劣手段，受不惯势力压迫，当然干不了这样的勾当。自由党之所以解体，原因完全在此。其后进步党的基础也随着自由党的解体而动摇。最初成立的两大政党的后身，都投降在军阀官僚的旗下。在“政治”这样茫茫大海里游来游去，打翻身，玩花头的政客们，一定不是走官僚军阀的路子，便是靠资本家的豢养，朝秦暮楚，总是为的“政权”“财权”，而且还得不着政权财权，只不过依靠政权财权，讨得多少残羹剩粥。强的利用人，弱的被人利用，这虽不是日本一国独有的弊病，却是在民权的基础尚未确立，立宪政治的体用尚未具备，仅靠着依附弄权过日子的日本政党，这样毛病更是多极了。所以我说，政党的生命必须要维持一种坚实的独立性。要具备革命性，才能够维持真正的独立。如果把革命性失却，独立性也就不能具备。什么是革命性，什么是独立性呢？当然不外乎“革命的主义”“革命的政策”“革命的策略”。这三样东西，更靠革命的领袖和革命的干部而存在。且看离开了板垣之后的自由党，一变再变成了什么样子？政党变成了股票交换所，政党的干部变成了“掮客”的公会，而军阀官僚和商人却成了有财有势的顾主。明治维新的末运便由此现出来了。

第十四章

板垣退助

我们且把自由党的板垣先生的一生看看。他是日本民权自由运动始祖,在明治维新的人物当中,他是一个最特殊的人才。当时日本的维新志士,他们的思想都是很简单而且是复古的。维新这一个大事业的动机,完全在欧洲势力的压迫。对于世界的问题,那些志士们只是一味的排外,再也造不出新的道路来。只有板垣退助,他不仅是尊王攘夷,他是看见必定要造成新的生命,然后旧的生命才可以继续,必定要能够接受世界的新文明,才能够在新世界中求存在。在国内的政治上,他更看得见一代的革命,必定要完全为民众的幸福着力,必定要普遍的解放民众,才可以创出新的国家,所以拿起当时刚译起的半部《民约论》,猛烈地主张自由民权。这一个运动的确是日本一切政治改革社会改革的最大动力。并且当时他和他的同志,不单主张解放农民,还努力主张解放秽多、非人那一种最悲惨的阶级。直到后来,他和他的几个旧同志离开了政治社会之后,大江卓也还是奉着他的教义专门从事水平运动。今天社会运动当中最有力的水平社,确是发源于板垣一派

▲ 板垣退助

的自由运动。这一个民权运动,一方面使下层民众得到了多少的自由,一方面也造成了现代产业文化的基础。至于日本的立宪制度,不用说是他直接的功劳,所以不但是日本的农夫工人应该感激他,就是那些阔老官也没有不受他们的恩惠,更应该要感激他的。如果没有板垣先生的奋斗,日本今天哪里有这样文明,这样发达,真要算他是近代日本的第一个恩人了。而且他的努力是至死没有休息的,他晚年虽然绝对抛弃了政治活动,在很穷的境遇中过他很严谨而诚虔的敬神生活,然而对于为民众谋自由的努力仍旧继续着。看见日本政府对台湾那样的高压政策和不平等的待遇,非常痛苦,认为这是人道所不许的,于是发起台湾同化会,主张日本应该撤废特殊的统治台湾的法律,给台湾人一样有宪法上的权利。他以八十几岁的衰老身体,还亲自冒着大热炎天到台湾去宣传。后来他一离台湾之后,日本的台湾总督便把他发起的会所封了,办事人拿了。我从"文明""人道"的意义上很钦仰这位先生,从前每到日本,总去拜望他。但是我到他家里去一回,伤感一回。他本来不希望舒服,不希望升官,不希望发财,所以才落到这个境遇。苦也是他的本分,穷也是他的本分。这样一个讨幕的健将,维新的元勋,立宪政治的元祖,竟没有人理睬他。不是"门前冷落车马稀",简直是"门前冷落车马无",连一个讨材料的新闻记者也没有上门的。至于他的生活呢,每年总有一两回连米钱房钱都付不出,穷到不成样子。我觉得日本这些惯讲"食禄报恩主义"的人们,真是完全被"町人根性"同化了。从前名振一时的大井宪太郎、大江卓也之流,落魄京华,更不用说是当然的了。但是我们再仔细研究一下,何以他们会落到如此的境遇呢?这是很明显的。板垣退助等所主张的一切主义一切政策已经都成功了,而民权政治的毛病同时也现出了,在这时候,他还是再作第二次的革命运动呢,还是随着时代腐化下去呢?第一件他不能做,第二件他不愿做。一面是不能,一面是不愿。他又不能开一个新生面,另立一个工作的方针,另造一种社会的事业,自然他的社会生命随政治生命以俱去,所能保存的就只有一个使后人追慕的道德人格。所以一个民众的领袖,必须要时时刻刻能够顺应着时代的要求,不断努力,不断的奋斗,失却"天行健"的精神,万不能希望事业成功。而抛弃了战斗的生活,只是作消极的隐遁,消极的劝告,也是不成功的。

第十五章

国家主义的日本
与军国主义的日本

我们总理孙中山先生在民族主义第一讲上面说：

民族和国家是有一定的界限。要分别民族和国家最好的方法，是从造成的"力"是什么上面去求。民族是由天然力造成的，国家是由武力造成的。中国人说，王道是顺乎自然。换句话说，自然便是王道，用王道造成的国体便是民族；武力便是霸道，用霸道造成的国体便是国家。

这一个说明实在是分别国家和民族最好的定义。读总理书的人要晓得总理在这一篇讲义里面主要的目的，是说明国家主义和民族主义的区别。主义的意思，总理已经很明白的讲过了，是"一种思想生出信仰，再由信仰成为力量"，换一句话说，能够决定人类之生活的方式、生存的方向、生计的方法、生命的意思的主旨。再明白些说，就是人生的目的和达到目的的途径，就是主义。古人讲道德，道是什么，用字虽然不同，我们很晓得和今天我们所用的主义这一个词是没有两样的。德就是能够行主义，而有得的能力，和能力所发生行为之总和。所以并不是除却一个主义，就设第二个主义存在，而必定有二个以上的主义存在，方才发生主义的效力。凡是一个主义，必定包含着许多事实，必定认定有一个主义的本体。民族主义的本体是民族，国家主义的本体是国家。但是民族不是不要国家的，而民族主义的国家是以民族为本体；国家主义不是离

▲ 孙中山

开民族的，而组织不是民族为单位，不能适合于一切民族的存在。更有一点我们要特别留意的，就是总理所主张的民族主义是以民族之平等的存在发展为基础。主张民族即国族，有一定的分际，不能随意曲解。所以以一民族为主体而压迫他民族所组民的国家，是国家主义帝国主义而不是民族主义。这都是就人类的目的，和达到目的的途径立言，并不注重在详详细细说明民族和国家，而是注重在说明这两个主义。至若说到这两个团体的本身，他的成立经过，在历史上的关系，是比较复杂的。许多现存的民族，除了很野蛮的民族而外没有不是由几个民族混合而成的。所以"历史民族"即是"文化民族"，而"文明民族"即是"混合民族"。混合的次数越多，文化程度越高。民族的成立，混合是一个顶大的要素。混合的事实就不外总理所指出的几种，一血统，二生活，三语言，四宗教，五风俗习惯。这几种混合的要素都不外以"力"为结合的中心，强的可以吸收弱者，大的可以吸收小的。成功一个完全的民族，是要经过很长的岁月。这很长的岁月当中，要经过很多次的变迁。变迁的重要形体，往往仍旧不脱国家团结的形式。不过国家这一个形式，只是形式中之一种而不是全部，并且所经过国家组织，时分时合，随时是随各种自然力而为变迁。所以我们晓得一切国家总不能离开民族的基础，一切民族也不能抛开国家这一个工具。只是说到行动方针的主义，在今天这一个时代里，便有确然的分解，而不能够相混的。

我为什么要把这一个道理来辩明呢？是因为要避免一种极端论者的误解，把事实和主义分别不清楚的人往往会生一种错误的解释，以为民族的成立绝对不要武力，而国家的成立是单纯靠着武力一个力量。孔子说："足食足兵，民信之矣。"孔子是不讲霸道的人，是反对武力的人，而他不能不承认武力是维持人民信仰的最大原因。中山先生也是反对霸道反对帝国主义的人,他的目的在救国,救国的手段仍旧注意在造成适当的武力,作适当的活动。因为我们今天讲民族主义,我们的目的是要建设民族主义的国家。说到建国,便不能不受"国家是武力造成"这一个原则的支配。要建国,要救国,而不注意武力,是绝对不行的。这些年来,中国对于武力,简直可以说没有正当的了解。有一个时期,一般国民的思想,几乎把武力鄙弃得不成样子。从民国三、四年以来,到八、九年的当中,听见武力就反对,以为这是一个顶不好的东西。就是最近这两年,风气变了一点,然而在"打倒军阀"这一个口号之下,一般人对于武力依然没有正确的了解,连军人当中都没有敢主张军队是国家存在唯一的组织原素,战斗是民族存在唯一的动力的人,这的确是思想界的最大弱点。我们试看,人类的生活哪一样不是含得有很强力的斗争性的。就是血统、生活、语言、宗教、风习这五种民族力的存在,哪一样不是在斗争的当中进行着。"天行健,君子以自强不息"这一种努力向上的观念,是表明自古到如今人类生存竞争的真理。战争和武力是一切社会力的彻始彻终的表现,不过他不是目的而是手段,不是经常而是非常,不是全部而是一部,互助的组织和平和的幸福乃是全人类经常的手段和经常的目的所在。所以我们不主张军国主义,而我们承认在建国的工作上必须有军政的组织,在民族竞争的当中必须造成强有力的军队,在世界的目的当中,必须要以中国民族的能力为世界人类打不平。

过去和现在的一切历史事实都是如此证明的。我们看见日本民族种种历史上的思想,看见日本维新的思想根据,使我们愈加了解"武力"和"战争"这一事实是建国的最要紧的手段,不经过很多的恶战苦斗,费过很大的牺牲,民族的平等,国家的独立,是决计得不到的。我们要主张取消不平等条约,要主张中国人在世界上生存发展的权利,要为一切被压迫的人类打不平,必须要造成强有力的武力。今天我们反对中国的一切军阀,并不是因为他们有强有力的军队,而是因为他们不能为国家为民族为民众造成强有力的军队。试看过去他们的军队如何的脆弱,如何的腐败,如何的堕落。他们的行径说不上是什么主义,他们的力量更够不上维持什么主义。中国的兵家,以孙子的著作最有系统,有价值,今天翻译外国兵书的人还是借用他许多的名词,他讲兵力的构成原素,第一就是"道",他为"道"字下的注解就是:

道者,令民与上同意也,故可与之死,可与之生,而民不畏危。

这一个定义,和总理宣言上所说"使武力与人民结合,使武力成为人民之武力"的话有什么两样呢?我们中国人因为这些年受军阀的压迫太多了,所以只有以消极的方法解释总是北伐宣言上的两句话,而不晓得在兵学的原理上非此不能造成强有力的武力,作为民族争生存的基础。中国民族如果不能够决死,决不能够求生。要想求生,必定先要敢死。要民族敢死,在今天世界文化的条件下面,必须要成"有意识的民众的武力"。从前的民族竞争,只是单纯的争生存,单纯的争生存,就需要军国主义。今天的民族竞争,不单是争生存,而且是要争"有意义的生存"。我们的三民主义,就是今天生存的意义,要全国上下都能同意,要将士兵卒都能同意,然后才可与共死可与共生而不畏危,这是我们今天的"共由之道"。

日本维新的历史,我们已经从前面种种事实讲明白许多了。我们再从国家的意义上看,可以看得明明白白,日本民族之所以有今天,完全是几次战争的结果。而这几次战争得到胜利,都是人民与政府同意的结果。就国内来说,倒幕府废封建的完全成功是明治元年之战、九年之战、十年之战的成绩,废除不平等条约是二十七八年战争的成绩,取得世界强国的地位是三十七八年之战的成绩,这几件重大事实,是我们不能不注意的。

第十六章

军国主义的实际

在世界大同不曾成就的时代，说国家是人类生活的最高本据，这句话恐怕不是过当。无论帝国的主义如何，既然是国家，就不能不受"国家是武力造成的"这一个原则所支配。古人讲政治，说是"国之大事在祀与戎"。孙子论兵，说是"兵者国之大事"。所以说到建国，决不能离开兵力。不单不能离开兵力，而且若不是举国的民众在一个意志下面团结起来，认定军事是"生死之地，存亡之道"，上下一心，作真创胜负的预备，是决计不成的。日本建国的思想在前几章已经讲得很明白，他是在一种"民族的宗教信仰"下面统一起来的新兴民族。他们把古代的满津里古登(政治)复活起来了，他们所信仰的是男性万能的君主神权，是武力中心的统帅政治，而"祭祀"，是他们理论上的政权出处。在这样一个国家组织之下，又当四周环境恶劣之极时，其由封建政治一变而为军国主义的近代帝国，这是毫不足奇而且在当时也是很应该的。

日本民族在现代总算是强盛起来了。虽然在文化上，西洋诸国不过晓得日本是一个富于温泉而风景秀丽的地方，是一个以仇讨和情死为道德中心的民族，而同时把"浪子样"认为日本社会伦理的标准，而把"日本文化"和"小儿玩具"看成同等的东西，然而到底不敢轻视日本的国力和民族力。从东方全体来看，日本维新的成功的确是有色人种觉悟的起点，是东方民族复兴的起点。前头几章，把日本"祀"的起源变迁大约说过了。就戎的方面来看，日本是怎样的组织呢？这也是我们不能不十分留意的。

军国主义这个东西，不仅只是一个思想上的表现而已，如果他仅只是一个思想的表现，决不能成功一个伟大的势力，一定要成为一种制度。这一个制度，是以军事组织的力量作政权的重心，一切政治的势力都附从在军事势力之下，一切政治的组织都附从在军国组织之下，必须这样，才能成为军国主义的国家。如果不然，即使拥有很多的兵，我们不能说他是军国主义的。譬如英美那样帝国主义的大国，我们不能承认他是军国主义，而黑山国那样一个小国，是很的确的军国主义。这一个道理，很多人是认识错误的。

日本军国主义的组成要点何在？我们第一要看他军权政权是统一在什么地方，所谓统制权的行使是握什么机关之事，国防、外交、财政、教育、工业，这几个重大的政治机能是如何运用。第二要看他军队组成的制度如何，壮丁训练的普及程度如何，动员的设施如何，社会的风纪如何。我们要能够从这两点仔细观察时，就可以晓得，到日俄战后几年止，日本的确是一个彻上彻下的军国。虽然是开设了议会，制定了宪法，然而政权的重心完全是在军事机关，操纵政权的主动人物完全是武人，议会不过是调济民众势力与民众势力、民众势力与军事势力的机关。内阁的主要任务，是以民众意思和统治者意思两个重要事实作基础，从实际工作上打理政治的分工合作，使军国的企图能够确实成立。而且就整个的政治机能上看来，内阁的权能实在薄弱得很。与其说他是内阁，无宁说他是最高行政会议。再从财政上看，统制配分的基础完全是军国的利害，是国民经济的利害。配分的实际是把军费作为主要目的，其他一切政费都不过是剩余配分的地位。皇帝的称号恐怕不能确实掌握军国，于是再加上陆海军大元帅的称号。军令机关，以大元帅幕僚的意义，完全独立于内阁之外，直隶大元帅之下，不受政治上的任何动摇。掌握政治中枢权能的枢密院，

▲ 日本艺伎操练瞄准

在一方面是皇帝的政治幕僚，在一方面是政治代表处。外交方针，财政方针，教育方针，都以国防计划为基本，所以外交是军事交际，财政是军需，教育是军事训育。这一种关系，是思想上固然看得出，在政治上，在法律上，也可以看得出的。日本的政治组织，所以不能学英美，并且不能学法国，而必须学德的原因，就是为此。由此看来，我们可以明白，一个国民的哲学，是说明他的行动，而不是指导他的行动。近数十年当中，各国的思想传到日本之后，尽管可以风行一时，而能长久存留在日本，而且化成日本人的思想表现在行动上的，只有适合于他这一种国家目的的思想。反是，则只限于学者的研究，少数人的玩赏，而不能发生实际的效力。

再从这三十年来的政权起伏，人物交替上看，我们可以很清楚的看出他的一个奇特处来，就是换来换去，总是长州军阀势力的这一个圈子里。而政党的转换，更是从议会开设以后，一步一步和政权接近，便一步一步的被军阀同化。如果反乎这一个趋势的人，不是被压迫而倒，便是自己知难而退。英美式的两党对立的现象，固然不见之于日本，而法国式的小党分立的现象，亦不复见于日本的。自由党的势力一附于伊藤，再附于西园寺（西园寺虽是公卿，而其实是很聪明地能够顺应军阀的趋势的人），最近分裂之后，老老实实地附到田中大将的麾下去了。进步党溃裂之后，留着一个国民党的残骸，当桂太郎出而组党的时候，大多数的议员也都走到他的麾下。这种情形，有人说因为日本的政党民众的基础太过薄弱。其实民众基础所以薄弱自有原因，过去许多年当中，在军国主义笼照之下的日本民众，的确是讴歌军国主义而不讴歌政党政治的。这一个军国主义的势力，到桂太郎出而组织政党的时候，已经发生破绽了。大家都晓得，长州军阀的元老除了山县有朋之外，第一个最有势力的资望的，就是桂太郎。他是陆军大将公爵。在日俄战争之后，日本的政权可以说是完全操纵在他的手里。何以他要舍了军事上的地位而投身于政党的活动呢？在一方面，我们不能不佩服桂太郎的高明，而在一方面，我们不能不看见日本民众势力渐次勃兴。中国革命的成功和满洲帝室的崩溃，是给日本民众以最大刺激，同时给日本的军阀以最大刺激。桂太郎这一个人，的确要算日本近代第一个有伟大眼光的政治家。他看见世界大势的移动和东方革命潮流的涌起，知道军国主义的政治组织和军阀的政权不能长久继续。于是乎他毅然决然，抱定造成政党政治基础的目的，跳入民众政治圈里。同时他又看见英帝国覆败的时期逼近，东方民族独立机运的勃兴，于是乘着战胜俄国的威光，同时作联德倒英的计划。可惜他到底是前时期的人，他看得见大势的激变，而看不到这个激变是从社会的根底动摇起。时代的转换，先从中心人物的转换起，天时人事，都不容他的雄飞，竟自饮恨而终。桂太郎死后，日本军国主义之政治的代表人物可以说是没有了。接着寺内死了，现在的田中，明明白白是军阀的回光反照。所以论日本军国主义的时代，我以为桂太郎的死是一个大关键。自此而后，一方面现出思想界的大变迁，一方面现出国际政治的大变动。不单日本军国主义走下坡路，[明显判断失误。作者写作此书时，正是日本军国主义恶性大发作之时。]全世界的国家基础没有一个不走进革命期的了。

第十七章

中日国际关系与日本的南进北进两政策

什么叫国际关系？什么叫外交？我们要看清楚它的基本，到底是在一个民族的发展，而国家仅是达到目的的手段。到得目的达到，手段的本身便随着变革，过去民族主义会变成国家主义，国家主义会变成帝国主义，就这个缘故。所以主张民族主义而不同时主张民权主义民生义，以民族平等为基础，以民权为骨干，以世界大同为目标，则其结果必定会重蹈过去一切帝国主义的覆辙。三民主义所以是解决现代人类生存问题的最完美原则，价值即在于此。我们看日本过去历史，在他的民族统一运动中，同时就发生帝国主义的倾向。丰臣秀吉征韩之役，明治初年的征韩论，明治二十七八年的中日战争，明治三十七八年的日俄战争，欧战中的青岛出兵，西伯利亚出兵，这许许多多历史的事迹，都是在一条很明了的道路上行进，他是由民族主义一变而为国家主义，再变而为帝国主义。并且我们看得很清楚，他的民族主义开始的时期已经包含着帝国主义的胎种。我们试读山鹿素行所著的《神皇正统论》《中朝事实》，德川光国所编的《大日本史》，赖山阳所著的《日本政记》，我们已经很感觉到日本民族的目的，不仅在统一民族而在征服四围的民族建设大帝国了。他们心目中的"神"就是世界全体的意识，而"神皇"的思想就是统治世界的意识，和罗马的"凯撒"，俄国的"查阿"，波斯的"沙因沙"，蒙古的"汗"，土耳其的"加利夫"的观念,是一些没有两样的。"继绝世,举废国,厚往薄来,"这一种世界政治道德的观念,的确是中国这一个最古的"世界国"的特色,而不是那些"强而小的民族帝国主义"所能梦见的。

但是我们始终要看见,民族生存的对象是世界,民族主义发生的时候同时就是世界观念明确的时候。在从前没有中山先生这样崇高而伟大的三民主义发生的原故,一则是别的民族没有中国这样久远而伟大的历史,二则全世界一切国家的关系民众生活的组织没有今天这样密切而发达。所以在美洲独立的时代,有这样的观念而没有这样制度的主张,在欧洲诸国有反帝国主义的运动,有三民主义的实际趋向,而没有这样明了的意识。我们越是研究各国的历史,观察国际的交涉、民族的兴亡,越是确信总理的三民主义不单是后来居上的政治理论,并且越是确信复兴中国国家道德的思想是改革世界政治生活的起点。

世界一切民族的生活到得有了交通,有了生产的交换,于是一切关系便都是相互的了。甲国的文化输入乙国,成为乙国新文化的资料,到了乙国新文化成了之后,又再输入于甲国,变成甲国改造的标本。如是互相影响,互相感化,互相逼迫,造成大同的基础。所以有了"国同轨",必是会"书同文"。到了"书同文"的时代,一定会"行同伦"的。但是这一个人类文化大同的运动,在国家生活的当中,常常是用武力为推进的动力。我们看世界文化的交通,不晓得藏着多少悲惨的战斗历史。这盲目的战斗,如果是文明的民族战胜了,文化的推行自然特别顺当而且迅速,然而历史上的事实不是如此。山蛮海寇侵夺文明民族的生活本据,残破文明民族的工作成绩,使文化的进展一退几百千年,这样的事实历史上不知多少。所以文明民族如果忘记了"奋斗",忘记了"武力是文化推进的原动力",这就是"文明的堕落"。"自然"所要的,只是人类的努力,人类的生存。"自然"是大公无私的,他不单是不私于野蛮,他也不私于文明。他只要惩罚堕落,惩罚文明的浪费者,惩罚懒惰而不努力求生存的人。为生存而奋斗的,自然给他生存;为文化而奋斗的,自然给他推广文化。除此而外,自然不给他什么,也不听从他什么。

我们试想,中国和日本这两个民族,地面的差异、人口的差异都在十倍以上，而文化的差异却是差了几千年。当中国文化的黄金时代，日本地面还是穴居野处的生蕃，便是他所谓天孙民族的这个阶级，还不知是在何处。然而中国文化输入日本以后，不过经过一千几百年，他便造成了日本民族的统一。如果把一个日本三岛当成一个世界来看，就是他已经造成了一个大同的文化，而旁边的中国民族一天比一天堕落。最初赐文化给日本的朝鲜，更是堕落得不成样子。如果不衰，谁敢去问他鼎的轻重。中国民族如不衰败，日本何敢起侵略中国的野心。蒙古灭宋，这是刺激丰臣秀吉的最大事实。满洲灭明，英法侵略中国，两次订盟城下，是引起西乡隆盛等的野心的最大事实。自此而后，日本的内政一天好似一天，进取的能力一天增加似一天，帝国主义的雄图油然兴起，而历史上的传统政策便确实进行起来了。

在日本维新之前，俄国的势力从北方压迫到日本来，这个时候，日本志士当中已经生出一种防北的主张。开发北海道的政策就是由此而起，这防北的政策就是北进的基础。北进的道路，不用说是跟着神功皇后、丰臣秀吉以来的传统政策来的。他们唯一的目的，就是征服高丽、侵略满洲。在

▲ 1905 年，俄国战败后，日本将军与俄罗斯将军合影

明治元、二年,已经有几个很狂妄的武士主张日俄联盟瓜分中国。后来中国的国力一天衰似一天,满清统治能力的薄弱已经被日本看透了。中法战争的时候,中国连战连胜,依然北京政府要忙着割地赔款,这样的情形,哪里不引起日本的轻视呢！不止此也,此时俄国势力的南下一天紧似一天,如果日本不努力北进,他也怕唇亡齿寒。占了满洲的俄国一定向高丽进取,以那样腐败的朝鲜王室和两班哪里当得起俄国的一蹴,所以他们的北进也可以叫作实逼处此。中日战争和日俄战争两次的大战,他们也是拼着民族的兴衰国家的存亡来的。究竟中国和俄国都是世界的大国,以小抗大,而且是抗十倍之大,难道日本人真是疯子,一点不会作退一步的想吗?前进是生路,后退是绝路,他们也是算清楚了的。

日本开国进取的方针,不只是北进的,南进的策略也是一个很重要的趋势。在幕末时代,压迫日本的外国势力有两个,一个是从北方来的俄国,一个是从南方来的英美诸国。从大陆来的俄国引出日本的北进,而从海上来的英美诸国便引起日本的南进。其实这两个名词还是不很妥当,我们还是说他是"大陆进取政策"和"海洋进取政策"要明显些。代表大陆进取的是陆军军人,当然代表海洋进取的是海军军人了。中日战争之后,北进的政策被三国干涉阻止了,而南方得了台湾,成为他海上进取的基础,日本的移民政策便随着商业的关系拼命向海外求生路。然而生路是很少的,布满了美澳两洲的"排黄运动",不单是阻止着中国人的求生之路,也是阻止着日本人的求生之路的。所以这若干年的当中,日本在美洲的发展,也只有挤开一些中国人,得着一点苟存的地位,并不存为东方民族创得一些基础。太平洋的欧亚人种竞争当中,处处包含着中日民族的竞争。我们每看日本人排斥海外华侨的言论,不唯引起我们一种愤恨的心理,并且使我们想到日本也是东方民族,何以竟没志气一至于此,真不由不替东方民族叹息了。

第十八章

桂太郎

我们立脚在理论和历史两个重要的问题上面的人，我们一切的批评只有事事根据事实，事事根据理论，我们不晓得有恩怨，不晓得有私交，不晓得有客气。我在日本有不少的至友，不少的先辈，或者可以说，我的社会生活在日本还多过在中国罢，但是我们到得立脚在评论国事的时候，我们不能管那些，我们只有说明事实，阐发主义。

田中大将也要算是一个很熟的朋友了，他的幕僚部下当中，更有不少的至交。我在未批评他们之先，我想附带讲一句话，就是希望他们看见了这一篇文字之后，要深刻地反省，要晓得我的叙述和批评是顾不得世俗之所谓客气的。

民国二年的春天，总理中山先生特地访问日本，那时我随从总理作秘书。在日本六十天的当中，一切演讲、宴会、访问、交涉，事事参与。那时一切经过，我至今还是很详细记忆着。因为那一回每事都是我作翻译，每一件事都有听两次说两次的机会。以后关于日本的交涉，总理常常命我负责去办，却是每一件事只有听一回说一回的机会，记忆反而减少了。

那一年在东京四十天的当中，最值得我们记忆的只有一件事，就是中山先生和桂太郎公爵的会见。桂太郎这一个人，大家都晓得，他是日本军人政治家当中最有能力而当权最久的一个人。日本自有内阁制度以来，没有他做总理那样久的。伊藤博文组阁三次，总共不过六年十个月，他也组阁三次，却有了七年十个月之久。他第一次组阁，是明治三十四年六月到三十八年十二月。在这几年当权的当中，他所干的两件最重大的事情就是日英同盟和日俄战争。从外交史上看,大家都晓得英国是标榜"荣誉的孤立"的,百年以来,英国没有和任何国家缔结过同盟。这一次把百年政策之一的"荣誉的孤立"抛弃了,和日本联盟,这自然是他认为有民族兴衰国家存亡的大关系,才肯出此的。至于日本,以一个东方新兴的国家,才从不平等条约的束缚下面解放了不过十年,便和世界第一个强大的帝国结成攻守同盟,造成他战败世界第一大陆国家的历史,这真是日本民族最大的奋斗成功。不特此也,这一件大事可以说把全世界都整个推动了。由日本战胜的结果,打破了东方民族不能战胜西方民族的催眠术,全东方的民族都活泼泼的动作起来,世界民族革命的新潮从此开始。因为俄国战败的结果,才造成英法协商和三国协商,继续五年死亡二千万的世界大战,以及俄德奥土四大帝国的倒塌,都由此而起。无论是非如何,桂太郎这第一次登台四年零七个月当中的成绩的确要算是世界史上空前的伟观了。

桂太郎的事绩,世间所知者大都如此,而不晓得他在日俄战争之后的计划更属可惊。他的高识远见和通权达变的确不是日本现在一切政治当局所能望其项背的。在中国排满革命成功之后,他特意派人来对中山先生表示亲近的意思。及中山先生到了日本之后,那时他正是第三次组阁的时候,他特意约中山先生密谈两次。这两次密谈的当中,他和中山先生都可算是尽倾肺腑的了。而自此以后,桂太郎之佩服中山先生和中山先生之佩服桂太郎都到了极点,两人之互相期望也到了极度。桂太郎死后,中山先生叹气说:"日本现在更没有一个足与共天下事的政治家,东方大局的转移更无可望于现在的日本了。"当桂太郎临死的时候,他对在旁视疾的最亲信的人说:"我不能倒袁扶孙,成就东方民族独立的大计,是我平生的遗恨。"由这两个人的感情上,大家总可以了解桂太郎的心胸和气魄了。何以一个帝国的大军阀领袖,一个民国开国的革命领袖,一个军国主义的权力人物,一个三民主义的宗师,会如此互相谅解呢?他们两人的互谅和互信,不是在学术思想上,不是在国家思想上,而是在以东方民族复兴为根据的世界政策上。桂太郎和中山先生密谈,前后约计十五六小时,桂太郎的话的要点,我可以记出来:

在清政府的时代,东方的危险固然到了极点,同时失望也到了极点。那样腐败的朝廷和政府,哪里还可以有存立发展的希望。而西方的势力尤其是军国主义大陆国的俄国,以最强的武力从北方压迫下来,海上霸王的英国以最大的经济力从南方压迫上来。这个时候的日本,除了努力图自存而外,更无他道。而自存的方法断不能同时抗拒英俄。幸而英俄两国在亚洲的地位立在极端冲突的地位,使我得以利用英俄的冲突,和英国联盟,居然侥幸把俄国打败了。

俄国这一个敌人,不是东方最大的敌人,而是最急的敌人。打败了俄国,急是救了,以后的东方便会变成英国的独霸。英国的海军力绝非日本之所能敌,而英国的经济力绝非日本之所能望其项背。我在日俄未战之先极力想法造成日英同盟,现在日俄战争的结果既已分明,而日英同盟的效用完全终了。此后,日本绝不能联英,而英国更不用联日。在太平洋上,英日两国完全立于敌对地位。此后日本唯一之生路,东方民族唯一之生路,唯有极力遮断英俄的联结,而且尽力联德,以日德同盟继日英同盟之后以对英作战。继对俄作战之后,必须打倒英国的霸权,而后东方乃得安枕,而后日本乃有生命。此生命问题,非独日本,从鞑靼海峡到太平洋,全部东方民族的运命,皆以此计划的成败而决。现今世界只有三个问题,土耳其、印度、中国是也。此三国皆在英国武力与经济力压迫之下,然而只须解除其武力的压迫,则经济力之压迫完全不成问题。盖此三国皆真可以成最富的生产国之要素,此三国皆不能为日本助。中国有可以为日本助之道,而此数十年来,内政既不修明,权利复任意放弃,且持其远交近攻之策以临日本。中日之战,中国如强,则绝不会有日俄之战。中国若强,则应为中日俄之战,或中俄之战,而不至以此牺牲归之日本,我可断言。此两战者,日本不过以人民生死拼国家存亡,岂足以言侵略。若中国不强而甘受欧洲的侵略,且将陷日本于危亡,是可恨耳。[此为信奉弱肉强食的日本军国主义对外扩张侵略的借口。]

我有鉴于此,故前年有俄都之行。余之赴俄,世界谓余将作日俄同盟。余诚欲修好于俄,然同盟何能成,成又有何用。我所计划者乃是日德同盟。我因既不能以此事假手于人,又不敢往德国惹人注意,故与德政府约在俄都讨论对策。乃刚到俄都,先帝病笃,连以急电催回,事遂一停至今,真是一个绝大恨事。但我一日握政权,终必做成此举。此为余之最大秘密,亦为日本之最大秘密。倘此事有半点漏泄,日本将立于最不利的境地。在日德同盟未成之时而英国以全力来对付,日本实不能当。我刚才听见先生所论所劝告日本之策略,不期正为我志。我在日本国内,从不曾得到一个同志了解我的政策。今日得闻先生之说,真大喜欲狂。中国有一孙先生,今后可以无忧。今后唯望我两人互相信托以达此目的,造成中日土德奥的同盟,以解印度问题。印度问题一解决,则全世界有色人种皆得苏生。日本得成此功绩,决不愁此后无移民贸易地,决不作侵略中国的拙策。对大陆得绝对的保障而以全力发展于美澳,才是日本民族生存发展的正路。大陆的发展是中国的责任。中日两国联好,可保东半球的和平;中日土德奥联好,可保世界的和平。此唯在吾两人今后的努力如何耳。

现在中国的境遇如此,国力又不堪用,先生的羽翼又未成,刚才所云助袁执政云云,以我所见,袁终非民国忠实的政治家,终为民国之敌,为先生之敌,然今日与之争殊无益而有损。如先生所言,目前以全力造成中国铁道干线,此实最要的企图。铁道干线成,先生便可再起执政权,我必定以全力助先生。现今世界中,足以抗英帝国而倒之者,只有我与先生与德皇三人而已。

这一件事,在政治道德上,中山先生和我始终守着秘密。直到桂太郎死,欧战发生,日本对德宣战,先生才对亲信的同志谈过。我们把桂太郎的话看看,再把欧战前后的事情想一想,假若桂太郎不死,东方的局面可说绝对不是今天这样的。现在日本这一般政治当局,无论是政府的大臣,是政党的领袖,都是些随波逐流,没气力没志气没计划的普通政客。一天到晚,只把如何取得政权如何保持政权作成唯一目的。日本民族的将来,东方的将来,世界的将来,他们绝没作过打算。政治人才已见底的日本,前途的确是可危极了。至于中国今天在政治上的人们,或是永不读书,或是读一句书喊一句口号。政治是民族生死存亡的大事业,又岂是这样所能成的,真可叹呵!

第十九章

秋山贞之

桂太郎是中山先生的一个政策上的同志,秋山贞之这一个人也要算是中山先生最知己的朋友了。

秋山贞之死的时候还是一个海军中将,是死后才追赠大将的。如果说桂太郎是日本军人政治家当中的伟人,这秋山贞之可以算是日本军人学问家当中的奇人了。我也把他的事迹谈一点罢。

秋山贞之在日本海军界里,算为是唯一的奇杰,而同时是一个唯一的学问家。他的身材,正是普通我们意想中的日本人,非常短小。他的相貌是很平常的。比如西园寺公望、桂太郎这一类的人,如果在人丛中见着,谁也一望就注意他是非常人,他们面貌身躯,是很多特质的。而这秋山贞之,却不容易在形相上看出他的奇伟来,至多我们只能看出他是一个平常人当中富于修养的人罢了,然而他的奇特却是很值得我们注意的。就学问说,他是海军中唯一的智囊,他的海军战术是海军中的人认为可望而不可及的。大抵他是一个聪明绝顶的人,而他的知识丰富,知识学问的方面非常之多,他能够用他的聪明去用他,而他自己的目的不是在做学者,所以他不曾用科学的方法去整理他。种种学问知识,在他的心灵上化成了一种直感直觉的作用,所以人人以为不能及的,就是他的直感直觉。许多人说他是天眼通,他心通,这大约就是他那一种由很丰富的学识所化成的潜在意力的作用罢。在中日黄海战的时候,他作为海军参谋官,黄海的战胜,他有不少的功绩。日俄的日本海战,他作舰队的参谋长,一切作战都是他的主任,把波罗的舰队打得片甲不回。就是他的作战，据他自己对我说，在俄国波罗的舰东来的时候，他只每日潜思默想，极意静坐。他确实从一种的心灵作用明明白白地晓得波罗的舰队的行动。当时大家都惶恐，畏惧波罗的舰队的伟大威力，而民间更是恐怖得利害，他自己却是有很坚确的信念，认定自己必定能够歼灭波罗的舰队。以后一切作战，都是这一种很坚确的信仰的力量，而不是用科学的方法。要是靠科学的方法，日本舰队决非波罗的舰队的敌手。当时他常对我讲起许多日本海战的故事，多是玄玄妙妙，半宗教半哲学的话。这个人的性格，和平常日本的军人不同，他是非常朴素温厚的君子，绝没有普通日本军人那样矜骄欺诈的习性。我认为他所说的话，不是假话，不过他的认识和说明是否正确，当然又当别论的。

他的努力是平常人所绝不能及的。他一天睡眠的时间很少，他的刻苦用功，只用"手不释卷"四个字可以形容。不是看书就是测图，此外就是静坐。他是一个很热烈而诚挚的神教信徒，他确信信仰是一切道德的极致，在一切修为中有最大威力。他的宗教思想当然是纯日本式的民族神权论，正是素行派哲学思想的余脉。不过他不是一个理论的信者而是一个情意的信者，在仪式上，和普通日本信神的人一样，完全是受佛教的感化。

他是这样一个人，何以总理和他那样交好呢？这也完全是在政治的主张上。他是一个很热烈的南进论者，同时他是一个排英美的论者。他的南进论和排英美论，完全是立足在有色人种的复兴上面。他不是讲大东洋主义，不是讲大亚洲主义，也不是讲大日本主义，而是主张人类的平等。他以为"人类都是神的子孙，文化是人类共享的工具，世界不容一种人专横，文化不容一种人垄断"。他在政策上和桂太郎大略相同。他以为日本不可以造成陆军国，而且不能够造成大的陆军国。日本人的运命在美洲澳洲。但是要达到这个目的，除是土耳其、印度、中国三个大民族都完成了独立，打倒了英美的霸权，要海上的自由完全实现之后，诸大陆的移住自由才能实现，所以他在这一论据之下极力盼望印度的革命成功。他认为印度的革命成功是东方民族复兴的总关键，如果印度的革命不成，其他的一切努力都不能完全有效。他在这一种观点的下面，和总理成了很好的朋友。他对总理的革命事业，在物质上、精神上，都有了不少的援助。而他之援助总理的革命事业，是很纯洁的，不单是不含有半点策略，并且不带有半点虚荣，至今日本人很少知道他和总理的交谊如此之深，也足以表明他是做事不求人知的。

张勋复辟的那一年，田中义一还是做参谋次长，而他那时的权势，可以说是倾动一时的。参谋总长萨藩出身的上原大将，是绝不问事的傀儡，一切大权尽在田中的掌握，他的全付精神都是注意在中国大陆的。那年的四五月间，他特地到中国来，到徐州见了张勋，又游了长江沿岸。到上海的时候，曾和总理见面。在他回国之后，中国的复辟风说已经遍布全国，而报纸上也盛传田中到徐州是和张勋的复辟有关。这个风说越传越紧，在六月初旬的时候，已经是山雨欲来风满楼了。总理此时便派我到日本去调查复辟运动的内情究竟如何。去的时候带了许多封总理的信，这当中最重要必须讨问的人就是陆军的田中中将和海军的秋山中将。

我是六月十六日从上海起身的，到东京大约是二十一罢。向例我到东京总是住日比谷公园附近的“旭馆”，那一回刚逢着议会开会期，旭馆被国民党的议员们住满了，我只好住在筑地的“冈本旅馆”。筑地这个地方本是东京的最低地带，我向来不愿意住的，这一回算是第一回。

房间定好，稍为休息一下，我便最先去看秋山中将，那时他是海军军令部长。海军军令部和陆军参谋本部一样，是最高的军令机关，他当时要算是海军的最高领袖，然而他的住宅是非常简微的，照当时日本的房价，至多不过月租三十元的小房子。我向来是去惯了的，所以从花园的篱门进去直到了他的书房。他正端坐在图书堆中闭目习静，听见有人进去，把两眼睁开，一看见是我，他好像大吃一惊的样子，把身子向后一退，指住我说：“你几时来的，你，你的面色很不好。”

我倒被他吓了一大跳，我答说：“我刚刚才到，我一落旅馆，立刻就动身到先生处来的，我这一回因为旭馆住满了，住在冈本。”

他重新把眼睛闭下，把两只手合着，默念了一两分钟，又重新向着我说：“还好，不要紧，这不是你有什么祸事，是因为你住的地方不好，那个地方不久就有天灾，你快些搬到最高处去住罢，低地住不得。”

我越被他闹糊涂了，但是我晓得他一向是如此神里神气地，然而又不好反对他，我想了一想，对他说："东京最高的地方要算是六番町的金生馆了，搬到那里好吗?"他说很好，赶紧搬去，只有这一个地方可住。我此时才把总理的信取出送给他，我问："先生看中国的大局如何?"他又把眼睛闭上，照例默念了几分钟，把眼睛睁开说："中国不出十天有国体的变动，这个变动发生在北京，可是发生之后不过三天便仍旧失败。"我再问他时，他说："我的能力现在只能见到如此，以后的事情且待这一个局面现出之后再看罢。"我又坐了一回，谈了些别后的闲话，便告辞出来。

我对于他的话，明知是很有意思，而对于他的态度总是不能释然。回到冈本旅馆，用电话在向金生馆定好了房间，嘱咐旅馆给我把行李移去，出来便去看田中中将。他住的是一间和洋折衷式的相当的华屋，书斋里面很精致地排列着许多书橱，金光眩目的书籍插满一室，当中放着一张洋式书案，和秋山那一个中国古代式的乱七八糟的书房是大不相同的。我走到他的书房里之后，田中还没有出来，我一人坐在书房里等，看见他壁间挂着一付泥金笺的簇新的对联，是张勋新送的。上面题着"田中中将雅正"，下面题着"弟张勋拜书"，对文我是记不得了，大约不见得会是张勋的亲笔。虽然在那样的时候，看见这付对，不能不有种种联想，然而文字应酬是中国人的通常习惯，我也不很以为奇怪。等一会儿，田中中将出来了，他看见我注意看张勋的对联，似乎是很不安心的样子。寒暄既毕，他自归自急急的尽管讲他如何反对中国的复辟运动，如何特意为此去见张勋，叫张勋千万不要复辟，越说越长，越长越奇。我绝没有说他和张勋有关，没有疑他叫张勋复辟，然而他如此大费唇舌地辩明，真是一件妙事。但是我见了这两位中将之后，我对于时局的观测已经得了不少的基础，人也倦了，时候也晚了，我就回到金生馆。

我一到金生馆的门口，就看见绝不似寻常日子，门前是车如流水马如龙，一望而知这里面有活动人物住着。住定了之后，细细问旅馆的主人，原来"日本的中国复辟党"都聚会在此地，肃王派、恭王派、宣统派的领袖都齐了。满清倒了之后，清室的亲贵们只有藏着过安乐日子，哪有一个人有什么复辟的勇气。所谓复辟党，在中国人中除了张勋升允之外，恐怕就只有吴稚晖先生之所谓老鼠精一派的古董骗子。所谓复辟运动，只有在日本才有，只有日本的几个北京浪人、满洲浪人，才是整天家兴风作浪。此时正是他们大举兴师的时候，听说是大仓组拿出二百万运动费给他们，所以摆得出车如流水马如龙的架子。

当晚我就写了一封很详细的报告，寄给总理。我的调查任务算是达了目的。在东京住了三四天，便动身回上海。等我刚离了东京，一两天内，东京湾便发生很大的海啸，飓风把海水卷起，筑地一带变成泽国，街上都用小船搬置人物，秋山中将之所谓天灾，大约就指此了。及我回到上海，张勋的复辟已经发动，报上已经满载着什么封王封侯的记事，可是刚刚三天，马厂兵到，一场皇帝梦依然如梦幻泡影，这就是秋山中将之所谓"北京有国体变更，不过三天，必然失败"。但是何以他能够如此灵验，说得一点不错呢。总理说：

秋山中将是日本第一个海军的学者，他对于气象的学问本来有专门研究，而海军军令部是不断地接受各国各处天文报告的，何处发生飓风，这风有多大的力量，几时可到东京湾，他是应该计算得出的。他是政府中最高的当局，他明明白白晓得种种的消息，他在主义上对于张勋等之所为是反对的，我们去问他，他既不能不告诉我们，而他的职责上万不能随便讲话，所以只好假托神仙，从静坐默念的当中显示他的意见。

对了，这一场公案，我们得到最正确的解释了。只是现在想起来，"此地无银三百两，隔壁小二不曾偷"两句话，确实有些意思。只可惜秋山中将这样一个天才，这次和我相见时，已经得了不治的癌病，不到六个月便作了古人。陆军的桂太郎死了，海军的秋山贞之死了，日本陆海军中，现在恐怕再没有一个有意识的人才罢！

第二十章

昨天的田中中将

我们要晓得,近十五六年以来,中国的政局变动没有一回不是受外力支配的。在这十五六年当中,除了我们总理中山先生,他的一切行动是主动的独立的以外,握政权的人的行动几乎尽是占在被动的地位,而大多数是被帝国主义的势力支配着。帝国主义者叫他东他不敢西,叫他西他不敢东。总理死后,许多人们对于俄国也是一样。"操之自我则存,操之于人则亡",中国人失却了建国的能力,这是一个最大的证据。所以总理说:"不平等条约不废除,中国不能够得到民族的平等、国家的独立,则永无统一的日子。中国不统一,最大原因是中国人自己失却了自信力而甘心受制于外国。同时一个外来的原因,就是掌握着最大的兵力财力的外国人以不平等条约为工具,以中国人无自信力为机会,而来中国捣乱。"这是的的确确的。我们在前面许多叙述当中,总应该看得出,日本何以能强,何以能统一,何以能吸收欧洲的文化,把它组织起来,变成日本统一的民族文化,这完全由于日本民族的自信力。"信仰"是生存的基础,"信力"是活动的骨干。这种地方,是中国人应当切实反省,努力自新的。

自从欧洲战事发生以后,欧洲列强没有一国能在中国作政治的活动,于是中国的政治问题完全被日本人操纵着。操纵中国政局的中心人是谁呢?这是我们所不能不知道的。

田中义一大将,是日本长州系军阀的嫡孙,是山县有朋的家督相续人,前面我已经说过了。他最有声有色的活动是在他的中将次长时代。而他有声有色的活动，既不是像桂太郎那样大刀阔斧的创造生活，也不是像秋山贞之那样生龙活虎的精神生活。他只是在日本传统思想、传统政策、传统势力下面，运用他的聪明和才智，一天到晚干着。干的什么，是没有一定的计划，一定的方法，一定的把握的。他只是要掌握日本的政权，而如何施政的理想是没有的。他只是想操纵中国的政治，而中国政治的重心在何处，是永远不认识的。他只是看见日本的社会倾向变了，革命的风潮起来了，中国的民众觉醒了，中国的革命势力扩大了，世界的趋势紧张起来了，日本在东方的地位动摇了。对于这些现象和趋向，他恐怖得很。他怕日本藩阀失了政权，怕日本的神权失了信仰，怕日本的帝国失了生命，怕中国的革命运动阻碍日本传统政策的推行，同时又怕中国的革命影响及于日本的民众，怕世界的潮流推倒日本的地位和组织。明天怎么样他不明白，明天应该怎么样他没有一点打算，只是恋着过去，恐怖将来，于是敷衍现在。而又不甘于敷衍，于是一天到晚开倒车。开一回失败一回，而他尽开着。恋着的过去是没有了，而他的意象中不能抛却。恐怖的将来片刻不停的迎面而来，他也不能阻止，也不能变换。心劳日拙，愈用智慧而愈是愚暗，愈用气力而气力愈是消失。政治家当中有成功的英雄，有失败的英雄，田中大将的将来，恐怕是失败的非英雄罢！我说这些话，并不是故意对于这位老先生加以菲薄，现在日本的地位和他的历史关系，本来不是容易打得破因袭的势力支配的，不过想起他过去一切无益而有害的活动，实在不能不为中国为日本为东方一切民族叹气。

▲田中义一

我有几年不到日本，今春奉命使日，在东京见过田中大将一回。他的精神仍旧很好，他的雄心仍旧不衰，不过我总觉得有一个很大的不同，从前的田中中将，一天到晚是我要干，今天的田中大将是我不能不干。要干的田中中将的意识是在推动时局，不能不干的田中大将是被时局推动。要干的田中中将的意识是“不怕”，不能不干的田中大将的意识是怕。

中山先生在日本的时候，对于田中，也是很属望的。中山先生向来对于任何人，总时时刻刻希望作他的同志。因为中山先生不承认世界上有坏人，也不承认世界上有不能变易的人。他认为一切人类行为的错误只是“不知”，如果知了，他一定能行。当时的田中中将是很有活气的，他又在操纵日本政权的地位，那时对于一切国际的问题可以由田中的方针来决定。因为那时日本一切外交方针的决定都是受支配于国防计划，而内阁政策也就受支配于参谋本部。虽然内阁总理有权可以决定政策，然而没有权保障他的地位。参谋本部的法律上地位虽不能支配政权，然而实际政治作用上可左右内阁的成败。在这样一个重要地位的田中中将，倘若能够具备秋山军令部长那样的思想，中国的革命事业要容易进行许多。因为日本的地位和力量足以左右中国的时局，并且可以障碍中国一切事业的进行，阻止一切事业的成功。尤其在每一次战事发生，日本人必定操纵了中国全国的交通。参谋本部的武官是布遍了各处重要都会，各方面的领袖人物都和他们的驻在武官发生关系，而那些驻在武官，也乐于和领袖们发生关系的。无论在怎样困难的地方，他们可以有通信的自由。无论什么地方的变动，他们总得着最快的情报。在中国地方，政治军事的情报最确实而最迅速的，恐怕要算日本的参谋本部了。中山先生所希望于田中中将的，第一是希望他抛弃日本的传统政策，第二是希望他改正一切认识错误。其他的日本人，没有比田中的地位关系中国更大的。然而这希望是绝没有效果，一切动植物都可以变成化石，而化石决不能再变成动植物。

民国五年的排袁运动，日本人是有很大关系的。日本人何以要排袁，这是知道东方历史的人所能了解的。在中日战争的时代，袁世凯驻在高丽，运用高丽的王室和政府排日，是袁世凯最初的政治活动。此后袁世凯当了政局，虽然一样是拜倒在帝国主义列强的权力下面，然而却不是专一服从日本。日本近二三十年来，对于中国的事他要垄断，对于中国握政权的人，谁能够一点不疑惑不反抗倒在日本权力的怀里，日本人就帮助他。反对日本的不用说了，就是主张亲日的人如果不能够倒到他怀里去，也是不受日本的恋爱的。袁世凯不单是不能倒在日本的怀里，而且时时要用远交近攻的政策，这是日本人排袁的第一原因。其次是机会。当时日本人也看见中国排袁的风潮决不能够镇压，袁世凯的倒塌已成了必然的运命。顺着这一时势，扶起倒袁的人来，也是他们操纵中国政权的机会。聪明的参谋本部的聪明的田中中将，他是不肯放过这一机会的，这是第二个原因。

所以在他们化石的脑筋里面，始终是不愿意中国革命成功，不愿意真正的革命党在中国占势力的。说起这件事，也有一个历史。辛亥革命的时候，西园寺公望作内阁总理，此人也是日本近代政治家当中一个最有能力的人。他是京都的旧公卿，维新时候作倒幕运动的公卿当中的最年轻者。性格的确是贵公子当中的模范人物，聪明而老成，风流而沉着，忍耐而有决断。他的思想含得有不少的法国派的自由气习，对于现在政治和社会很能了解。同时他自己是老公卿，维新时代和武士们共事又最多，而且久，所以训练成一个圆熟而有才华的政治家，一切元老当中，他的头脑，化石的部分最少。当武汉革命军起，日本的宫中府中，不用说是起了极大的震动。那时有两派的主张，一种人主张要出兵帮助清廷镇压革命，一种人主张守中立，不干涉中国的时局。长阀元老的山县元帅，作枢密院议长，在御前会议的时候山县便主张出兵，枢密院中的老人辈，不用说附和山县的很多。西园寺很平淡地说："革命不是一件好事，一国最好是不起革命，但是一旦起了，他必定要成功，不到成功则政治永不安定，这是历史的原则，所以帮助他国镇压革命，是一件不应该而不可能的事情。"这一个议论，成了当时日本庙议的决定。本来，日本军阀们所以反对中国的革命运动，第一个要点，就是对于革命的恐怖，怕中国的革命影响及于日本。究竟这一个恐怖是不是应该的呢？我认为是应该的。因为革命运动一方面是事实一方面是思想，这两件东西都有同类比附，同声相应，同气相求的可能。日本虽然是经过了一次的民权革命，推翻了幕府，统一了全国，开设了议会，发布了宪法，然而经过数十年之后，前时代的维新已经生了一种惰力，而新组织起来的社会起了一种新的要求，同时也生了一种新的缺陷。民众势力和藩阀的势力早已成了对立的现象，"打倒军阀"的运动当时已经渐渐普遍及于民间了。如果中国革命的成绩良好，直接间接，对日本的军阀足以成为一个打击。第二次桂内阁之所以倒，当时民众运动之所以勃兴，的确是中国革命的影响。有这样的关系，这样的历史，自然山县有朋的子孙辈一定和山县有朋的思想是一个脉络，一个形态。

所以在中国倒袁运动起来的时候，田中中将的行动是很值得我们注意的。他第一件大事，就是在南方扶值岑春煊、唐继尧而压倒中山先生所领导的中华革命党。那时他的说法，是说南方的势力要团结，要联合，不可分散。他们分析中国的势力，决不用革命反革命做分析，而用南方北方做口号。当时确实有许多国民党人，甚至许多同盟会的旧人，也忘记了"革命"而注意在南北，日本人的说头更是有根据了。当时参谋本部派青木宣纯中将到中国来，在青木下面作实际工作的就是今天参谋本部第二部长的松井石根。南方各军的交通，和势力的集散、政府的组织，可以说都出自青木公馆。岑春煊之回国，回国后之活动，军务之组织，政学系研究系之联合，此中关键，都在东京参谋本部。不止此也，田中中将此时的注意是很普遍的，他在中国的中部，又扶助张勋，以为日后督军团运动和复辟运动的伏线。在中国北部，又扶助段祺瑞以为日后握掌北京政权，及压倒黎元洪，打倒张勋，对欧参战，中日协约种种问题的伏线。还不够，又努力扶植张作霖在奉天的势力，以为此后几次奉直大战和此次奉军南下的伏线。而做来做去，他总有一个主点，就是不要中国统一，尤其不要中国统一于革命，不要统一于革命领袖的中山先生。此后数年之间，中国一切纠纷扰乱没有不和此刻田中中将的方针有直接间接的关系。当然六七年以来的民众运动，自五四运动以至于今日，虽然中国民众不知有田中，田中不欲中国有民众，然而无有不和田中的思想行为有密切关系，因为有许多事件都是田中中将的政策的结果。至若日本的资本家、商人一切对中国、在中国的言行，更不用说和田中中将的言行关系非常密切。日本现代资本家的来路，在前面几节的记事当中已经略略画出一点影子。自倒幕的时期以至于欧战发生为止，日本的资本家仅可以说是御用商人而不是独立的事业，一举一动，当然以政府尤其是和陆海军当局的意志为目标的。

在前面的叙述里面，我们应该了解最近若干年中日本军阀和中国政治社会一切变动的直接间接的关系。我们看得出一个民族的生命，最要紧是他的统一性和独立性，而这统一性和独立性的生成，最要紧的是在于他的自信力。一代的政治运动也是如此。如果一个团体,一个团体的运动,乃至一个政治家的活动,失却了统一性和独立性,失却了自信的能力,结果一定是失败。不单是失败而已,因为这一种没有统一性独立性的运动,在社会各种阶级各种组织上面,只有生出无目的的破坏而一败不已。失却"自动力"的社会,任何道德,任何制度,都不能建设。日本民族之所以强与中国民族之所以弱,完全以此为分际。总理这四十年的努力,要点在何处呢?就是要唤起中国民族的自信心,造成中国民族的统一性和独立性。革命是创造的,是建设的,是独立的,是统一的。三民主义是自信心的保障,是独立性和统一性的保障。中国人不能彻底接受三民主义,就是因为"不自信"的原故。

任何帝国主义者在中国能够操纵,都是利用中国人的这种弱点。不单是帝国主义者,一切外面的势力,能够侵入中国,来压迫中国的民众,捣乱中国的政局,或是拆散中国的社会,其根本的原因都是在内而不在外的。袁世凯以下,若冯,若段,若张,若岑,乃至今天已失败的吴佩孚,在失败中的孙传芳,一切等等,他们的特质在哪里,就是在原是一个中国人而没有中国人的自信,只能作依草附木的生涯,只能倒向外国人的怀里去。

我们把日本的维新来看。在思想上,中国人普通总晓得日本人是受西洋很大的感化。法国的自由民权说鼓动日本的维新,而德国的军国主义的思想和制度成就日本的维新。但是始终日本的重心是日本,日本的基础是建设在日本。巴黎并没有能够指挥日本,柏林也并没有能够指挥日本。如果有了这一天,就是日本的亡国,并且会是亡种。我们再看俄国的革命怎么样。德国的思想在任何方面都供给俄国以重大而紧要的资料,并且俄国一九一七年革命的发动还是起自柏林。然而一旦成为俄国革命的时候,俄国的一切都是自己支配。俄国的革命党立刻建设起一个革命中心的莫斯科,他们不单要支配俄国,还要支配世界。柏林是不能支配俄国的。"堡"的地名,都变成了"格拉德",乐用外国语的陋习也改变为歌诵俄国语了。以共产主义世界主义相号召的俄国革命是如此成就的。土耳其的革命更是明显了,他们唯一的目的就是打破外国的支配。从倒袁运动起,直至今天,除了总理孙中山先生和真实是他领导下的国民革命势力而外,在中国一切政治势力都是受东京的支配听东京的指挥的。[这是由作者的政治立场作出的错误结论。]

即以用客卿一件事论,我们看得很明白。在交通发展的时代,凡是建设新国,绝没有不取材异国所能成功的。但是有一个绝对条件,就是自己去用它。日本维新建设的内容,并不是靠日本人的智识能力去充实起来而是靠客卿充实起来的。军队是德国人替他练的,军制是德国人替他定的,一切法律制度,在最初一个时代差不多是法国的波阿索那德顾问替他一手造起的,然而指挥、统制、选择、运用都是在日本人自己。当初总理是最主张用客卿的。自南京政府时代,直至最后,没有一次总理执权的时候不用客卿,然而终是总理用客卿而不曾看见有被客卿所用的事,但是北京政府就不然了。我们看北京政府下面的客卿有两种:一种是由条约上的关系来的,这不是客卿而是外国派来的统监;一种是自己自由聘定的,这就只有请他们坐在那里,永远是顾而不问。前者是证明北京政府的懦弱,后者是证明北京政府的腐败。我可以断言,今后我们要革命,必须要用客卿,不单要用而且要用很多。然而如果不是用客卿而被客卿所用,就是自杀。更深一层说,如果不能造成一个有任用客卿的能力的政府,没有具备这一种能力的领袖,我们的建设是绝对不能起的。现在我们很看得见,国民党同志当中有两种大毛病,一种是拜倒在客卿门下,一种是绝对不敢用客卿。前者是没志气,后者是没能力。没志气的人不足以革命,没能力的人不可以革命,这是很的确的论断。

我们追想民国五六年在东京的田中中将,和在中国的青木中将,又想起这几年莫斯科的政府和在中国的鲍罗庭,真是不胜感慨系之。

第二十一章

今天的田中大将

田中义一早晚要组阁,这是我们在十年前就看见的;田中内阁的出现就是长州藩阀的最后握权,这也是我们在十年前所看见的。而且在今天这一个时代,田中内阁的出现不但在日本政治上是一个必然的结果,并且也是全世界的反动倾向当中的必然事实。现在全世界的情况,在一方面是革命潮流的猛烈进行,同时在一方面就是反动政治的增长。英国劳动党内阁倒了便生出保守党内阁,德国在共产党压下去之后兴登堡便做了总统,美国的政权又落在共和党手里,此外意大利是法西斯蒂的木梭里尼当权,西班牙是德维拉将军执政,"独裁政治是文明进步的国家当中最经济最有力的一个需要"这一个声浪传遍了欧洲。从前议会政治论者所视为蛇蝎的迪克推多,在今天的政论家当做寻常茶饭。在这样一个世界里,日本当然也要应一应景的。

并且我们看日本前内阁的确也是不能维持。不单前内阁不能维持,和前内阁取同样的平和政策、调和政策的内阁都不容易维持的。这个理论和事实,讲起来话便很长。我可以简单说,在国际状态和国内产业状态紧张到了极度的今天,一方面中国的局面大摇大动,没有一点平静,一方面日本现存政党的基础根本动摇。从明年五月的大选举,日本的选举权便要从三百万扩张到一千二百万。英国对中国取压伏革命的手段,大举出兵。俄国既掌握蒙古的政权,还要想垄断中国的革命。在这样一个情形之下,以和平而独立的外交政策为存在纲领的前内阁,无论是对内对外,都不能得人的满意，这是必然的趋向。田中义一出来之后，他要怎样干呢，我们没有确实的材料，不能随意悬揣。但是我们很看见，田中是要干的，不单他自己要干，四围的情况也要求他干。他的干法，从前已经有了成绩，有了榜样，他身边的人，依旧是从前那一套。他虽然不在参谋本部，而参谋本部依旧是在他的统率之下。不过是挂上一个政党领袖的头衔，加了些摇旗呐喊的政客，而且从前一些北京关系的老人，板西西原，也都集到他的幕下，这样一个情形，他总要唱一出戏罢！

日本有一些人（于藩阀财阀有关系的人），在前年去年，对于中国抱着一个假想，他们认定："中国的政治如何变化和日本有极密切的关系。中国的政治如果不能受日本的支配，是非常危险的，但是从前所取操纵北京政府的政策事实上失败了。何以会失败，便是中国事实上不能统一，以事实上不能统一的国家，单想操纵一个京都的政治来支配全国，这是绝对办不到。而且因此生出中国人民的反感，实际上反而受打击。从前的《二十一条》的中日协约，就是一个失败的例证。即使没有《二十一条》，日本在中国的地位也不能小过今天少过今天。而因为有了《二十一条》的名义，倒反而妨碍了实际利权的获得。以后对于中国，爽性不取操纵中央的办法，而另开门径。但是有一个要点，就是如果革命运动成功，中国由革命而得统一，则必于日本不利。所以必须使中国革命势力不得统一。现在中国的各个势力当中，张作霖的势力是日本势力在中国的一个基础，但是中国绝不会统一于张作霖。此外藉英美势力而想作武力统一的吴佩孚也必然失败。在中国势力，目前最确实的就是广东的国民政府，长江的孙传芳，东北的张作霖，西北的冯玉祥。国民政府的势力向北，冯玉祥的势力向南，如果这两个势力把长江孙传芳、吴佩孚的势力打倒而得联络，则统一的国民政府成立，张作霖的势力始终是不能维持的。为应付这一个局

▲ 孙传芳

面，日本应该要扶植孙传芳，有统一长江的势力，把孙传芳造成日本的第二张作霖，以阻隔南北两个革命的地理上的连接。”抱这一种见解的人，很是不少，而尤其是在长江有投资企业贸易关系的商人，主张更切。及至国民革命军北伐，武汉克复，国民政府将要北迁的时候，这一种论调更加高起来了。同时我们还晓得中国内也有些没志气的人，颇想勾结日本，作这一种运动。他们一是怕共产党，二是想要得一个依附，于是往来于孙传芳日本人之间者，也就实繁有徒。及至革命军向长江下游发展的时候，日本政府里面便和此种论调相应，生出一种出兵论来，主张出兵的不用说是陆军一派了。

从前日本参谋部在中国各地的驻在武官是非常活动的，在民国五年以后，在南京各地的武官更加活动。而外务省所辖的领事官，除了管理侨民之外，对于本地方的政治上没有什么关系，他们也不大和军政界干部的人们来往，所以取得情报的能力，陆海军人较之领事官为大。自从国民党改组而后，国民党的中央对于日本取一个不理睬的态度，而各地的民众是绝对排日。两三年当中，在南方各地的驻在武官和当地的军政领袖几乎失了关系。此时党的组织渐加严密，从前两院的政客们，除了真是做革命党的而外，也不能东奔西跑，日本人取得情报而操纵的线索因此更少了一大部分，因此参谋本部对于中国问题足以时时处处胜过外务省的能力少起来了。这是前内阁的对华方针居然可以自己决定，而外务省居然可以不受参谋部指挥的一个大原因。

▲ 伪满洲国与日本签订《日满议定书》后，溥仪与日本人合影

本来,日本人的对华观念和日本政府的对华方针,可以说无论什么人大体都差不多。维持在满洲的特权,和在直鲁及三特区福建等的特殊地位,维持日本在中国的最优发言权支配权,尤其是经济的支配权,这几种根本政策,现在在政治上的人物,谁也没有两样。当然外务省系的人和参谋本部系的人决没有根本上的不同,然而因为对于世界关系的认识两样,所取的手段和所持的态度就有很大的不同。尤其近年来我们觉察得到日本对华的态度有一个转换。从前属于外交关系的人,在国际关系上,几乎没有一个不是崇拜英国,事事听英国的话。关于中国的方针,尽管遇事主张日本的特殊利益特殊权力,而遇事都仰英国的鼻息,尤其加藤高明统率外部和总理内阁的时代,这一个趋向是很真切而极端。本来加藤是替桂公爵办事的一个人,然而他只懂得桂太郎亲英,不懂得桂太郎排英。桂太郎死后,他领袖宪政党十年。这十年当中,他把桂太郎早认为已经任务终了的日英同盟,仍旧奉为天经地义。直到欧战既终,日本以欧战当中积极消极对于英国那样的帮忙,到底不能得英国的感谢。满期的日英同盟,日本政府和民间还想要勉强运动保持,然而被英国半文不值的丢了。自此以后,外交系的人对于英国人才渐渐不能像从前那样恭顺。在一方面,这几年来中国极度的排日热一转而为排英热,同时不能有两物存在于同一个空间,积极的排英当然便把日本的问题冷淡了下去。外交系的人,他们很留意中国人心的趋向,看到这一个情形,很了解这是挽回中国民间排日风潮的机会,绝不愿意再跟英国走,不唯得不到利益,反替英国人负责。在陆海军系的人,尤其是陆军系的人,他们对于中国一切的方针,向来是抱定一个进取的国防计划,所谓"蝎形的政策",一切方法都从这里面打算出来。他们向来不问国际情形如何,便一意孤行,也要遂行他的策略,所以倒不像外交系的人那样奉英国若神明。而在近两三年来陆军参谋部内的日英协调论非常浓厚起来了。他们认为中国的革命运动发展是绝不利于日本,而在南方中国,日本又没有独行其意的势力基础。为压伏中国革命运动计,他们便想取一个"北日南英中协调"的政策。就是对于南部中国英国独力处理之,北部中国日本独力处理之。而对于中部,则日英两国以协调的精神取协调的形式。在今年英国出兵上海的时候,陆军方面极力主张出兵,前内阁则不愿意如此。及南京问题发生，出兵论更盛，而外务省方面还是取郑重态度。后来内阁一交替，山东出兵的事便实现了。山东出兵的意义，在日本人方面，他们说是仅为保护日本侨民，而其实际是因为革命军占领了江苏，更向北进展，他们所最爱的孙传芳的势力差不多已经消灭干净，张宗昌又是绝无战斗能力而且天怒人怨的东西。倘若革命军一气呵成地北攻，山东的克复是很不难的。于是以维持“蝎形政策”为目的的参陆两部的人，便不能不以对付郭松龄的精神而出兵了。出的兵虽然很有限，但是意义是很深长的。战斗力消失干净残余北渡而逃的孙传芳当时败卒不及两万，而不到几个月工夫，又有了七万以上的军队，这一次再渡江的军队，已经有四万左右，岂不是很奇怪吗？当南京政变发生，孙军重新反攻的时候，日本忽然宣告退兵了，不用说这是他们认为革命军再不能北攻济南的证据。

所谓“蝎形政策”是一个什么东西，我也得讲一讲。大家都晓得，蝎子的利害全在两个螯和一个尾。日本既定了侵入大陆的计划，他们军事的眼光，一面注意在南方的海陆，一面注意在北方的诸省。他们认定确实掌握渤海是非常要紧的。对于渤海湾，一个辽东半岛，一个山东半岛，是最要紧的形胜。中日战争之后，日本在南方已经占据了蝎尾的台湾以为根据，可以控制南部中国和南洋一带。还想要占领辽东半岛，而被三国干涉逼到不得不退步。其后德国却拿了胶州，俄国租了旅大，这一个大蝎的两螯，被德俄两个欧洲大陆的强国占了。日俄战争之后夺了辽东，欧战之后又夺了青岛，在形式上似乎像完成了蝎形政策了。然而以后把持得住把持不住，如何把持，这些都是今天日本军人们所最苦心的。

田中大将的政治兴味是很浓的，他很有军人策士的称誉。他也和桂太郎一样，看见今后要在政治上活动，非有政治上的与党不可，恰好逢着政友会失却统率的时候，便因缘际遇而被热衷政权的政客们推为总裁。但是一部分较有民主气习的人决不愿如此，而政友会的势力便因此永无结合之期。以二十余年来维持第一党地位的政友会，由此便化为第二党与第三党。政友本党的领袖床次竹二郎说：“田中的人物如何，政策如何，姑置不问，其历史和环境决不能作宪法政治下面的政治家，我宁可永远作少数党，作在野党，而不能与之联合。”这个话的确是一大部分政友会议员的心理。

田中为什么进政党的呢？他走进政党之后如何作法呢？闻得人说，他们有一般军国主义者所组织的一个修养团体叫做“凡人会”。所以叫作凡人会的心理作用，我想是以不凡者自居，视世人皆凡人，故自己反号为凡人。这一个团体的人数不多，他们是以讲大乘佛教为团结的意义。但是就会员的思想分野看，多半是神权信者，和佛教的教义相离很远。我在前面说过，日本的佛教思想固然不是印度的佛教，也不是中国的佛教。受过了王权时代的公家制度和封建时代武家制度两重感化和神权的民族思想陶融的日本佛教，完全变了样子。明治以来虽然经了神佛分离一个很大的制度变革，然而民间的思想依是神佛混合。这凡人会中的人们，大约可以说是以神佛为用，以神权为体的民族神权主义者吧。在这个团体中的人，多半是长藩关系的军阀主义者而尤其是北进论者，田中也是当中的一个人。他们也讲究一些禅宗的机锋。有一天一个朋友劝田中大将说，“你何不把剑放下来去拿珠子！”田中受了这一个机锋的刺激，于是决心跳入政党生活了。田中说：“我做军人以来，经过两次大战，这两大战我都不曾死。政友会这一个党是不利于领袖的不祥党，从前星亨是被人刺杀了，现在原总裁又被人刺杀了，我以战阵余生不能死于疆场，所以特意寻着做一个不利于领袖的党来做领袖。”这样看来，田中之跳入政党生活，的确和平常的政客们有一个大大的不同。他不仅是热衷政权，不仅是希望成功，他很像是看破了红尘，超脱了生死，以这一种“似能立”“似能破”的主张，“似现量”“似比量”的观念，当这危机四伏一触即发的东方军国的政权，乘着全世界革命和反动两个大潮流翻来覆去。他的前途怎样，东方的前途怎样，世界的前途怎样？

我们看纽约、华盛顿，是西半球的两个中心，伦敦、巴黎、柏林、罗马，是欧洲政治的四个中心，莫斯科和东京是亚洲政治的两个中心。安卡拉是正在努力想造成一个亚洲中心来的，前途如何，不止在土耳其而尤其是在全世界的回教诸民族。中国不单造不出一个世界中心，而且造不起一个全国的中心。全世界正在预备极大的战斗，这一个大的战斗，主要的问题就是被压迫的十二万五千万民族能够站起来自己造成政治支配的中心不能够。四万万五千万人的中国就是这中心问题的中心。然而只成了问题的中心而不能造出一个力的中心，于是四围的“中心力”，都向着中国来吸引。失却自力支配的中国民族，一逢着他力便被吸引，逢着强大的他力，便很快很大的被吸引。而来吸引中国的中心力，当然是互相冲突。吸引力愈大的，当然是冲突愈大。英国这一势力，是压迫中国最大的势力，同时也是吸引中国的最大势力。在太平天国战后，中国人的精神被英国的势力完全吸引住，使中国人连压迫的感受性都失却了。长江和南方一带，崇拜英国迷信英国，成了一种风气。只是北方还不曾被吸引干净，野蛮的抵力一变而为义和团，及义和团失败，这一个抵抗性也消失干净了。直到民国十四年为止，全中国的人心可以说是被英国吸引住一动也不能动弹的了。这几年工夫，国民革命的运动，在三民主义的领导之下，在总理二十年抗英的势力之下，大刀阔斧大声疾呼的进行起来，于是全国人心方才猛然惊醒，此时可以说任何人没有不排英的了，所以此刻英国的压迫已经失了吸引的作用。然而除英国之外，还有两个很大的压迫，正在发挥它的吸引力，不用说一个是莫斯科，一个是东京了。

从中日战争以后尤其是日俄战争以后到民国初年，东京的吸引力真是大极了。全中国的青年羡慕日本维新的成就，于是都想学日本，都到东京去。等到成了一个风气，由日本归来的人都可以得差事赚钱，于是不羡慕日本维新而羡慕到东京能够学得赚钱赚地位法术的人们也都大举赶向东京去。最盛的时候，在东京一处同时有三万余人。速成法政、速成警察，速成师范、速成陆军，样样都速成。好一个终南捷径，只要一到东京，便能很快的学得赚钱赚地位的法术。在欧战之后，空气大变了，被欧洲五年的大战渐渐唤醒了的中国青年，晓得要努力打破现状，打破环境。魏铿的新理想主义，尼采的超人主义，詹姆斯的实验主义，柏格孙的创造进化论，枯罗巴金的互助论，柏伦哈底的战斗生活论，五光十色，四面飞来，然而解决不了中国的任何问题。忽然俄国劳农革命起来了，成功了，雄大的战斗力，精密的组织力，广大的宣传力，富裕的金钱力，使中国的青年把那些解决不了自己切身问题的什么主义一齐搁下，先走向马克思主义再走向列宁主义。

在这样一个情形的下面，我们很看得见，俄国和日本这两个压迫中国民族的势力都变成一种吸引的势力。受这吸引力吸收了的人，差不多好像是中了魔一样的狂。不过被日本吸引的人病根是不深的，因为中国人对于日本，总抱着一个"我们是文化的先进国"的历史心理。而对于俄国，便不然了。

现在这两个大的压迫力各自都在吸引的上面显神通，而这一种“压迫的吸引”都是预备东方将来的世界大战。“人为刀俎，我为鱼肉”，“操之自我则存，操之于人则亡”。中国的国民到底对于自己将来的生命，对于世界将要爆发的战争，作何种打算呵！

近三十年来，东京是很显明地取得了东方政治中心的地位。虽然他们的力量依然屈服在全欧洲的势力之下，而尤其是在伦敦的政治力吸引之下。加藤当国的几年当中，这个趋向尤其是很明显。然而他自己统一的力量已经很确实，对于中国，已经由压迫而生出了吸引的作用。十几年来，中国任何政治变迁没有不从东京的打算上影响出来。最近七十年的东方史，前半是日本对俄国卧薪尝胆的争存史，后半是日俄两国在中国的争霸史。而世界战争之后，又进了两国的新争霸时代，中国人的心理不向东京便向莫斯科。在这样一个情形之下，东京的政权落在军国主义者的田中大将手中，一就总理的职立刻便跟着英国对上海的政策而对山东出兵，而召集在中国的外交陆军人员会议，而对满蒙决定积极政策。陆军大将、内阁中总理兼外务大臣的田中义一，恐怕是要变成第二个塞尔维亚的中学生罢！

第二十二章

信仰的真实性

在前面几节里，顺着一个叙述的系统，把政治方面说得太多了，而日本的社会情况完全没有提及，现在我想回头来就日本的社会心理加以观察。

前几年上海民权出版部印行一部平江不肖生著的《留东外史》，描写中国留学生和亡命客在东京的生活，自然他的叙述里面有一个部分是日本的社会，这种日本社会的观察在中国恐怕是很普通的罢。我可以说，中国人对于日本的社会观察错误和判断错误很普遍的，平江不肖生所描写的一部分社会，固然是社会的黑暗面，然而连黑暗面的观察也是很肤浅而且错误的。不过他的目的不在观察日本的社会，而在观察“中国人的日本社会”，我们也可以不必多事批评，只是晓得中国人对于日本的社会不留心研究便了。

在最初几节里面，叙述了一点神权的迷信和佛教的问题，大家看了那几张书，总可以感觉到日本的国民是一个信仰最热烈而真切的国民了。一个人的生活不能是单靠理智的，单靠理智的生活人生便会变成解剖室里的死尸，失却生存的意义，而尤其是一个国民一个民族的生活绝不能单靠理智的。民族的结合是靠一种意识的力量，这一种意识的力量当然由种种客观的事实而来。但是种种客观事实的观察和判断，不变成一种主观的意识时，绝不发生动力。“观我生”“观其生”的观，如果不到得自强不息的精神上来，什么“省方”“观民”“设教”都不能生即生，也不能久。理智仅仅是观而不是行，理智的世界是静的而不动的。不过一切情感的意识、活动的意识，如果不经过理智的陶融，则情感不能"醇化"。不能醇化的情感就不是文明的作用而只是动物性的本能作用。然而缺乏了情感的人永不能创造理智，缺乏了情感的社会也不能作生活的团结。一个人一个社会的创造进化，都是靠着这醇化的情感来推动来组织来调和，程度和方面有不同，而其作用只是一样。信仰的生活是个人和社会的进步团结最大的机能。总理说主义是"信仰"，就是很明显地说明冷静的理智不化为热烈的情感时绝不生力量。我们在无论什么地方，都看得出日本人的民族意识是很鲜明的。他们那一种"日本迷"，正是他的鲜明的民族意识增高到了极度的时候变成的无意识作用。白热度的热体触到我们的指头，我们一刹那间的感觉会和冰一样的冷，一粒子弹刚刚洞穿人的身体时不感觉疼痛，都是这一个道理。所以我们看到日本人信仰生活的热烈和真切，便晓得他这一个民族真是生气勃勃正在不断地向上发展的。

人生是不是可以打算的？如果人生是不可以打算的，我们何必要科学。如果人生是可以专靠打算的，人们的打算自古来没有完全通了的时候。空间是无量的，时间是无尽的，任何考古学者不能知道星球未成以前的历史，任何哲学者不能知道人类绝灭的时期，任何天文学者不能超过现在的机械能力测算无尽无量的宇宙。人是要生存的，打仗是杀人的事，在战斗的进行上人人都晓得强制的命令是必要的。有一个军官说："没有统一的命令谁肯去打死仗。"我要问他："如果大家都不服从统一的命令，统一的命令效力在哪里？"如果失却了信仰，发命令的指挥官也可以私自脱逃，受命令的士兵更可以全场哗变。读《杨州十日记》的人，该晓得那时五百个满洲兵断没有屠杀杨州的能力。读《桃花扇》的人，看到四旗兵哄的时候，该晓得失了信仰的命令不过是等于烂字堆里的臭八股。完全不要打算是可以通的吗？迷信枪打不进炮打不伤的义和团到底敌不过钢弹。所以打算只是生的方法，不打算是生的意义。"迷"是没有理智的意识，"信"是醇化的感情的真力。我们如果知道人生是"力"的作用时，便晓得信仰是生活当中最不可少的条件。"自强不息"是自信力的工作，"厚德载物"是自信力的效果。只有信仰才能够永生，只有信仰才能够合众。人的生活是时时在死灭的当中，如果人人专靠着一个打算时，何处去生出死里求生的威力？

宗教是信仰的一个表现，而信仰不一定是宗教，这是在今天说明信仰时所必须具备的知识。所以信仰这一种心理，许多学者用“宗教性”一个名词来说他，这是在宗教堕落和宗教革命期中的适当用语。俄国今天已经在共产党的治下，而共产党是以反抗宗教为党义的。但是从莫斯科回来的人，谁都晓得莫斯科的民众是生活在热烈的信仰当中。而信教的虔笃和革命前途没有两样，无论是与非，俄国布尔什维克的革命是成功了。中国的青年看见反宗教的革命可以成功，而不晓得他仍旧是“反宗教的宗教力”的成功，是信仰的成功。要那样热烈信教的国民，才产生得出那样热烈的反宗教的革命。他的革命成功了，怎样是他的成功。一方面的反共产的新经济政策，一方面的尊重信教自由的政策，星期日一切教会堂里热烈虔诚的民众和每天震动一切都市村落的钟声正是俄国民众“能够建国的永久生存力”的表现了。

一个城隍庙里，城隍老爷高坐着，香烟缭绕，烛炬辉煌，下面跪拜着成百成千的男女。他们信仰什么？一个黑夜挖洞的贼，他祷告说：“神呵！请你保佑我不要犯案，我下月十五日买一只雄鸡来谢谢你。”隔壁正是被那贼偷了东西的失主，他祷告说：“神呵！请你保佑我，使我能够破获偷我东西的贼，使我被偷去的东西能够回来，我买一个猪头来谢你。”这样一种打算的国民，哪里去找信仰，这是“迷”极了的一群愚人，是愚极了的一群弱人，是弱极了的一群没有将来的半死人。把这样的迷信做对象去反对信仰，是中国人的一个极大的错误。信仰是无打算的，是不能打算的，一有了打算就不成信仰。尤其是一个民族，在生存竞争剧烈的当中，如果人人这样打算着，决没有人肯拼着必死，自己炸沉了自己的船去封锁敌人的军港，决没有人抛却了一切所得去研究目前没有一些效力的纯正学问，决没有人舍了自己的财产去救济社会国家的危难。“从井救人是不行的”，这是中国人普通的观念。如果没有从井救人的决心，连不从井而救人的方便事也没有人肯去做了。“下水思命，上岸思财”，这一种打算的民族，何从产生奋斗的精神，何处去创造永久的历史，一切思想行为何从有澈底的究竟。心里想共产革命，口里说国民革命，手里作的是个人主义的生涯，这一种矛盾的虚伪的生活，是从打算里来的谬误。世界一切都是真实的，如果没有真实的努力，创造是做不成，模仿也是做不成。且看今天的中国，无论什么好的理论，好的制度，一到了中国立刻会变相，通电的主张，报纸的批评，群众的口号，哪一样不是很正大堂皇的。然而实际怎么样？王亮畴说过一句极调皮的话，他说："中国人的事，你往坏处一猜就着。"这真是中国人亡国性的表现呵！

我们细细考察日本的信仰生活，的确比中国人要纯洁得多。我们很认识得出他们的信仰生活是较为纯洁的、积极的、不打算的，他们的牺牲精神确是由这一种信仰生活的训练而来。就宗教来看，无论是哪一教哪一宗，我们看得见他们的教义和组织，比起中国人来确是真创的。他们大多数的信徒不是像中国人的信神拜神一样，作自己利益的打算。他们有一种把自己的身体无条件的奉给神的决心，有一种"绝对的"观念。对于宇宙和人生，有一种"永久"和"一切"的观念。他们能够把自我扩大，造成一种"大我的生活"。他们"物质的无常观"是立在一个很积极的"精神的常住观"的上面。这些观点，不是从和尚的念经、神官的祝告、牧师的说教里去看，是从社会实生活的种种相，尤其是男女的恋爱和战争两件事上面去看出来。我们看中国人的男女生活，真是枯寂悲哀到极点，中国人的家庭里面，固然看不出一种热烘烘的爱力的结合来，连野男女的自由结合也都是很冷冰冰的打算。在这种地方，或者很多人不把他拿来同信仰生活一样看待。不晓得人类的生活，在一切真实性上有一个绝对一致点，而尤其是生命的存在，不容有一点虚假的。男女的关系是人类生命的总关键，他在"生"的意义上，只有和"杀"的意义集中的战争可以相提并论，在生死过程当中的"食"的问题尚不足与之比大，性生活的虚伪和打算可以说是生存意义的错误消失。一个民族到得把男女关系看成游戏时，他的生存意义已经衰弱。到得在男女关系上面只剩得一个打算的时候，他的生存的意义可以说是完全绝了。

自杀是一件顶懦弱顶愚蠢的行为，是最无自信力的行为，而且是最贪生的结果。如果一个人生存的能力是强的，具备一个顶天立地的信仰，把宇宙人生看得透透彻彻，一往直前，毫无愧怍地行过去，无坚不破无敌不摧，什么恶魔也都可以服下去，何至于在生死的道途当中恐怖忧疑，至于怕死到了极点贪生到了极点的时候，走到"不敢生存"的绝路上去。固然社会的一切制度，一切习惯，足以在有形无形的上面压迫着个人，使个人社会的生存生出不可救的缺陷，于是把个人逼到自杀。然而这一种"社会的生存意义上的缺陷"，如果个人不是在外的生活上自己造出缺陷时，内观的心理上也决不会体认出罪恶来，而自己苛责自己至于自刑。倘若很真确地认识缺陷是在社会，那么自己的生命意义，也可以体认到和社会同大而敢于对社会作一个紧对手的敌人去摧破他。如果斗不过而死，还不失自己承认自己生命的意义。所以最贪者莫过于自杀，最弱者莫过于自杀。最无自信者莫过于自杀。在人道的意义上，最残忍的更莫过于自杀。在精神的生活上，最矛盾最纷乱而不能统驭的心理无过于自杀。佛家说："一切罪恶以自杀为最大，杀人尚有成佛之因而自杀决无成佛之果。"这一个判断，是从很多方面判断而下的总评，的确是确当的。但是就"自杀"一个行为而加以分析研究时，我们很看得出世界自杀最多的日本，他们对于自杀的观念确有和其他民族不同的处所。我们可以说："自杀的观念，在最和其他诸民族不同的地方，最最看得出日本人的特性，而这一个特性最足以表现日本人的强点。"我这一个观察，并不是批评自杀者的本人，而是就他的观念上看出他背后的社会生存意识的特质来。

▲ 日本陆军上将乃木希典，日俄战争时，以残酷的"肉弹"战术，攻陷旅顺要塞，1912 年明治天皇病逝，与妻子剖腹自杀，以身殉君，被奉为"军神"。

日本人的自杀，我们可以用两种区分来研究。一种是普通和别的民族没有分别的，懦弱至于不能生存，乃至不敢生存的自杀，属于这一种。一种是很特殊的,在自杀者的心理状态上含得有一种积极的意义,物质无常和精神常住两种观念很明晰地现出在自杀者的意识上面。在别的民族,自杀方法的选择,普通是选择世人所认为痛苦最小的最消极的不须努力的方法,行投水投缳者之多全是为此。而在中国,更多一种吞鸦片烟自杀的人。在这一种人当中,有许多自杀的决心很不明确,最后因为到底遇不着救星或救的方法时间错过了而死。然当其服毒时还是希望着中途遇见救星,使他既可以不死而他生存中的可怜又得原谅,这更是懦弱至于不敢生存时而尚存着不愿死不愿即死的幸存心理。在这一种心理当中,决看不出半点物质无常和精神常住的观念来。日本人的切腹决不是如此的。切腹是痛苦最多的,积极的,必须努力而后能达到目的的自杀方法。自杀者在死的时候,还是积极的保持住很明晰的生存意识,很坚强的奋斗精神,到最后一刹那为止,不愿意抛却努力的义务,不使身体有倾斜,不使十字纹有偏倚,不把使用后的武器随意散乱着。[作者在此以抽象的所谓"精神"美化对生命的残忍。武士道曾经是日本军人滥杀无辜而后自杀的精神迷药。]生存中作他生存意义的主义,是贯彻到底,更不存着自杀途中幸而得救的打算。由思想所生的信仰,自信仰所生的力量,继续到他最后的一刹那。

情死的事更是值得我们注意的。有很多情死的人,不是为达自己的目的而且不是为达共同的目的,是为达所爱的对方的目的很勇猛地积极的作所爱者的牺牲。他们的世界是很小的,只有相对的二人间的绝对的恋爱是他们的世界,他们为了这一个世界能够舍去一切世界。情死的事,不用说最多是在花柳社会,其次是社会阶级不同的男女间的恋爱。这两种境遇都是打算最多的境遇,而有许多的男女会把一切打算抛却。这一种"超世间的性生活",是堕落的懦弱的苟且偷安的放纵贪淫的性生活社会中的男女们所意想不到的。热烈的性爱和优美的同情,这两重性的超性的生存意识,是引着他们走向死路去的动因。在中国的北地胭脂史上已经没有这种激越的性行供我们追怀,南朝金粉史上更看不见这种深刻的人生意义。在自杀这一种死的事实上看得出很丰富的生意来,是日本民族一种信仰真实性的表现。

至若在战争的历史上,可以给我们坚强而深刻的印象的事实,更是很多很多了。这几年当中,中国国民战斗能力的确是增进好多了。我常说:"这十几年来国内的战争,在几十年回头一看,才可以晓得为了要训练国民战斗能力而设的真剑演习。其他一切个人的地方的乃至党派的目的，都不是造成这种真剑演习不能不有的动力，而真正的目的是目前的人们所不能知道的。"这个批评，我总希望他是真实的。但是生存的意义上如果没有一个大的革命，这一种战斗的训练，对于民族能力的增加，功效是很小的。士兵们为了十几块钱，官长们为了升官发财、子女玉帛，把这些很小的打算做全部意义的战争，正是太过把生命看得轻了。古人说："死有重于泰山，有轻于鸿毛。"这两句话或者说明的方法不完全，然而要在物质无常的上面建设精神常住，在小我的里面显出宇宙我的力量，实际些说，就是要离却了个体生死的观念而置重群众的生死，如果这样主义的战斗观念不彻底不坚强，民族的战斗力不会增加，打算的竞争当不起不容打算不能打算的战斗。中国人在过去一千几百年当中所以敌不过四围强蛮小民族的缘故，都是为此。这一回的北伐战争何以一到长江便生出很多破绽来？固然英国的压迫，日本的压迫，是使我们失败的原因。而打不过腐败堕落的社会破不了打算的因袭，更是我们的弱点之一。这一个弱点，是中国民族通有的，谁打得掉这一个弱点谁就成功。总理给革命军下的定义说："一个人打得过一百人就是革命军。"这话是真实的。我们要用精密一点的话来讲，就是："能把一切私的计算抛开，把永久一切的生存意义建设起来，从死的意义上去求生存的意义，为信仰而生为信仰而死的军队就是革命军。"信仰的形式和内容有不同，而目的只是一样。一个民族，如果失却了信仰力，任何主义都不能救得他起来。"要救中国，要把中国的自信力恢复起来"，这一个伟大而深刻的精神教育，在今天总应该有人明白了罢！

这几年来中国的思想界庞杂极了，但是我们看得出一个很大的进步来，就是从前一切战斗没有达到思想战争的地位。思想的战争只是限于思想的形式，不曾晓得思想就是生命，思想不统一则是生命不统一，思想的不同可以生出很悲惨激烈的战斗。这过去三年的经过，在十五年来民族战斗力训练之真剑的演习上，加上更重要的意义了，现在训练到作战基本动力的思想上来了。思想不是纸上的空谈，不是不负责任的儿戏，是生命的中心。思想不变成信仰时不生力量，不到得与生命合为一致时不成信仰。鄙弃信仰，决不能说明人生的意义，更不能说明民族生存的意义。

第二十三章

好美的国民

▲ 时代祭上的和服女子

人类的生活，除了信仰生活而外，最要紧的要算是“美的生活”罢。“据于礼、成于乐、依于仁、游于艺”，这四句话说明文化的要义，可算是精微了。礼是什么，就是社会组织的制度。社会不能不有组织，组织不有制度时，他的组织力是不确定的。人类的生活决不是无情趣的无机的一个形骸，他成为生活的缘故是要有一个生活的机能。生存意识是生活机能的主体，而生活的情趣更是推进生活的动力。所以一切生物，号为“有情”，真是很巧妙的学语。一代的革命是改革一切社会组织的制度，但是在社会组织的制度未改革之先，推动社会生活的情趣，必然先起一种变化，生一种的改革。信仰生活的革命和艺术生活的革命往往先社会制度的革命而起，后制度革命的改革而成，到得他完成时，又是变化将起的时代了。这样递换不已，就成社会的进化。我想要于论日本人信仰的生活之后，接着论他们的艺术生活了。

诗歌、音乐、绘画、雕刻、园林、建筑、衣饰，乃至一切生活的形式，无处不有美的必要，美是人类文化的一个最大的特质，也是一个最大的需要。把"美"的意义除却了的时候，将无从去寻人类文化的原素。我们看一切生物，他都具备特殊的"色香"，而这特殊的色香，一面是他生存必须的工具，同时更是推进他的生活的动力。性是生命的起点，所以"美"的表现更常常和性的生活成密切的关联。这一个事实，我们尤其是在禽类的形态声音当中看得最亲切。雌雄竞争最剧烈的鸟类，它的声色美特别比竞争不剧烈的鸟类彰著。在人类当中，美术进步而普及的民族也就是创造文化能力最大的民族。

我们并且看得见，民族的特性表现得最明白一点不容假借的，是在他的信仰生活和艺术生活两方面。同是一个宗教，传到异民族的社会里，他的性质完全会变了一个。中国佛教和日本佛教的不同，是很明显的。不单教如此，宗派也是一样。中国的禅宗和日本的禅宗，无论僧侣居士，都完全不相同的。中国的禅和尚禅居士，不是晋人的清谈，便是宋儒的性理，等而下之，便是借教外别传，不立文字，直参微妙，不借修为为口实，伪造禅机欺骗大众。日本的禅和尚禅居士，何尝不是有很多的毛病，很多的虚伪，在武家时代那一种真创的斗争社会中，坐禅、剑术、柔术，都成为斗争的精神训练的要义，而禅定可以变为军队的最高统率，创术的最高的秘奥，战斗的最高策略。无论你自己说是怎样高明的禅师，要在"战斗"和"死"的考试上不落第，才可以算为初等及第。艺术生活上，看出的特质也是多极了。他的特质如何，我们可以看出两点：一点是战斗的精神，超生死的力量；一点是优美闲静的意态，精巧细致的形体。前者是好战国民战斗生活的结晶，后者是温带岛国之美丽的山川风景的表现。如果用时代来说，前者是武家时代的习性，后者是公家时代的遗音。就地方来说，前者是表现东国和西南国的短衣，后者是表现京都的长袖。固然这种分别都不是绝对的，而且横的交通纵的遗传的变化，经过很长久的时期，已经由混和而化合，造成了一种不易分析的日本趣味。这一种日本趣味很不容易以言语形容，也不容单讲一两点所能概括，然而我想称赞他一句话，就是："日本人的艺术生活是真实的，他能够在艺术里面，体现出他真实而不虚伪的生命来。"我还想称赞他们一句话，就是："日本审美的程度，比较在诸国民中算是高尚而普遍。"如果我们从他的德性品格上去分析起来，崇高、伟大、幽雅、精致这四种品性，最富的是幽雅精致，缺乏的是伟大崇高，而尤其缺乏的是伟大。中国古代人说起美的对象，总是举出日月星辰、碧霞苍穹来，什么满天星斗焕文章，也是用来形容美术的惯语。大平原的国民审美的特性当然如此，至若山川美的丰富，在这样一个大陆的国家，更非岛国可比。日本人标榜为美的极致，不过一个富士，伟大崇高也不足比中国的诸名山。不过他在一个海国山地当中，溪谷冈陵，起伏变幻，随处都成一个小小丘壑，随地都足供人们的赏玩。而这些山水都是幽雅精致，好像刻意雕琢成功一样。这样明媚的风光，对于他们的国民当然成为一种美育，而自然的赏鉴遂成为普遍的习性。《徒然草》的序文上说："在花间鸣的黄莺，水里叫的青蛙，我们听到这些声音，就晓得一切有生的生物没一样不会作歌。"这一种自然审美的趣味，在日本的确是很普及，不过气局褊小，没有平原广漠、万里无云、长江大河一泻千里的气度，是他一般的缺点。日本人一与中国人交际，最令我们感觉不愉快的，就是这一个性格。然而这决不是一二百年乃至三五百年所能变革的。日本这一个民族，至少也有了二千几百年的历史。他在这两千几百年当中，不断地受着天候、地理、历史的感化陶融，连好带坏，成了今天这么一件东西，好是他的习性，坏也是他的习性。我们现在所最需要知道的，不是他的好坏而是他是什么。一个民族在信仰生活和艺术上面，长处短处都是不容易抛弃更变的。我们看许多亡了国几千年的民族，乃至移转了几万里的民族，而至今仍旧能够保存他多少古代艺术的面目和审美的特性，如果具备这一种能力的民族，他的保持民族质量的力量都具备相当的伟大。并且我们要晓得一种特殊的美术的成立，必定是要经过很长的年月，很多种类很多次数的文明混合。而在调和和创造的上面，又必须保持着一种或数种民族要素的纯洁性，尤其最要紧的是他的血统的纯洁性，然后才能够达到文化的烂熟期而成功一种特殊的美术。日本的美术构成的成分是很多种的，中国美术和印度美术，不用说是最基本的要素，但是看得见他尤其要紧的是日本民族的特殊性。只要是稍微对于中日两国的美术有过一点经验的人，无论是对于哪一种的作品，或是音乐，或是绘画、雕刻、盆栽、插花、书法，都能够一眼便看出他是中国的或是日本的。这一特点的发现，比之发现中日两国人身体面貌的差别尤其容易而确实，正好像中国书法中个性特质的表现一样。一千个学王羲之的人，决定是一千个样子，各人的异点是一点也不能隐藏不能虚饰的。

日本民族一般比较中国人审美的情绪优美而丰富，这恐怕是的确的批评罢。我们走到中国的农村去，看得见的美术，只有一块石头上画着头大于身的土地神，一块木头上刻着的财神、五通神、三官大帝、关老爷神像的壁画，门神、门钱，红色的春联上写着文不对题而又别字连篇的联句，甚至除了安放一块石头以外，什么都没有的社坛。但是这些地方，我们还能够从千篇一律毫无自然美的陶融、人造美的创造的当中，体察出一种素朴的生意来。城市里面那些阔家的不透日光不通空气的四方五平的建筑，和花园里很辛苦地盘制出来绿叶中显出白人头来的花神盆景，乃至瓦房里面挂着什么“草堂”，城市里面刻着什么“山馆”一类的匾额，名副其实的五步一楼十步一阁的园林构造，这许许多多名堂，我们在日本是绝对看不见的。日本人对于自然美的玩赏，是很有一种微妙的情趣的。最使我们注意的，是造园、盆栽、生花。把某处的风景缩小若干分之的一个园林，把某处的某一株松柏的奇古形态作标本造一个盆栽，把某一家的画法作基础案出一种生花的流义。这些还是顶普通的外形。在这当中，更潜伏着很特殊的想象力和创造力，使死的东西添出生意。胡床边的篱落决不使我们生城市山馆的厌气，优美的茶间当中的瓦壶竹档决不使我们发生瓦盖草堂的恶感，村落间墙壁上贴着的浮世画决不令我们觉得有看三官神像那样的劣等情绪。乞食的穷和尚吹着古韵悠扬的尺八，比之我们听宣卷要深几十倍的耽想中古时代历史。这种种地方，都是人人很容易察觉到的。

中国文化输到日本二千年的当中，发展的成熟期大约可以分为两个段落。第一个段落是完全模仿唐制的公家时代，所谓平安朝的文化，可以算为是最成熟的时代。这一个时代里面，一般人民所接受的中土文化，只有被支配的法令被宣传的宗教，所以由统一的典章制度和学术的宗教信仰两种很艰深的文化成熟起来的艺术，是贵族的专有品。从种种方面看，我们都认识得出他们的内容决不浅薄，形式也决不鄙劣，然而范围是很狭隘而气力是微弱的。到得这一文化烂熟了，便发生本身的破产，公家制度的衰颓就是他文明腐化的证据。很像中国建康临安时代的金粉文明，一样是充满了亡国败家的气象。于是政治上的统治当然不能维持而变为群雄争伯的时代。制度文物在杀伐争战的当中，黑暗了几百年，直到得太阁统一群雄，家康继承霸业，丢开了腐败堕落的西方，在荒野的东海之滨造出一个簇新的江户文化。这是我们很值得注意的。我们要看得见日本文明的建设，是在很低级的民族部落时代，硬用人为的工夫，模仿中国最统一最发展的盛唐文化。这一种建设当然不容易使民众咀嚼得来的。由统一的公家制度变为分裂的封建制度，就中国的历史比较起来，很像是开倒车。其实，把当时日本社会组织和文化普及的范围看来，便可以晓得封建制度的产生是各地方需要文化普及的自然要求。所以后来德川三百年的治世不特把日本民族的势力结合起来，而且把从前垄断在京畿一带地方少数贵族手里的文化普及开来。就艺术上看，在德川中叶以后，民间文学民间美术的发达兴起是日本空前的巨观，而且这一个时代的特色，是一切文艺都含着丰富的现实生活的情趣。同时一切制度文物，也都把"人情"当作骨子。日本民众好美的风习和审美能力的增长养成，确是德川时代的最大成绩。研究他的现象和因果，是一个日本史上一个最专门而且重要的问题。我没有作详细批评的能力，也没有作精深研究的工夫，我只提出这一个注意点来，要大家十分注意。

一个人如果不好美不懂得审美，这一个人的一生是最可怜的一生。一个民族如果把好美的精神丢掉，一切文化便只有一步一步向后退，而生存的能力也只有逐渐消失。"美"是生存意义当中最大最高最深的一个意义。除了信仰生活而外，美的生活要算是最重要的了。人生的重要生活条件，中山先生举出五样，是食、衣、住、行、印刷。这一个分类是就产业为主的分类法。便以此着想，无论哪一样，都要是不仅只有，还要美；不仅只要美，还要不断的要求美的发展进步。这样的人生才是一步一步向上的人生。如果有了番薯吃便永不再想吃米麦，有了棉布穿便再也不想丝织，有了茅屋住便再也不想高大华屋，只要披荆斩棘的走得通便再也不想造路，有了雕刻黎枣的印刷术便再也不想机器印刷，这种生活意识，说什么文明，说什么进步呢？并且在道德生活上面，好美的关系更大极了。一个人要求道德生活的进步，他的心理和好美是一样的。不懂得好美的人决不要求道德的进步，即使有一种要求，也是很空虚很错误的。中国讲修身，把外的生活丢开，专讲性理，结果不单物质的文明不得进步，连精神的文化也一天一天倒退，把民族向上发展的能力，残破得干干净净，都是为此。

所以我论日本民族的特点和寻他所以能够发展进步的原因，第一我确实相信日本人具有一种热烈的“信仰力”。这“信仰力”的作用，足以使他无论对于什么事都能够百折不回，能够忍耐一切艰难困苦，能够为主义而牺牲一切，能够把整个民族打成一片。保守的人，他真能顽固到把性命去维持他所要保守的目的物。革命的人，他真能够把生命财产一切丢开，努力作前进的战斗。日俄战争时候他们那一种肉弹的精神，无非是信仰力的表现。第二个特点，我就举出好美这一件事来，这和信仰同样是民族最基本的力量。有了这两个力量，一个民族一定是能够强盛能够发展。只要这两个力量不消失，民族决不会衰亡，我希望中国的青年们要猛醒呵！

▲ 圣徒西门，在柱子上苦修36年，丝毫不为金银所动。

第二十四章

尚武、和平与两性生活

一个小民族要想发展进步，尚武当然是一个最必要的习性。日本人的尚武是人人知道的，他们社会上种种的风习，与乎各种组织制度，处处可以表示出他们尚武的精神来。这一点倒是十几万留学生，人人替日本人宣传得够了，用不着我再来说。我想要特别说明的，倒是充满日本社会的一种平和互助的习性。我们一定要了解，尚武的习性、组织、制度，一定靠平和互助的习性去调和他帮助他，才有真实的用处。“为生存而竞争，为竞争而互助”，这是生物的本能。尚武是为竞争而有的德性，平和是为互助而有的德性，两者同时是天生成的。无论怎样野蛮残酷的社会，都有多少平和的习性。如果天下有不会流泪的人，有不会流泪的民族，那么或者他会绝对不懂得平和的，如果不然，无论怎样好勇斗狠，一定是有一种平和的情绪流在民族生活的大平原当中。

日本人尚武的风气不只是封建时代几百年当中养成，是他开国以来一种新民族的生存必要上产生出来的习性，在前面几多章里处处都有说明了。而他们和平的习性，表现到社会风俗上成为一种制度，这确是中国文化和佛教文化普及发展的结果。固然平和的佛教到了日本，带了许多杀伐性，中国讲仁爱中庸正道的孔子学说，会造成日本古学派的山鹿素行的神权说来，这是证明思想会随境遇而变化。可是我们再翻过一面想，日本这一个山间蛮族，如果不得到中国印度的文化，他自己本身决不是在二千年的短时期当中发明得出高尚的文化来的，岂不是至今还是吃人肉喝人血的鬼么。——日本的传说,有说上古时代,日本地方住着一种“鬼”,是最野蛮的原人,专门吃人肉喝人血的。——尤其是使我们特别注意的,就是日本社会生活当中一切平和的习尚都是佛教种种教义、教仪、教礼的表现和中国文化的“礼教”的表现。直接渊源于日本固有神道的思想行为是尚武,直接渊源于中国印度的思想行为是尚文。更就精神生活的分析上说,日本的信仰生活产生尚武的风习,而艺术的生活产生平和的风习。我们试把日本所有的艺术分门别类,一件一件的研究,的确很少发现和战斗相关的艺术。——除了武器的装饰和狂言当中关于战事的题材而外,多是表现平和思想和平和生活的。“茶道”“生花”两种特殊艺术的流行,并且是专为打消武家杀伐的习性,化干戈为玉帛起见,这是历史所明白告诉我们的。

日本民族的文明,年代是很浅的,封建制度的废除不过是六十年前的事情,然而社会的文化确是比中国进步得多。各种野蛮的械斗和名实相符的部落生活,在日本内地是非常之少的。中国北方的寨子,南方的堡,这种完全是聚族而居的部落,在大一统的放任政治下面,他们过的生活还是日本封建制度以前东南东北各地民族制下的生活。法律的效力不能保障人民的生活,而政治的效力不能强制人民的行动,再加上一个专制的愚民政策,于是中国民族的文化,除了腐败堕落的长江而外,和北方诸胡混合的黄河流域,和苗瑶杂处的西江流域,连封建制度的干涉政治的训练也没有受过,一天一天向野蛮方面退化,这是很当然的。日本的社会里面,所以确实流行着中国礼教的好处,而中国只保留着礼教的腐败无用的堕力,就是这个缘故。

我们从前住在日本的时候,那时日本的人口没有今天这样稠密,资本主义没有今天这样成熟,由金钱造成的阶级区分没有今天这样明晰,生活没有今天这样困难,那时日本社会生活的情况还保存着不少旧日的良好风习,凡是二十年前到过日本的人都很能知道的。便是在欧洲战争之前,京坂繁华,已绝非日俄战前可比,但是社会的矛盾和裂痕尚不如今日之甚。直到大地震之后,民众的心理随着生活动摇,才起了绝大变化。变化的方向,可以一言蔽之,就是“由安定向不安定,由平和向不平和”。偏偏很奇怪,社会人心一天比一天向不平和方面恶化,而尚武的精神亦一天比一天消失。信仰心比从前减少了,而一方面迷信却比从前加多了。反宗教的运动和无政府的倾向,刚刚与迷信的流行成一个正比例。经过一千几百年才嚼融了中国文明印度文明,调和在日本人的血液里,造成一种特殊的日本趣味。现在这日本趣味,却是一天破坏一天,一天减少一天。这一次我隔了六年后到东京,一切闻见,差不多有隔世之感。简单说:

一、日本人的自信力减少,由自信力的减少,而社会的民族的裂痕便一天一天扩大。因为信仰渐趋薄弱的缘故,迷信的增加却是五花八门,和三年前我在四川所感觉的,程度虽有不同,而方向完全一样。任何阶级,都是被打算的商业心理即日本人所谓"町人根性"支配着。

二、民族的信仰心减少,同时就是民族美术性的破坏,尚武精神和平精神的低落。对于过去的感激,对于将来的希望,越是崩坏,而对于现在的赏玩精神也渐渐崩坏。所谓"日本趣味",在东京大坂那样大都市里面,差不多要看不见了。

三、平和的好美精神和赏美习惯被一刻不停的斗争生活打破,社会生活失了平和性,而人生的内容便一天比一天寂寞枯燥。生活的疲乏到了极度,自动的尚武变了被动的争斗,社会组织的缺陷一天扩大一天,于是全社会都充满着革命的恐怖空气。

这些是大都会的现象,然而在离都市较远的地方,还可以看得见日本的本来面目。这些变动的情形,且放到后面再讲,现在先讲十五年以前日本社会生活的平和相。

日本民族是最欢喜清洁整齐的,他们的生活一般都很有规律。又是一个最讲礼教的,他们的礼教,和中国老先生们口头的性理,和早已变成僵尸的礼教惰力支配着的中国社会,绝然不同。支配日本社会的繁文缛礼,比之中国还要厉害得多。但是那些形式,还活泼地各自有他的效用,并不曾变作礼教的化石。我们且先从日本人的家庭看起,日本人的社会是一个男权的社会,女子是绝对没有地位的。所谓三从四德贤母良妻,这些道德标准在日本是很确实地存在着,很生动地行使着。可是再没有像中国那样把女子关锁在后房里,不许与人见面的习惯。女子的言语行动,在一定的制度下面,是有相当的自由的。女子对于他的丈夫是绝对服从,绝对的恭顺,

▲ 美好的人伦

每天丈夫出门回家，必定是跪迎跪送，但是他这一种跪送，已经成了一种很活泼的自动的动作。女子所使用的语言，和男子所使用的语言，在文法上修辞上是绝对不同的。任何时候，任何地方，很少听见有女子使用普通的简语。男子却是不同的，在社会交际上，中流以上的男子，他们有几种的交际语，这些交际语处处都相当的表现出男性。在很恭顺地向对方使用最敬语的时候，也处处很留意地保持着人格的威严。男子在幼年稚年时代的用语，已经是很显明表现男子的独立性和自尊性。这种地方，学校和家庭里面都是很奖励的。在这样一个男女阶级最彰著而且悬殊的社会里面，却有一个很特殊的和中国不同的地方，我们且把他比较论出来。

一、中国的男尊女卑是一个表里很不相同的畸形制度，尤其在上层阶级的家庭里面，更是如此。一方面有极端男子虐待女子的事实，一方面更极端的有女子压迫男子的事实。男子在名誉的压迫下面，虚伪的忍耐和虚伪的隐瞒是很普通的。而日本的社会绝不如此。女子对于男子绝对服从的对面是男子对于女子的绝对保护——固然也有例外，然而例外很少。具备威严的保护爱和具备同情的体谅爱在很巧妙的组织下面调和着。我们在日本社会里面，很少看见有女子对男人的河东狮吼，更少看见有男子对女子的虐待。爱护弱者这一种武士的道德，尤其在男女间是看得很亲切的。虽然也有置外妾的事，但一夫一妻的制度比较确实地维持着，妻妾同室的事是绝对没有的。所以日本人的家庭比起中国人的家庭来，要圆满得多。我常觉得日本的男子在他的奋斗生活当中有两个安慰，一个是日本人所最欢喜的热汤沐浴，一个就是很温和的家庭。日本的女子对于他的丈夫，的确可以安慰他同情他，使在社会上吃一整天苦恼的男子由一夜的安慰而回复他疲劳的精神。中国男子很普通的家庭苦在日本社会上是绝对不经见的。

二、中国的蓄婢制度在日本是没有的，同时中国这一种虐婢的事实在日本更是没有。阶级分限很严格的封建制所产生的日本社会里，主人对于使用的婢仆绝不像中国都会地方的习惯那样无情冷遇，他们家庭里面的使用人很像是家庭一部分的组织分子。主人对于使用的人，处处都看得出一种温情，这一种温情不是发生于个人的性格，而个人性格的养成倒是原因于制度。现代的都市生活下面渐渐地把这一种温情的从属关系打破了，契约的责任观念替代了阶级的从属观念。不过在中国这种畸形的虐待和变相的佣金制度，在日本社会里面我是不曾见过。

三、宗法社会的男系家督相续制和财产相续制是联成一个东西的，这也是封建制度下面必然应有之义，但是长男对于次男以下的家属的义务观念也是很明确的。这一层情形，更是和中国绝对不同的地方。

四、许多中国人以为日本女子的贞操观念淡薄得很，以为日本社会中的男女关系差不多是乱交一样。这一个观察完全错误，大约这是中国留学生的环境和他们的行为很足以令他们生出这样的错觉来。日本人的贞操观念的确和中国人有很大的不同的地方，然而决不像中国留学生所说的。第一日本人对于处女的贞操观念绝不如中国那样残酷。第二日本孀妇的贞操，固然也主张的，然而社会的习惯绝不如中国那样残酷，至于有逼死女儿去请旌表的荒谬事件。第三日本人对于妓女，同情的心理多过轻蔑的心理。讨妓女作正妻的事是很普通的，尤其是维新志士的夫人几乎无人不是来自青楼，这也可以证明日本社会对于妓女并不比中国社会的残酷。第四日本的妇人的贞操，在我所晓得的，的确是非常严重，而且一般妇人的贞操观念非常深刻，并不是中国留学生所想象的那样荒淫的社会。一般来说，我觉得日本的社会风纪，比之中国的苏州、上海，只有良好决没有腐败。而他们的贞操观念，不是建筑在古代礼教上，而是建筑在现代人情上，也较中国自由妥当得多。

蒋百里
民国时期军事理论家
浙江海宁人氏
1882生，1938卒
曾赴日德研习军事
主编《浙江潮》
是系统引进近代西方先进军事理论
的第一人
1912，保定军官学校校长
自责失职
面对全校师生举枪自尽
被救活
养伤期间
与日本女护士结下一生姻缘
1933，赴日考察
鉴于中日大战不可避免
拟就多种国防计划
呼吁当局备战
1937，出版《国防论》
主张唯有长期抗战
才能拖垮日本
名将巴顿
研读复援引
1938，陆军大学代理校长
迁校操劳过度，病逝湘桂途中
举国痛悼　追赠上将

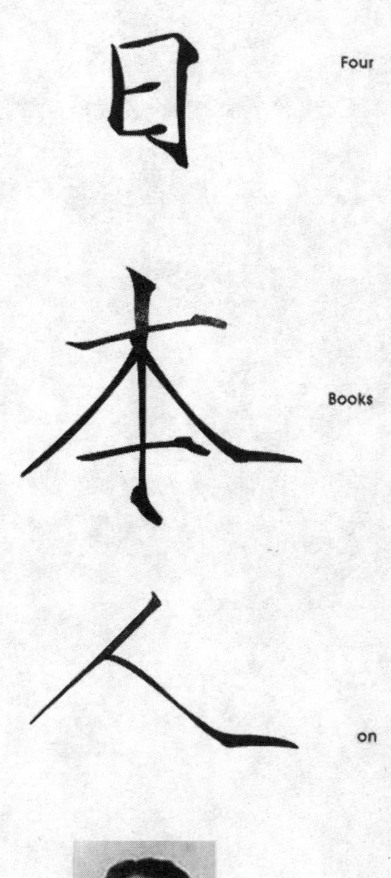

Four Books on Japan

蒋百里

绪 言

世界上没有像我那样同情于日本人的！一群伟大的戏角，正在那里表演一场比 Hamlet 更悲的悲剧，旁观者哪得不替这悲剧的主人翁下一滴同情之泪呢。

古代的悲剧是不可知的运命所注定的，现代的悲剧的主人公性格反映，是自造的，而目前这个大悲剧，却是两者兼而有之。

日本陆军的强，是世界少有的；海军的强，也是世界少有的。但是两个强加在一起却等于弱；这可以说是不可知的公式，也可以说是性格的反映。

孔子作《易》终于“未济”，孟子说“生于忧患，死于安乐”，这种中国文化日本人根本不懂，他却要自称东方主人翁？

如今我像哥德批评 Hamlet 一般，来考察目前这个悲剧的来源。

▲ 日本画家笔下的鱼

第一章

几个自然条件

1. 情热的人种　从日本人的习惯，诸如洗澡、衣服、饮食、居住来看，日本人种无疑地是从南方移去的。其间当然也有一部分从北方——中国山东与高丽的移民，但这并不是主流。所以北方的风格，在日本是看不见的。事实上北方苦寒的生活，非日本人所能接受。北海道（Hokaido）为日本国国土，经过五十年的开拓。中国的东三省——满洲二十年前日本就想移民，五年来他可以自由移民。但统计数字的雄辩，确实告诉我们，日本这种移民企图已经怎样的失败，日本人怎样的不愿到北方去！

2. 地理上的影响　这种南方情热的人种，又受了地理上的影响。日本的气候风景，真可以自豪为世界乐土，但它缺少了国民教育上的两种材料。日本自以为是东方的英国，但他缺少了伦敦的雾。[①] 日本人要实行他的大陆政策，但他缺少了中国的黄河长江。[②] 明媚的风景——外界环境轮廓的明净美丽，刺激了这个情热人种的眼光，时时向外界注意，缺少了内省的能力，同时因为事事要注意，却从复杂的环境中找不到一个重点。短急清浅的水流，又诱导他成了性急的矫激的容易入于悲观的性格，地震、火山喷火，这些不可知的自然变动，也给予日本人一种阴影。

---

① 雾锻炼了英人体格之强健与眼光之正确。

② 黄河长江养成中国人特有的风度。

3. 鱼　许多日本宣传家的统计，常常侈言他人口如何激增，国土如何渺小。据说近卫(Konoye)见了霍斯上校(Colonel House)后，霍斯就做了重新分配殖民地的文章。但他们的说明书上，却隐藏了一件本国唯一的宝贝，——即无限制的海上生活资源——鱼。(他们因为国民生存上必要而发展出来的无限制的渔艇制海权真可以代表现代的侵略政策，我们倒可以承认他正当的权利。)但是这个鱼，又给了日本民族性格上一种影响。日本古代拿鲤鱼来比武士，因为只有鲤鱼受了刀伤乃至临死也不会动。恐怕切腹(Harakiri)这个风俗，与吃鱼有关系吧。因为鱼非新鲜不可口，日本人吃鱼便要把鱼活活的宰死了吃，才有风味。日本人不懂中国孟子所说"闻其声不忍食其肉"与"君子远庖厨"的意义。所以他们的残忍性，还保有岛人吃人肉的遗传。

4. 酒　世界各国的酒都是越陈越好，白兰地一百年，绍兴酒五十年，但日本的酒却是要新鲜，越新越好。而大量饮酒在日本人却认为是豪杰的象征。尤其陆海军将领，对于酒都是经过长期奋斗而升级，所谓"死且不惧卮酒奚足辞。"

5. 音乐　假如你在月明之夜听日本人的笛——尺八，假如你在黄昏时分听日本农夫的民谣，假如你在灯红酒绿中听他们的三味线，你总能得到高亢激烈，与长声哀怨的音色。外国人要学他，一定呼吸会转不过来。在中国琴弦因为过高而断，是个不祥之兆。假如拿中国的琴来和日本的三味线，琴弦一定会断。

6. 花　"花是樱花人是武士!"多么美呵! 但它的意义却是印度悲观主义的"无常"。因为樱花当它最美的时候，正是立刻就要凋谢的象征。好像武士当他最荣誉的时候，就是他效命疆场的一刹那间。(勇敢是可赞美的，但太悲观了呵。)

所以日本人在制造文字时代，节取中国文字来做他的字母，就有了一首诗。

开首是"色香俱散"，结束是"人事无常"。直译的意义是：

"色与香都是要散的呵!"……"我们的人生谁能维持永久呢?"

第二章

几段历史事迹

1. 文字的创造　当中国固有文化正发达的时代——像秦汉时候——就有许多传说:可证为与日本有交通。但当时日本尚不能接受文化,直到孔子降生一千年以后,隋唐时代即印度文化东输,佛教在中国正是极盛的时代,才有大多数的日本人留学中国。所以印度文化与中国哲学混合的输入日本。创造日本文字的,是一个有名的和尚,在中国受了精深的佛典教育。那时候如同水入空谷一般,几个佛教大师把他们的理论风靡了全国,上逮皇室,下迄国民。

2. 武士道与大和魂　中国哲学到德川(Tokugawa)统一之后才被提倡而盛行。那时日本人所自豪的武士阶级,已入于停顿时期。所以要知道武士道的源起,不能不对于佛教思想的输入加以特别注意。假如从表面上看,武士道与欧洲中古时代的骑士无大区别。他的美德是忠实勇敢,同情,俭朴,守礼节,——只有一件即对于女性观念则与骑士不同,不是尊重,而是蹂躏。——但是日本人以为除此以外他另有欧洲人所没有的"内在的精神"。所谓"大和魂"(Yamato Tamachi)这个东西。

这个大和魂,不仅外国人不能捉摸,就是日本人也不能说明。据我看来 Litz 论美学曾说到忘我的境界,这种容易导入于忘我境界的性格,恐怕就是大和魂的真谛。而这一刹那间的异常境遇,是从佛教禅宗里所谓"悟"所谓"空"而来的,但其中有厌世悲观的色彩。

3. 武士的不道　武士的长处就是所谓"道",但他的背面有一个阴影。

▲大名鼎鼎,德川家康

按日本面积很小,在武士时代又分做几百个小国,彼此毗连邻近,他的首领随时有被袭击的可能,他对四面八方不能不十二分警戒,所以侦探术就特别的巧妙,几百年来养成了一种间谍的天才。日本的高级社会,常常不自觉的喜用诈术就是那时候养成的。其中两个最有名的英雄,一是丰臣秀吉一是德川家康,日本国民给他们的绰号,前者叫做“沐猴而冠”,后者叫做“老狐狸”。日本人最喜欢读这个时代的演义。在我看来,那些正是别有风味的侦探小说。

4. 西乡隆盛　真正够得上做日本精神美德的代表者有一个人,就是西乡隆盛。但他模范地做了悲剧主角,因为他不失败于他所反对的敌人,却失败于他所爱护的学生。日本有许多爱国者,究竟是否是国家的幸福,不能不请运命之神来判断了。

5. 两个真正的日本指导者　真正从日本民族的发展看来,有两个指导者是值得尊敬的。一是从前的圣德太子,他奠定了日本的第一期文化,接受了佛教与中国哲学。一是现代的明治大帝,他创了日本的第二期文化,接受了欧洲的科学文明。

第三章

明治大帝

1. 本章的意义　明治大帝是值得另立一章的，因为现在这个巨大的强国乃是他一个人苦心的成就。我特别要提出"苦心"两个字，因为一只船航行海上，最重要的是把舵者。有时要向左，有时要向右，一不小心，就会出乱子；未来等于一层浓雾，国家所走的路，又没有详细的海图可循。其间既要天才，又要经验，最重要的更是强固的意志力和谦抑的考虑。当明治大帝逝世的一日，伦敦《泰晤士报》（世界民族中懂得日本的首推英国）有一篇哀悼的文章，说日本国运自从这位大帝的经营以后恐怕已经到了富士山顶。我们希望以后不向下坡走！

2. 初期的苦痛——不对外即起内乱　性急的日本人，当他取消封建，统一行政，不到五年的光阴，就要向外发展，所谓征韩。主张这个政策的人，是唯一的军人领袖，唯一的勤王元勋——西乡隆盛。政府议决了征韩，但是中途变卦，结果便发生内乱，这在日本人或许认为是很不幸的，但大帝决心，宁忍内乱的痛苦，不愿早开边衅。

3. 民权与宪法　明治初年的政权为南方长萨土肥所独占，长州萨摩为主，土佐肥前副之。西南革命——西乡隆盛所领导——失败以后，所谓民间志士，以土肥为中心，集中于提倡民权。政府虽一时下令压迫，然而大帝决心实行立宪，藉议会使国民与闻国政，排斥当时绝对的天皇神权论。

4. 对俄与对英　明治最信任的政治家伊藤，他是创造政友会的政党首领，他不主张与俄国开衅，所以一九〇二年他旅行俄国时想与俄国得一妥

▼ 中国士兵用机枪向空中的日机射击。

▲ 相扑象征日本。

协。伊藤的反对派——山县军人派——则主张对俄作战。两派争持剧烈,经明治最后的决定,订了英日同盟,伊藤的亲信亦所不顾。

5. 忍辱讲和　中日战争后的三国干涉,日俄战争后的无赔偿讲和,都是大多数爱国者所激烈反对的。然而大帝两次战胜,却取谦抑态度,很镇定的给予肯深思熟虑的负责政治家一个最大支持,并由英日同盟,而进展到日法协商日俄协定。

总之,事后看来好像日本的进展发达是很容易的。其实当时不断的内争——内政整理与对外发展,民权与王权,南进与北进,文治派与武力派,国粹派与洋化派——如同一条大路一时向左,一时向右。而明治大帝却能用他坚定的意思,聪明的先见,将方向把定。在历史的事实上,日本人所谓皇室中心,只有这个时期是正确的。

▲ 1905 年,日本皇家卫队攻陷俄军阵地

第四章

欧战

1. 绪言　美国军舰的炮，惊醒了东方一个新兴国家；欧洲人的钱，又把这个新兴国家引入了内在多烦闷外界多诱惑的新悲观世界。

2. 明治大帝的余泽　大帝的意志虽然坚强，但喜欢采取臣下的意见。每逢国家大事，他总要召集所有亲信的人，商量一番。这个商量成了惯例，一般人就称之为元老会议。但法律上并无明文规定，完全是出于大帝的自动意志。大帝逝世后元老会议做了政治领导的中心，但是第一次就遇见了一个不幸。当时在伊藤指导下的文治派，因为伊藤被刺而西园寺实为领袖。在山县指导下的军人派则以桂太郎为领袖。桂太郎因为要联俄之故到了圣彼得堡，又因天皇病重匆匆返国，半途就遇见山县的特使，报告要请他做新天皇的辅弼大臣，专管天皇的起居教育等等，不入政治。但入宫不到二月，西园寺内阁就因为不能扩充陆军而失败，又出来组阁。于是文治派政党领袖就举行护宪大运动，而日俄战争时代负重望大告成功的桂太郎公爵，从此失败而死。军人与政党就结了一种仇恨。最大多数的政友会，近十年不得政权。从此以后直到现在，近卫组阁还是要经元老的推荐，但是二十年间元老一个个凋谢，只剩下现已九十余岁的西园寺。

3. 欧战给予日本的第一影响就是烦闷　这是欧洲人自己也不能体会的。近世工业资本主义的发达，最快需时五十年。但日本却像暴风一般，五年以内突然的生长。无数的黄金从欧洲输入进来，烟囱急速度的增加到五倍十倍。假如我们要形容他的情状，至少可以做十几本书，现在只举一个例吧。西京有一位很穷苦的博士名叫河上(注意日本法律规定长子有承袭财产权,次子多尝独立生活,所以博士多是次子,或是穷苦出身的,富家长子都要管理家务无暇求学),他著了一本书,名叫《贫乏物语》:说明无产阶级的由来与痛苦。三年以来,这本书销行了几百万。以他著述的收入,竟变成一个财产家。他的书受民众如此的欢迎他个人却常遭警察的注意。后来效法他的人很多,就有所谓社会主义的发财者出现。而这位可怜的天良未泯的老教授结果因为用他卖书的钱,来接济了共产党,被判为有罪,入了牢狱。至于许多社会主义的发财者,却利用了打倒政党——财阀的名义,做了军阀的走狗。这种矛盾,欧洲社会看不见。

4. 欧战给予日本的第二影响就是诱惑　一九一五年派了亲王到俄国,用百五十万枝步枪,及许多作战资源,才得到内外蒙互相承认的协定。后来俄国革命了,德国屈服了,英国疲敝了,日本可以自由进展到西比利亚。英国的印度洋要仗日本海军保守。日本又攫取了青岛,可向中国北方南方自由活动。整个的亚细亚是他的了,所怕的只是美国,不过太平洋太大了,美国要到东方非经过四千英里的行程,且非经过日本群岛的关门不可。欧美有钱,日本人也有钱,欧美人有机器,日本人也有机器,所以称雄世界的诱惑,就日见其不可抵御了。

▲ 庆“六一”,日本儿童行军礼

5. 整个的民族动摇了　在历史上看来无论哪一个民族哪一个时代,从没有像日本在欧战时代的激急变迁。一个原来缺少内省能力缺少临时应用能力的性急的民族,一方遭遇了社会的莫大矛盾(不安与烦闷),一方又当着千载难逢的机会(诱惑与希望)。这一只渔船,遇到了台风,一高高到天上,可以征服亚洲,即可以征服世界——西方自杀的文明殁落了;一低又低到了地狱,贫富不均,生活困难,革命共产,虚无主义,暗杀手段,不仅把舵的失却了罗盘针,全民族也就导入了一种疯狂状态。战争!革命!

第五章

固有的裂痕

1. 叙言　在烦闷与诱惑的大浪中我们要研究他政治的固有形态。假如自己组织坚实，指导者自能渡过难关，渐渐得到风平浪静，但日本原来的政治组织已有两个裂痕。

2. 第一是政治家与军事家在政治上的对立　日本自组织责任内阁以来，陆海军人出而组织内阁者有十人，而政治家也只有十人，且其中政治家有标记的两人，还是代理。试将这二十人的系统开列如下：

政治家
- 政友会组阁者　伊藤——西园寺——原（高桥）——田中（军人与政党合流）——犬养
- 民政党组阁者　大隈——加藤——若——滨口——宇垣（军人与政党合流）未成
- 超然派组阁者　广田——近卫

军人
- 陆军组阁者　山县——桂——寺内——田中——林
- 海军组阁者　山本——加藤友三朗——斋藤——冈田

在内阁组织法制定的时候，确定了陆海军大臣必须从现役将官中任命的原则。在当时原是消极的防止民权论自由主义侵入军队中间，以致军人的思想不健全。但是这个条例，后来竟使军人得以操纵内阁，因为陆军大臣倘因意见辞职，内阁总理就没法找出第二个军人代理他，军人操纵政治成了日本政治的传统习惯。欧战以前只是几个最高级的军人留心政治，欧战以后就影响到了下级军官。

3. 第二是海军与陆军在财政上的对立 各部争取预算本是普通习惯，但世界上无论何国，无论何时代，国防上或海或陆终有些偏重。但试查日本五十年来的预算，假如陆军预算一万万，海军预算决不会在九千万以下。当华盛顿海军会议时代，俄国革命，中国内乱，就日本国防上说陆军预算大可缩减，但因为海军要造补助舰队，陆军也须同一比例增进。民政党财阀内阁时代的陆军大臣宇垣，曾经一度缩减陆军人数的定额，而将剩余款项添补新兵器（预算不因而减少），结果招了陆军切齿的怨恨。所以海军既想学英美从第三位要到第一位，不仅封锁亚洲海岸还要越过太平洋。陆军又要做德法保持他世界唯一的荣誉，实行他的大陆政策。滨海省、中国、印度、菲律宾都是他的目标。假如两者有一些偏袒，就被对方指为卖国贼！

女人献花军人

第六章

军人思想之变迁

▲ 军官们

1. 生活经验　当一九一八年左右一个电车司机每月可得五十元薪水，每年有三次赏金，每次大约五十乃至百元。一位少尉的俸给，不过四十余元，还要扣除种种衣服交际费用。而许多暴发户一席小小宴会，可以花到千元以上。旅馆酒资，可以随便五百元一给。军官学校招考学生,从前应试者每超过定额一倍有余,至此乃不足额数。有一位军官学校的教育长真崎,他先前抱着旧式的忠君爱国思想来教导学生,却感觉得学生的风气信仰与昔日完全不同。他们对于社会财富的不平,已起一种激烈的反抗。使真崎不禁想到当年未开国时代质朴的黄金世界。同时田中陆军大臣因为大战后官长须与社会多方面接近,所以陆军大学添了社会学的功课。马克思《资本论》也做了日本青年官长的参考书。

2. 新兵器　日俄战争时代的青年官长除了五响毛瑟、七五野炮以外,没有用过别种武器,每分钟六百发的机关枪,战时只有骑兵才有。这一群青年官长,现在多到了上中级将官职位。欧战以后,新兵器逐渐发展,但种类既繁,除了专门研究者以外,高级官长不能一一的研究。所以新式有效的武器使用法,下级官明白,上级官倒糊涂。所以石原在大佐时代说道"现在将官没有人懂得战术"。这在精神军纪上,就发生了不良影响。

3. 传统的习惯与教育　陆军创造者山县既是元老,又是军人,又是政治家,他时时汲引军人的后进来做他的继承者,于是有桂——寺内——田中——宇垣这辈军人政治家。而陆军大臣可以不经总理直接上奏天皇,又在政治里立了一个军阀不败的基础。青年军人以先辈为模范者,当然喜谈政治。但他们的根本教育却是德国式的严格的阶级教育,对于社会少所接触——有一群野心家企图利用三百万在乡军人做政治活动的基础,结果失败——可是从田中当陆军大臣时,主张开放教育以还。譬如一个年轻的乡下人猝然到了都市,件件都是新奇,种种可以诱惑,自己也弄得莫名其妙。

4. 爆发的原动　陆军在征兵制之下所征集的大多数国民多为农民,而近代日本农民的困苦不是熟读《资本论》者所能想象。在都市生活中看见十几个钟点的劳动者,就对他同情,但这个被同情者,还是日本农民认为可羡慕的。这种农民的痛苦也非政党中人所能了解(民政党的选举基础在都市,政友会的选举基础在地方,但它的目的在将地方事业化),倒是由新兵而转入于青年官长的意识中。以一九三一年间的中级官长而言,正是直接从大战后思想动摇的过程中过来的。当时军官靴上带着马刺去坐电车,有人就讥笑他"坐电车何必带马刺"。诸如此类的事情,使日本军人深深受了社会的侮辱。所以对于财阀,对于政党,就发生了一种不可解的仇恨。

就动机来说，指日本军人是侵略主义者有一半是冤枉的。他们希望的是内政改革，并不一定是对外侵略。不过财阀外交家所主张的和平通商，他们却是反对罢了。凡知道日本内情的人，就知道满洲事变前日本就有两度的武力改革运动，名为十月事件与三月事件。一九三一年九月二十六日，（满洲事变后七日）所发的关东军军官秘密通告中间有"以决死态度辅佐长官"之语，（即要挟与威胁之意）用的却是支部名义。无疑的这个秘密结社的本部是在东京。二十八日参谋总长退职，（这尚有许多传说现不录）用真崎为参谋次长，而戴皇族为总长，所以日本军人先是烦闷，后乃诱惑，但几度烦闷的解决法多是失败了。

5. 许多煽动家 欧战以后军事上的专门学问已经足够年青官长一生研究，陆军大学的社会学，经济学，当然不过一个大概。而天生性急的日本青年官长，正当烦闷时候，当然只求转变少所判断。这时候，就出了无数的煽动家。按日本政治史上遗传下来的一种产物，即所谓浪人（没有一定职业，而有时可与政治要人发生直接关系）。最不可解的，是有一位浪人名叫北，主张天皇下戒严令，同时停止宪法三年，却又要召集五十位辅弼大臣。没收一切财阀财产，而私有财产又可以百万元为度。并以在乡军人三百万名组织政党。这种儿戏的革命办法竟为日本青年军官奉为神圣教典。可是这位假英雄住了人家巨大华奢的住宅，而当五月五日东京暴动时，青年军人在偕行社——即官长俱乐部——召集会议，他却避开不敢出面。到二月二十六事件发生后，他还打电话鼓励暴动的军人，叫他们不服从劝告。这人现在处刑了，这类煽动家各走各路，正式团结不起来，军人受煽动而表现出来的事是第一次想在议会中投炸弹，藉此实行戒严，解散议会——这是一个高级军官所计划的——结果被警察发觉。第二次是假造高贵的人命令，令近卫第一师团出动，——这是下级军官计划的——结果被长官所发觉。第三次是青年候补生刺杀总理犬养，袭击警察局。第四次是近卫师团并第一师团的第三联队暴动，占领了东京中心的一区。刺杀斋藤，高桥，即所谓二月二十六日的暴动，所以日本军官的思想远不是日俄战争时代那样单纯了。

第七章

政治

1. 叙言　最不痛快的，莫如我现在写这一章，因为除了"阴谋""煽动""贿赂""威吓"以外，我不知道政治运动中还有何种方法。我不愿将日本这种一般的恶性的政治内幕揭露出来。不过在上述的几种情形以外，日本政治史上还有两件事，是日本所独有而值得记述的。

2. 日本政治家的不幸　日本有力量的政治家，若非遭遇意外的不幸，便是被人暗杀。这是开国以来不断的事实，维新动乱时代姑且不提。政府安定以后，第一个政治元勋西乡隆盛以暴动起兵而自杀于战场（这时先后许多勤王志士被杀者不少），而政府方面成功的大久保又被认为国贼而遭暗杀，大隈既以外交问题遇了炸弹，伊藤又在哈尔滨遇刺而死。这四位是日本极盛的明治大帝时代最重要的人物，大家谅都知道。再如政友会为日本最大政党，而首领几乎个个横死。星亨为首，继之者为原。原是政党政治极盛时代日本人艳称的平民宰相，竟被刺死于车站。田中以陆军大将为党魁，出组内阁，下野不久，一夜间猝死。是否自杀，迄成疑问。民间出身，一时奉为宪政之神的犬养，苦斗了六十年，当了首领，做了总理就被士官生击死于首相官邸。身隶政党但常取超态度的财界元老高桥，以七十八岁的高龄亦被军人击死。六十年来政友会首领，只有西园寺可望善终，然而最近也经过了几次危险。至于对立的民政党，出任国务总理的滨口、财政大臣井上和财阀元老团乃至超然的海军大将斋藤都同犬养一般的运命。此外幸免的如冈田海军上将、铃木侍从武官长、牧野宫内大臣，也受了相当的惊吓。再如次级的有力人物如军务局长永田、中国公使佐分利也遭了知名不知名的暗杀。这种疯狂的事实，影响到当时俄国皇太子尼古拉，中国钦差大臣李鸿章，直到现在，还有送短刀给艾登的。

所以日本的政治家可以说天天在火山上跳舞。

3. 内阁的后台　负政治责任的当然是内阁，但日本内阁背后总有一群人在那里操纵着，内阁的生死可以完全决定在这群人手里，而这群人既不是专制时代的皇帝那样独裁，又不像民主国家的民众及其代表的议会那样多数取决。明治大帝死后可以分做三个时期，第一是元老操纵时期，第二是枢密院与贵族院操纵时期，第三是青年军人操纵时期。(满洲事变以后)自有议会以来，因众议院多数反对而辞职的，只有两次。在野党欲推翻政府，不在对于大众演说而在秘密与内阁的后台接洽。这中间就容留了一种人物，名叫浪人。当伊藤公开组织政党时山县就竭力反对，而对抗的方法，一面是收买议员，一面就是蓄养浪人，而遗后世以无数恶例。如今举几件最大的事变为例。

西园寺(大正元年)　桂　山本(首次组阁)——以上三个内阁皆被元老山县有朋操纵而倒。

山本(二次组阁)　若规　田中——以上几个内阁皆被贵族院与枢密院推翻。

犬养　冈田　广田——因军人暴动而倒。

第八章

财政经济

1. 叙言　五十年来日本政府财政的膨胀，与国民经济的发展，是历史上所少有的，许多专家已有详细的数字说明。本章因此只从日本全国作一整个透视，仅举出两项来说：

2. 第一是与军人的关系　原来日本武士有轻视商人的习惯，所谓町人，就有几分重利忘义的气味。自从福泽在明治初年以英国绅士为模范，提倡了"独立自尊"主义，创设了庆应大学，才给予日本财阀以人才的基础。五大财阀的事业家都是直接间接受了福泽的精神教育，而以议会政治为其理想。自从日本第一财阀三井联络松方，三菱联络大隈，政府以发展国民经济为名，使财阀与政治家发生了密切的联络。到大正时代，财阀对军人居然取得对立的地位。但因为议会莫大的选举费，都是靠财阀在后台帮忙，这中间就发生许多疑狱事件，两党彼此摘发而国民对于政党发生不信任态度。最近党员竞争选举，除社会党以外，"政友""民政"党员都不敢公开地标举党籍，财阀看政党无力，就转而利用重工业这个工具，与军人接近。因为急于制造武器，势不能不特别发展重工业，而青年军人所提倡的皇家社会主义，因此乃不得不暂行停顿。

3. 第二，是与农民的关系　一个大坂造丝商人，曾经夸耀地说"只有我们的工业是由人民的心血一点一滴造成的"。换句话说，日本各种经济事业的发展，都是靠政府帮忙提倡而成的。试问这政府津贴各事业的钱是从何处来的。再看："日本租税之来源，地方与中央合计课于消费约百分之四十，课于所得者约百分之二十一，课于财产者百分之二十。其他杂税约百分之十九，多数含有消费性质。在日本国民被课之消费税约占全数之半。"[①]试问这巨大的消费税是从谁征收来的？日本农民约占人口百分之六十以上，而这些农民大多数天天在困苦之中，农村负债已达不能偿还之巨额。许多日本人归怨于国土渺小，人口繁殖，其实真正要解决日本的农村问题，若就对外发展来想，只有到美国去是种种方面都适合的。此外的发展，如"满洲"等地因为生活程度日本人不能与中国人竞争，徒替大资本家发财，于大多数国民不仅无利反而增加无数的负担。如今单举一个例子来指出他对外对内的矛盾。日本向来常感产米不足，视为重大问题。于是大正十四年竭力开发朝鲜，使产米增加，近几年来乃感供过于求，而政府不得不施行统制政策以防米价之过贱。但农家因收获后亟需现金，不得不将自己食用的米一并售出，将来仍须购回。这一进出间农民又实受一重损失。艳称日本发展者每举其船舶的吨数，贸易的数字，以表现其经济力之强，其实国民财富集中在工商界，大多数的农民终岁劳作而尚无适当的生存，这不是欧美无产阶级所能想象到的。

① 见矢野(Yano)著《日本国势》

第九章

外交

1. 二重外交之由来　明治二十四年以前日本既无外交可言，而外交官的位置多数是贵族的游戏品。但当时陆海军所派各地留学生，倒能通达语言，深入各国社会。所以参谋本部的外国情报，比外交部常来得早。自经两次战役，参谋本部的地位自然加增，故遇到重要事件发生，军人对外交常有容喙之权。特别在中国，有许多浪人做侦探，都是由参谋本部接济的。外交官人数有限，自然不及参谋本部情报网的细密。——现在上海的东亚同文书院创办时是第一任参谋总长川上(Kawakami)把自己房子卖了做基金的——最近军人势力增长，外交官只能仰军人的鼻息，以保持其地位。退出国际联盟，原不是外交部所赞成，而是现在参谋本部作战部长石原一手造成的。

2. 外交系之成立　自从明治二十六年陆奥(Mutsn)担任外交部长以后，日本外交界始有人才，后来许多著名人物都是他一手提拔起来的，但日本国民对于他的外交官太对不起(undankbar)了。中日战争时代的陆奥，日俄战争时代的小村，他们用的心血，遭的困难，比参谋总长大得多——至少也是相等——但日本国民一律归功军人而指两度外交为失败。所以两位外交大臣在战后都郁郁不得志而死。在《朴资茅斯和约》签字以后，小村发了四十度的高热还去见罗斯福，实与军人决死相等，但回来时人家用黑旗欢迎他。所以日本的外交将来终究要失败。

3. 两条路线　从日英同盟、日俄战争到伦敦《海军条约》为止，日本外交方针是与英美接近的。这一派人物日本称为英美随从派，以加藤与币原为主体。但这后面有一条暗流，便是亲俄，但每次都遇到了意外的失败。上文说过伊藤是主张与沙俄妥协的，同时还有一位后藤（Goto）男爵，他第一次耸动伊藤在日俄战役后与俄国要员在西比利亚相会，但到了哈尔滨伊藤被刺。第二次他又耸动桂太郎到俄国旅行，半途即遇明治天皇崩御。第三次在欧战期中一九一五年日本亲皇访问俄国，后来即遇俄国革命。一九二一年这位后藤男爵又请了越飞来日本游历，这是共产党外交官第一次到东方，不久就是日俄复交而后藤却又死了。伦敦会议以后币原外交政策大受攻击，中间经过几次转折而到广田，即亲俄系暗流又得势的证据。广田第一步的成功，即购买中东铁路，那时他最得意，所以大胆声明"广田在位不会有战争"。而在日德防共协定的时节，还在东京与俄大使发生一度"破例外交"的折冲，就是告诉俄国说"防共是对英而非对俄"①。

4. 宣传者自己中毒　日本的外交宣传特别巧妙，但其间有两种流弊。一是对外失信任。自从满洲事变以后，外交界的声明与军队的行动却成了恰相反对，这种例子我们不必枚举，我们不敢说外交人员撒谎，只能以二重外交解释它。第二是对内失调节，比较缺少自省能力的日本国民经"胜仗""发展""大陆政策"，尽量的鼓舞人民的气势，结果自己收缩不下来，例如日俄战后的东京烧打事件。

---

① 广田以不能公开的外交秘密告俄大使，而后者竟违背成例公诸报章，故有破例外交称。

第十章

精神上的弱点

1. 空虚与矛盾　日本国民原是崇拜外国人的，这种几千年的遗传，一时不易改革过来。——本来假如从日本文明中除去了欧美输入的机器与科学，中国印度输入的文字与思想以外，还剩着些什么呢？——现在他却妄自尊大夸示他独有的能力。他的宣传愈是扩大，他的内容愈是空虚。他如今将崇拜的心理，转移到了嫉妒上去。一方面对中国用兵，一方面却主张人种战争。而畏惧外人的心理，仍像伏流一样弥满于一般社会。许多激进分子提倡的国难，所谓非常时期，在提倡者自己知道也不过一种煽动，但无形中更加重了国民的悲观色彩。

更进一步说，他在良心上已经发生一种矛盾，他天天以东方文化自豪，实则无一不是模仿西方，学了拿破仑造莱因同盟的故智来制造"满洲国"。学了英国的故智，企图中国分成几个小国，互相对立，本来一个很可乐观的国际环境，偏要模仿历史上已成失败的不幸例子，环境诱惑他得到了朝鲜不够还想南满，得了南满不够，更想满蒙全部，更想中国北部，如今又扩大到全中国，要以有限的能力来满足无限的欲望。

日本人很能研究外国情形。有许多秘密的知识，比外国人自己还丰富。但正因为过于细密之故，倒把大的，普通的忘记了。譬如日本研究印度，比任何国人都详细，他很羡慕英国的获得印度，但他忘记了英国人对印度，是大家没有注意时代，用三百年的工夫才能完成。而日本人，却想在列强环视之下三十年内要成功。日本人又研究中国个人人物，他们的传记与

▲ 日俄之战，日军攻克旅顺 203 高地，日本女性纷纷以 203 高地发髻为时尚。

▲ 上海，日军轰炸下的孤儿

行动，他很有兴会的记得，但他忘记了中国地理的统一性与文字的普遍性，而想用武力来改变五千年历史的力量，将中国分裂。他又羡慕新兴的意大利与德国，开口统制，闭口法西斯，但他忘记了他无从产生一个首领。

日本疆土拓展表

	总面积（平方英里）	占领年份	
日本本部	147327.2		
台湾琉球	13889.8	1895	中日马关条约
库页岛南半部	13934.2	1905	日俄朴资茅斯条约
辽东半岛	1435.6	同上	
朝鲜	85228.1	1910	正式并吞
东三省	363700	1931	强占后制造伪满
热河	740000	1933	强占后并入伪满

第十一章

黄金时代过去了

1. 从内政上说　明治末年确是日本内政的黄金时代，但欧战一起，军人政治家就将国军无目的的滥用。最初就是获取青岛，继之对西伯利亚出兵，后来又是两度的山东出兵，这都不是国家的运命关头，而军人随便运用他的武力以求获得一部分利益。这种举动给予日本军官以破坏纪律自由行动的先例，所以日本军纪是从上级坏起。几年前日本中央军事当局对于关东军有一个特别名称，叫做 Desaki，即派出者之意。因为他的行动常与中央不一致。关东军的任务，本在维持沿铁路附近的地方治安，而军官们却在那里创造他政治外交行动，两个师团每两年调换一次。于是满洲这个区域，就变了军人自由活动的养成所。关东军之外，又加了天津驻屯军，更予军人以一个自由活动的机会。所以每次事变起来，政府总是声明事变不扩大，军人总是调兵，这种不一致现象，给了国民与国际间一种不安与不信任。现在日本想向举国一致的方向走，但缺少了一个先决条件，就是国民不能了解敌人到底是谁。这可分三种说法：(一)陆军对俄，海军对英，现在为什么对中国。(二)日本军人向来夸称中国不够做他的目标，只须一出兵就可以占领中国的，但现在的事实却正相反。(三)对中国尚且如此困难，将来如何对俄对英美。

2. 从国际上说　华盛顿会议实为日本独步东亚的时代，因为这时世界公认日本为一等强国，而且是东亚的重心。所以九国公约对于中国有保全领土主权与机会均等的种种条款。在中国人民看来，这是精神上的一种耻辱，而在日本却是一种荣誉的义务。但日本看这种荣誉的义务，反以为是耻辱的压迫。譬如吃饭，人家请他坐首席，他不愿，偏要一人独占一张桌子，定要叫人家走开。因为日本有这种无限制的野心，引动了世界的疑惧。俄国在远东本无兵力，但在满洲事变后已经增加了几十万的常备军。美国得了五、五、三比率后，本未建造足额，现在却三度的扩充海军。英国新加坡军港，本只是纸上计划，现在却正式完成。日本在极小一块空地中常能布置出十全的庭园山石，这个想象力（Finbildungs Kraft）很大的日本民族悲剧性的自造了一个国难，以为悲壮的享乐本来是一个理想的阴影，现在竟变成了事实的魔鬼，日本的恶运，实在是爱国志士造成的啊！

▲ 日本小学生庆祝日军攻占南京

第十二章

结论：物与人

许多大政治家，大军人，脑筋里装着无数物质的数字，油多少，煤多少，铁多少，乃至船多少吨，炮多少门，而却忘记了一件根本大事！

纵使文明病为现在一般国家所共有，但是日本没有经过像德国那样的饥饿，法国那样的女人避孕，而日本“人”的健康状态却如下表：

年　　度	壮丁兵役不及格的百分比
一九二五	百分之二十五
一九三二	百分之三十五
一九三五	百分之四十
一九三八	百分之四十八

注：一九三六年已将兵役之身长限制减低。

夸称日本文明者，当然说他教育制度如何完备，国民学校如何发达，可是这教育势力下所养成的学生，其兵役不及格的程度，占各职业中之最高度。一九三五年全国受验壮丁 632886 人中，不合格的百分率占百分之五十以上，而且不论乡村都会，工业区与农业区，一律的不行。列表如下：

东　京	大　阪	北海道	东　北
五七·四	五九·六	五六·〇	五三·〇
北　陆	四　国	九　州	
五二·一	五二·五	四九·七	

更显著者，学生体格之不良，随着教育程度而递增，不及格者大学生最多，其次为高等学校专门学校毕业者，再次则中小学，但国民小学毕业者比高等小学者其不及格之比率更大，一九二五年来此种现象更为显著。

缺乏内省能力的日本国民呵！身长是加增了，体重是仍旧。这是一件怎样严重的象征！向外发展超越了自然的限度，必定要栽一大筋斗！

白种人中一两个穷小子受了银行老板的气，不得已跟着这位挥霍无度、内在空虚的大阔少，想出风头，一定会上当会倒霉！

▲ 汪精卫在东京与德国外交部长一同举杯

这本书的故事

在去年十一月十一日那天下午，我在柏林近郊“绿林”中散步，心里胡思乱想，又是旧习惯不适于新环境——看手表不过五点，但忘记了柏林冬天的早黑——结果迷失了道路。走了两点多钟，找不到回家的路不免有点心慌。但是远远地望见了一个灯，只好向着那灯光走，找人家问路。哪知道灯光却在一小湖对面，又沿湖绕了一大圈，才到目的地。黑夜敲门(实在不过八点半)居然出来了一位老者，他的须发如银之白，他的两颊如婴之红，简直像仙人一般。他告诉我怎样走，哪样转弯，我那时仍旧弄不清楚。忽然心机一转，问他有电话没有，他说“有”，我说那费心打电话，叫一部车子来罢，他说那么请客厅坐一坐等车。一进客厅就看见他许多中国日本的陈设，我同他就谈起东方事情来，哪知道这位红颜白发的仙人他的东方知识比我更来得高明，凡我所知道的，他没有不知道。他所知道的我却不能像他那样深刻。比方说“日本人不知道中国文化”等类，他还有日本古事记研究一稿，我看了竟是茫无头绪。我十二分佩服他。从此就订了极深切的交情。这本书是我从他笔记中间片段片段的摘出来而稍加以整理的。现在不敢自私，把它公表，不久德文原本也快将出来。我临走的时候，他送我行，而且郑重的告诉我：

胜也罢，败也罢，就是不要同他讲和！

民国二十八年八月谷旦

蒋百里于汉口

版权声明

《日本四书》终于编辑完成。本书选用了部分图书、杂志上登载的图片，在此对所有图片作者及版权所有者表示衷心感谢！目前尚有部分图片作者未能取得联系，以致稿酬未能支付，谨致深深的歉意。为了保证著作权人的权利，敬请尚未联系上的图片作者或版权所有者看到本书后与我们联系并领取稿酬，我们将同时赠送样书。联系方式如下：

联系人：林志民　刘　燕

地　址：北京广内大街319号广信嘉园B座19D

邮　编：100053

电　话：010—83130672　83131742

传　真：010—83130670